LE VOYAGE SACRÉ DU GUERRIER PACIFIQUE

DAN MILLMAN

LE VOYAGE SACRÉ DU GUERRIER PACIFIQUE

TRADUIT DE L'AMÉRICAIN
PAR MARTINE LAHACHE

*Collection dirigée
par Ahmed Djouder*

Titre original :

SACRED JOURNEY OF THE PEACEFUL WARRIOR
Publié par H.J. Kramer Inc., USA.

Introduction de l'éditeur

Plus loin… encore plus loin. L'aventure intérieure est donc sans fin, une étape succédant à l'autre. Bien sûr, le «guerrier pacifique» qui habite en chacun de nous le sait. En voici la confirmation.

Après ses «premiers pas» guidés par Socrate et qu'il raconte dans *Le Guerrier pacifique* (également publié aux Éditions Vivez Soleil), Dan Millman accomplit ici son «voyage sacré» avec Mama Chia, une femme shaman.

C'est avec un plaisir et un intérêt immenses que nous retrouvons ou découvrons le guerrier pacifique dans cette phase de réalisation de son être. Il avait appris à discipliner ses énergies, à concentrer sa volonté sur un but, à vaincre jusqu'à un certain point ses peurs et ses illusions, mais il restait insatisfait. À quoi lui servait cette maîtrise?

Au début de ce livre, il est en situation d'échec.

L'être humain est composé, pourrait-on dire, d'étages, qui sont représentés en anatomie subtile par les chakras alignés le long de la colonne vertébrale. Dan avait conquis les «premiers étages». Il lui restait une tâche essentielle et transfiguratrice à réussir: «monter» dans le cœur.

Ce récit, où réalités ordinaires et non ordinaires se fondent pour créer une vie intense et consciente vous passionnera et vous touchera profondément. Les personnages sont des modèles d'humanité, les situations sont fortes. Le lecteur se surprend à partir lui-même pour Hawaï sur les ailes de ces pages inspirées qui parlent directement à son âme.

L'enseignement vécu par Dan Millman est comme une flamme allumée dans son cœur qui, par simple contact, peut en allumer une dans le cœur de tout chercheur sincère qui sent combien le monde a besoin de Lumière et d'Amour.

L'éditeur

À ma femme, Joy,
pour ses conseils et son soutien constants,
et à mes filles, Holly, Sierra et China, qui
me rappellent ce qui est important.

Table des matières

Livre trois – Le grand saut

Remerciements

Je tiens à exprimer ma profonde reconnaissance aux personnes qui ont contribué, directement ou indirectement, à l'élaboration de ce manuscrit : Michael Bookbinder, pour sa sagesse pratique, sa clairvoyance et sa force de caractère, Sandra Knell, qui m'assiste dans mes recherches, Richard Marks, historien hawaïen, Carl Farrell, le docteur David Berman et Tom McBroom, pour leur compétence, Wayne Guthrie et Bella Karish, qui ont éclairé mon chemin ; et Serge Kahili King, shaman citadin.

J'adresse des remerciements tout particuliers à ma directrice éditoriale et parfois conseillère, Nancy Grimley Carleton. Je remercie également Linda Kramer, Joy Millman, John Kiefer, Edward Kellogg III, Jan Shelley et Michael Guenley qui ont relu le livre dans sa troisième version. Ma très profonde gratitude, enfin, va à mes éditeurs et amis Hal et Linda Kramer, pour leurs encouragements et leur enthousiasme.

Préface

Et si vous aviez dormi,
si dans votre sommeil vous aviez rêvé,
si dans votre rêve vous étiez allé au paradis
et y aviez cueilli une belle et étrange fleur,
et si vous vous étiez réveillé
en tenant la fleur à la main ?
Que se passerait-il alors ?

Samuel TAYLOR COLERIDGE

Mon premier ouvrage, *Le Guerrier pacifique*, raconte une histoire fondée sur des expériences qui m'ont ouvert les yeux et le cœur, étendant ma vision de la vie. Les lecteurs de ce livre se rappelleront qu'en 1968, après une période d'initiation et de formation avec Socrate, le vieux « guerrier de la station-service » qui devint mon mentor, celui-ci m'envoya pendant huit ans assimiler ses enseignements et me préparer pour la confrontation finale décrite à la fin de l'ouvrage.

J'avais peu évoqué ces années, préférant ne pas révéler leur déroulement avant d'avoir pleinement compris ce qui s'était passé. Elles commencèrent par des luttes personnelles et des rêves brisés qui m'entraînèrent dans un voyage autour du monde pour me trouver et éveiller à nouveau la vision, le but et la foi que j'avais découverts avec Socrate, puis d'une certaine manière perdus.

Ce nouvel ouvrage raconte les premières étapes de ce périple entrepris en 1973. J'avais alors vingt-six ans.

J'ai vraiment voyagé dans le monde entier, connu des expériences inhabituelles, rencontré des êtres remarquables, mais dans mon récit, je mêle les faits et l'imagination, tissant les fils de l'étoffe de ma vie en une couverture qui s'étend sur plusieurs niveaux de réalité.

J'espère, en présentant des enseignements mystiques sous forme de récit, insuffler une vie nouvelle à l'ancienne sagesse, rappeler au lecteur que tous nos voyages sont sacrés et que toutes nos vies sont des aventures.

Dan MILLMAN
San Rafael, Californie
Hiver 1991

Prologue

Une suggestion de Socrate

*Le libre arbitre ne signifie pas toujours
que l'on établit soi-même le programme,
mais seulement que l'on peut choisir ce
que l'on veut prendre à un moment donné.*

Un cours sur les miracles

Tard le soir dans une vieille station-service Texaco,
pendant des séances de formation allant de la méditation au nettoyage des toilettes, et de l'automassage
approfondi au changement de bougies, Socrate
mentionnait parfois des gens ou des lieux que je visi-
terais peut-être un jour pour « poursuivre mon édu-
cation ».

Une fois, il évoqua une femme shaman[1] à Hawaï. Une
autre fois, il mentionna une école spécialement destinée aux guerriers, cachée quelque part au Japon. Il
avait aussi parlé d'un livre sacré dans le désert, qui cla-
rifiait le but de notre vie.

Évidemment, ces choses m'intriguaient. Pourtant,
lorsque je lui demandais des détails, il changeait de

_____

1. Un *shaman* utilise des éléments magiques pour guérir les malades,
voit ce qui est caché et contrôle les événements qui affectent le bien-
être des gens. Il recourt également à des états de transe pour communiquer avec les esprits de la nature et d'autres alliés ou ennemis
invisibles.

sujet, si bien que je n'acquis jamais la certitude que la femme, l'école ou le livre existaient véritablement.

En 1968, juste avant de me renvoyer, Socrate reparla de la femme shaman.

— Je lui ai écrit il y a environ un an et je lui ai parlé de toi. Elle m'a répondu qu'elle serait peut-être disposée à t'instruire. C'est un grand honneur, conclut-il en me suggérant de la contacter quand je jugerais le moment venu.

— Mais où la trouverai-je ? demandai-je.

— Elle m'a écrit sur le papier à en-tête d'une banque.

— Quelle banque ?

— Je ne m'en souviens pas. Quelque part à Honolulu, je crois.

— Puis-je voir la lettre ?

— Je ne l'ai plus.

— Comment s'appelle-t-elle ? dis-je, exaspéré.

— Elle a porté plusieurs noms. J'ignore lequel elle utilise actuellement.

— Alors à quoi ressemble-t-elle ?

— Difficile à dire ; cela fait des années que je ne l'ai pas vue.

— Socrate, aide-moi !

Avec un signe de la main, il me répondit :

— Je te l'ai dit, Danny, je suis là pour t'aider, mais pas pour te mâcher la tâche. De toute façon, si tu n'es pas capable de la trouver, c'est que tu n'es pas prêt.

Prenant une profonde inspiration, je comptai jusqu'à dix.

— Et qu'en est-il des autres personnes et des autres lieux que tu as mentionnés ?

Socrate me regarda.

— Est-ce que je ressemble à un employé d'agence de voyages ? Suis ton flair, fais confiance à ton instinct. Trouve-la d'abord et les choses s'enchaîneront.

En rentrant chez moi, dans le silence de l'aube, je repensai à ce que Socrate m'avait dit – et ne m'avait pas dit. Si jamais je me trouvais dans la région, je chercherais peut-être à contacter une femme dont je ne connaissais ni le nom ni l'adresse, qui travaillait peut-être encore dans une banque à Honolulu, m'avait-il dit.

À supposer que je la trouve, elle m'enseignerait éventuellement quelque chose et me ferait connaître les personnes et les lieux que Socrate avait mentionnés.

Cette nuit-là, dans mon lit, je sentis qu'une partie de moi avait envie de foncer tout droit à l'aéroport pour prendre le premier avion à destination d'Honolulu. Pourtant, des questions plus immédiates me retenaient : j'étais sur le point de participer pour la dernière fois aux Championnats de Gymnastique Nationaux Universitaires, de recevoir mon diplôme universitaire et de me marier. Le moment était mal choisi pour partir à Hawaï engager une course effrénée. En ayant décidé ainsi, je m'endormis et, d'une certaine manière, mon sommeil dura cinq ans. Avant de me réveiller, je devais découvrir qu'en dépit de toute ma formation et de mon évolution spirituelle, je n'étais pas prêt pour ce qui allait suivre, tandis que je tombais de Charybde en Scylla en quittant Socrate pour les réalités de la vie quotidienne.

Livre premier

Guidé par l'Esprit

> L'important, c'est d'être prêt à tout
> moment à sacrifier ce que nous
> sommes pour ce que nous
> pourrions devenir.
>
> Charles DUBOIS

1

De Charybde en Scylla

*L'illumination ne consiste pas seulement
à voir des formes lumineuses et des apparitions,
mais à rendre l'obscurité visible. Ce dernier
processus est plus difficile, et donc impopulaire.*

Carl JUNG

Je pleurai pendant ma nuit de noces. Je m'en souviens très bien. Nous nous sommes mariés, Linda et moi, lors de ma dernière année d'études à Berkeley. Je me réveillai juste avant l'aube, déprimé sans aucune raison, me glissai de dessous les couvertures froissées tandis que le monde baignait encore dans l'obscurité, et sortis dans l'air frais. Je refermai la porte vitrée coulissante afin de ne pas déranger mon épouse endormie et sentis ma poitrine commencer à se gonfler. Je pleurai un long moment, sans savoir pourquoi.

Comment pouvais-je me sentir si misérable alors que j'aurais dû être heureux ? Ma seule réponse fut l'intuition profondément troublante que j'avais oublié quelque chose d'important et d'une certaine manière dévié du cours de ma vie. Ce sentiment allait faire planer une ombre sur notre mariage.

Après la remise des diplômes, j'abandonnai le succès et l'adulation qui accompagnent le statut d'athlète vedette et m'adaptai à un certain anonymat. Linda et moi déménageâmes à Los Angeles où, pour la première fois, j'affrontai les responsabilités de la vie quotidienne. J'avais un passé brillant, un diplôme universitaire et ma femme attendait un bébé. Il était temps de chercher un emploi.

Après quelques brèves expériences comme vendeur d'assurances-vie, puis cascadeur à Hollywood, et après avoir tenté de devenir écrivain, je parvins à décrocher un poste sûr d'entraîneur de gymnastique à l'université de Stanford.

Malgré cette bonne fortune et la naissance de notre adorable fillette Holly, j'étais poursuivi par l'impression persistante de passer à côté de quelque chose d'important. Incapable de justifier ce sentiment, ni même de l'exprimer à Linda, et manquant des conseils de Socrate, je laissai mes doutes de côté et tentai de satisfaire aux rôles de « mari » et de « père » semblables à ces profils d'emploi qui ne conviennent jamais tout à fait, comme un costume trop étroit.

Quatre années s'écoulèrent. La guerre du Viêt-nam, les premiers pas de l'homme sur la Lune et Watergate servirent de toile de fond à mon petit monde d'intrigues universitaires, d'aspirations professionnelles et de responsabilités familiales.

Pendant mes années d'université, la vie semblait beaucoup plus simple : les études, l'entraînement, les distractions et l'amour. Je connaissais les règles du jeu. Mais ces règles avaient maintenant changé. C'était désormais la vie quotidienne qui procurait les examens et aucune astuce ne pouvait tromper le professeur. Je ne pouvais que me tromper moi-même et commençai à le faire avec une détermination obstinée.

Axant mon ambition sur une maison clôturée d'une barrière blanche et un garage abritant deux voitures, je continuai de nier mes désirs intérieurs confus et décidai que tout irait bien. Après tout, Linda était une femme absolument exemplaire, un être exceptionnel. Et je devais penser à ma fille.

À mesure que mon retranchement dans le « monde réel » s'affermissait comme le béton, les leçons et les expériences avec Socrate s'estompaient, telles les illustrations nostalgiques d'un livre de souvenirs, un ensemble d'images floues d'une autre époque, d'un autre royaume, un rêve depuis longtemps enfui. Les années s'écoulant, les paroles de Socrate sur la femme d'Hawaï, l'école du Japon et le livre dans le désert devinrent moins réelles, jusqu'à ce que je les oublie complètement.

Je quittai Stanford pour prendre un poste à Oberlin College, dans l'Ohio, espérant que ce changement consoliderait ma relation avec Linda. Mais notre nouvel environnement ne servit qu'à mettre en lumière la différence entre nos valeurs : Linda aimait cuisiner et appréciait la viande, je tendais vers la nourriture végétarienne. Elle aimait les meubles et moi la simplicité zen, préférant un matelas sur le sol. Elle aimait la vie sociale, j'aimais travailler. Elle était l'Américaine type, j'apparaissais à ses amis comme un être métaphysique bizarre qui parlait peu. Elle vivait confortablement dans un monde conventionnel que je repoussais. Pourtant, j'enviais son confort.

Linda percevait mon mécontentement et éprouva une frustration croissante. En l'espace d'un an, ma vie personnelle s'effondra et je vis notre union se dégrader sous mes yeux. Je ne pouvais plus le nier.

J'avais cru que le temps passé avec Socrate me rendrait la vie plus facile, mais au contraire, elle ne semblait qu'empirer. L'incessant mouvement du travail, de la vie de famille, des réunions de professeurs et des problèmes personnels effaça presque tout ce qu'il m'avait enseigné.

Malgré son rappel que « le guerrier, tel un enfant, est complètement ouvert », je vivais dans mon propre monde autoprotégé. Persuadé que personne, pas même Linda, ne me connaissait ni ne me comprenait vraiment, je me sentais isolé et piètre compagnon, même pour moi.

J'avais appris à «abandonner le mental et vivre le moment présent», mais la colère, la culpabilité, les regrets et l'anxiété bourdonnaient toujours dans mon esprit.

Le rire purificateur de Socrate qui, autrefois, résonnait en moi comme un carillon de cristal, n'était plus désormais qu'un écho étouffé, un lointain souvenir.

Surmené et en mauvaise forme, je n'avais presque plus de temps ni d'énergie pour m'occuper de ma petite fille. J'avais grossi, perdant à la fois mon feu et le respect de moi-même. Pis encore, j'avais perdu le fil de ma vie, le but le plus profond de mon existence.

Je me regardais à travers le miroir de mes relations avec les autres et ce que je voyais ne me faisait pas plaisir. J'avais toujours été le centre du monde. N'ayant jamais appris à prêter mon attention, seulement à recevoir celle d'autrui, je n'étais toujours pas disposé, ou peut-être pas apte à sacrifier mes priorités et buts personnels à ceux de Linda, de Holly ou de quiconque.

Gêné de découvrir que j'étais un parfait égocentrique, je m'accrochai pourtant plus encore à cette image dégradée de moi-même. De par ma formation et mes réussites passées, je me voyais toujours comme un chevalier en armure de lumière, mais l'armure était désormais rouillée et mon amour-propre à son niveau le plus bas.

Socrate m'avait dit : «Imprègne-toi de ce que tu enseignes et n'enseigne que ce dont tu es imprégné.» Tout en prétendant être un maître lumineux, voire sage, je me considérais comme un charlatan et un idiot. Avec le temps, cela devint une évidence douloureuse.

Me sentant l'âme d'un raté, je me concentrais sur mes activités d'entraîneur et de professeur, que j'associais au succès, et évitais le domaine frustrant des relations humaines auquel, pourtant, j'aurais dû accorder toute mon attention.

Le fossé se creusait entre Linda et moi. Elle noua d'autres amitiés, j'en fis de même de mon côté, jusqu'à ce que le fil toujours plus ténu qui nous reliait finisse par se rompre. C'est alors que nous décidâmes de nous séparer.

Je déménageai par une froide journée de mars, dans la neige et la boue. Je transportai mes affaires dans la camionnette d'un ami et trouvai une chambre en ville. Si mon esprit me disait que c'était la meilleure chose à faire, mon corps parlait un autre langage. Des maux d'estomac et des spasmes musculaires commencèrent à me tourmenter. La moindre écorchure s'infectait rapidement.

Au cours des semaines qui suivirent, je continuai à fonctionner par pur automatisme, exécutant au travail tous les gestes quotidiens. Pourtant, mon identité et la vie que j'avais envisagée s'étaient désintégrées. Perdu et pitoyable, je ne savais plus vers qui me tourner.

Quand un jour, en ouvrant ma boîte aux lettres à l'université, le bulletin du corps professoral me glissa des mains et s'ouvrit en tombant par terre. Je me baissai pour le ramasser et balayai rapidement du regard une annonce qui disait : « Tous les membres du corps professoral sont invités à poser leur candidature pour une Subvention de Voyage d'Études en vue d'une recherche interculturelle dans leurs différentes spécialités. »

Un sens profond du destin m'électrisa soudain ; je savais que je postulerais pour cette subvention et que je l'obtiendrais.

La réponse du Comité arriva deux semaines plus tard. Je déchirai d'enveloppe et lus : « Le Comité Exécutif du Conseil d'Administration a le plaisir de vous annoncer qu'une Subvention de Voyage d'Études, d'un montant de deux mille dollars, vous a été attribuée pour effectuer des recherches dans votre discipline, le voyage devant avoir lieu au cours de l'été 1973 et, si vous choisissez cette solution, au cours d'un congé sabbatique de six mois... »

Une porte s'ouvrait. J'avais de nouveau un but.

Mais où aller ? La réponse me parvint pendant un cours de yoga où je m'étais inscrit pour ramener mon corps à l'équilibre. Certains exercices de respiration et de méditation me rappelaient les techniques que m'avait enseignées Joseph, l'un des anciens élèves de Socrate qui avait tenu un petit café à Berkeley. Comme sa barbe en broussaille et son gentil sourire me manquaient !

Joseph était allé en Inde et avait parlé en bien de ses expériences. J'avais également lu beaucoup de livres sur les saints, les sages et les gourous indiens, sur la philosophie et la métaphysique des yogis. J'allais sûrement apprendre là-bas les doctrines et pratiques secrètes qui me libéreraient ou du moins me remettraient sur la bonne voie.

Oui, j'irais en Inde. Ce choix s'imposait. Je ne me chargerais pas, n'emportant qu'un petit sac à dos et un billet d'avion ouvert pour garder un maximum de liberté. J'étudiai les cartes, effectuai quelques recherches et fis faire mon passeport et les vaccins nécessaires.

Une fois mes plans établis, j'annonçai la nouvelle à Linda et expliquai que j'essaierais d'envoyer une carte postale à Holly de temps en temps, mais qu'il leur serait impossible de me joindre pendant de longues périodes.

Elle me répondit qu'il n'y avait là rien de nouveau.

Par une chaude matinée de printemps, juste avant la fin de l'année scolaire, assis sur la pelouse avec ma petite fille de quatre ans, je m'efforçai de lui expliquer ma décision.

— Ma chérie, je dois partir un certain temps.

— Où vas-tu, papa ?

— En Inde.

— Où il y a des éléphants ?

— Oui.

— Est-ce qu'on peut venir avec toi, maman et moi ?

— Pas cette fois-ci, mais un jour nous ferons un voyage, toi et moi, rien que nous deux. D'accord ?

— D'accord.

Après une pause, elle ajouta :

— C'est de quel côté l'Inde ?

— Par là, lui montrai-je.

— Tu seras loin longtemps ?

— Oui, Holly, répondis-je honnêtement. Mais où que je me trouve, je t'aimerai et je penserai à toi. Est-ce que tu penseras à moi ?

— Oui. Es-tu vraiment obligé de partir, papa ?

C'était juste la question que je m'étais posée plusieurs fois.

— Oui.

— Pourquoi ?

Je cherchai les mots exacts.

— Il y a des choses que tu ne comprendras pas avant d'être grande. Mais je dois partir, même si tu vas me manquer beaucoup pendant mon absence.

Lorsque Linda et moi avions décidé de nous séparer et que j'avais déménagé, Holly s'était accrochée à mes jambes, ne voulant pas me lâcher. Elle avait pleuré.

— Ne pars pas, papa, s'il te plaît, ne pars pas.

La détacher doucement mais fermement de ma jambe, la serrer dans mes bras puis la repousser afin de pouvoir partir fut l'une des choses les plus difficiles de ma vie.

Cette fois, Holly ne pleura pas à l'annonce de mon départ. Elle ne me supplia pas de rester. Elle regarda seulement l'herbe. C'est ce qui me fit le plus mal, car je ressentis ce qui s'était passé en elle : elle s'était résignée.

La semaine suivante marqua la fin de l'année scolaire.

Après un au revoir doux-amer à Linda, j'étreignis ma petite fille et sortis de la maison. La portière du taxi se ferma. Tandis que la voiture s'éloignait, je regardai à travers la vitre arrière mon foyer et mon monde familier devenir tout petits, jusqu'à ce qu'il ne reste plus que mon propre reflet me renvoyant mon regard. Avec un mélange de profond regret et d'ardent espoir, je me tournai vers le chauffeur.

— Nous allons à l'aéroport d'Hopkins.

J'avais tout l'été et un congé sabbatique de six mois, soit en tout neuf mois, pour effectuer mes recherches et voir ce qui allait se passer.

I

2

Le voyage

*Un bateau est à l'abri
dans le port mais les
bateauxne sont pas faits
pour cela.*

John A. SHEDD

Entre ciel et terre, je contemplais par le hublot du 747 le tapis de nuages qui recouvrait l'océan Indien et me demandais si je trouverais quelque part en bas les réponses que je cherchais.

Tandis que ces pensées flottaient dans mon esprit, mes paupières se fermèrent lentement. Quelques instants plus tard, me sembla-t-il, je fus réveillé en sursaut par les roues de l'avion touchant le sol.

J'arrivai pendant la saison humide de la mousson. Constamment trempé par la pluie ou la sueur, je me déplaçais en taxi, en pousse-pousse, en autobus et en train. Je marchais le long de routes boueuses et traversais des bazars bruyants où des fakirs hindous démontraient des pouvoirs inhabituels et des disciplines sévères.

Villes, bourgs et villages ; couleurs et odeurs ; chaleur oppressante ; encens et bouse de vache ; de Calcutta à Bombay, en passant par Madras. Partout, des gens – des foules en mouvement, des multitudes grouillantes. L'Inde sacrée, surchargée de monde, entassant des âmes dans chaque kilomètre carré, chaque mètre carré, chaque centimètre carré.

Des visions et des odeurs non familières assaillaient mes sens ; la moitié du temps, j'écarquillais les yeux, fasciné, l'autre moitié, je flottais, comme dans un rêve. Mais je n'étais pas là en vacances.

Avec une détermination inébranlable et des recherches sincères, je m'introduisis dans plusieurs écoles de yoga où j'appris nombre de postures, de modes de respiration et de méditation, semblables à ceux que Socrate et Joseph m'avaient enseignés.

À Calcutta, je vis les plus pauvres d'entre les plus pauvres. Partout, je rencontrais des mendiants, hommes, femmes, enfants handicapés en haillons. Si je donnais une pièce à l'un d'eux, dix autres surgissaient – contraste saisissant avec la grandeur du Taj Mahal et autres temples de beauté et d'équilibre spirituel, ainsi que des retraites moins connues dotées d'une force spirituelle.

Je fis un pèlerinage aux ashrams et rencontrai des sages emplis de la sagesse non dualiste de l'Advaita Vedanta, qui enseigne que le samsara et le nirvana, le corps et l'esprit, ne sont pas séparés. Je fis connaissance avec la Divinité et la sainte trinité de Brahma le Créateur, Vishnou le Préservateur et Shiva le Destructeur.

Assis aux pieds de gourous qui professaient une sagesse simple et dégageaient une présence aimante et forte, je sentis la profonde ferveur dévote des saints et des saintes sacrés. Voyageant même en char à bœufs avec des sherpas jusqu'au Tibet, au Népal et dans la région du Pamir, je rencontrai des ascètes et des ermites. Je respirai l'air raréfié, m'assis dans des grottes et méditai.

Plus abattu de jour en jour, je ne trouvai jamais de maître comme Socrate et n'appris rien qu'on ne trouve dans une librairie de la côte ouest des États-Unis. J'avais l'impression de m'être lancé à la recherche de l'Orient mystérieux pour apprendre qu'il était parti rendre visite à des parents en Californie.

J'éprouve le plus grand respect pour les traditions spirituelles de l'Inde. J'honore son héritage culturel et ses trésors humains. Mais partout où je me rendis, j'eus l'impression de regarder de l'extérieur. Rien ni personne ne me toucha. Le manquement n'était pas du côté de l'Inde mais du mien. Dès que je m'en rendis compte, je décidai, découragé mais déterminé, de rentrer et d'essayer de reconstruire ma famille. C'était la bonne chose à faire, la chose raisonnable.

Je projetai de repartir vers l'est par un vol direct pour Hawaï où je me reposerais pendant quelques jours, puis de regagner l'Ohio pour retrouver Holly et Linda. Toutes deux me manquaient. Peut-être les choses pourraient-elles encore s'arranger.

Aller en Inde et en revenir bredouille était peut-être un signe, me disais-je.

Le temps que j'avais passé avec Socrate englobait peut-être tout l'enseignement spirituel que je devais recevoir. Si cela était vrai, pourquoi ce sentiment d'insatisfaction grandissait-il en moi ?

L'avion décolla de nuit, les lumières de ses ailes brillant comme de petites étoiles tandis que nous survolions le monde endormi. J'essayai de lire, mais ne réussis pas à me concentrer. J'essayai de dormir, mais des rêves m'assaillirent. Le visage de Socrate apparaissait sans cesse, avec des fragments de propos tenus longtemps auparavant. Au moment d'atterrir à Hawaï, l'impression que *je devais faire attention*, que *je frôlais quelque chose* était devenue intolérable, comme un feu dans le ventre. Je brûlais ! J'avais envie de crier : que suis-je censé faire ?

À ma descente du 747, je m'étirai dans la lumière du soleil et la brise humide d'Hawaï me calma un peu momentanément.

La légende veut que ces îles, nées de la terre, de l'air, du feu et de l'air, aient irradié une puissante énergie de guérison bien avant que les marins, les prêtres, les hommes d'affaires et l'histoire n'aient transformé Hawaï en une station touristique. J'espérais que sous le vernis de la civilisation demeurait une partie de cette force bienfaitrice et qu'elle apaiserait peut-être ce chien qui aboyait en moi sans vouloir s'arrêter.

Après un en-cas à l'aéroport, un trajet bruyant en bus dans les rues animées de Waikiki et une heure de marche, je trouvai une petite chambre en dehors des sentiers battus. Après un passage aux toilettes qui fuyaient, je déballai rapidement les quelques affaires que j'avais rangées dans mon vieux sac à dos. Le tiroir entrouvert de la table de nuit contenait un annuaire écorné et une Bible presque neuve. La chambre ferait l'affaire pour quelques jours.

Soudain fatigué, je m'allongeai sur le lit trop mou dont les grincements accompagnaient mes mouvements et ne pensai plus à rien jusqu'au moment où mes yeux s'ouvrirent d'un coup. Je bondis sur mes pieds. « La femme shaman ! » criai-je, à peine conscient de ce que je disais. « Comment ai-je pu oublier ? » Je me frappai le front. « Réfléchis ! » Que m'avait dit Socrate ? Un souvenir revint puis un autre. Il m'avait incité à trouver quelqu'un à Hawaï et avait mentionné une école – où cela ? – au Japon. Puis il avait parlé d'un livre secret dans le désert – un livre sur le but de la vie !

Je voulais trouver le livre et l'école, mais je devais d'abord rencontrer la femme. Voilà pourquoi j'étais là ; voilà pourquoi j'avais éprouvé ce sens du destin ; voilà pourquoi j'avais entrepris ce voyage.

Grâce à cette prise de conscience, mon estomac se dénoua et mon sentiment de manque se transforma en impatience. J'avais du mal à me retenir. Mon esprit galopait : que m'avait-il dit à son sujet ? Qu'elle lui avait écrit sur un papier à en-tête. Celui d'une banque, c'était cela !

J'attrapai les pages jaunes de l'annuaire et cherchai à la rubrique « Banques ». Rien qu'à Honolulu, il y en avait vingt-deux. « Mais qu'est-ce que j'imagine ? »

marmonnai-je. Il ne m'avait donné ni son nom ni son adresse, pas même un signalement. Je n'avais rien pour m'aider. La tâche s'avérait pratiquement impossible.

Je me sentis pourtant à nouveau poussé par le destin. Non, tout cela ne pouvait pas être en vain. J'étais là ! Et d'une manière ou d'une autre, je la trouverais. Je consultai ma montre. En me dépêchant, j'avais le temps de visiter quelques banques avant l'heure de la fermeture.

Mais c'était Hawaï, non New York. Les gens d'ici ne couraient nulle part. Et comment allais-je m'y prendre à la première banque ? Entrerais-je avec une pancarte disant :

« Je cherche quelqu'un de bien particulier » ? Glisserais-je à l'oreille de chaque employé : « C'est Socrate qui m'envoie » ! Cette femme ne l'appelait peut-être pas Socrate, même si elle travaillait toujours dans une banque, et si elle existait.

Par la fenêtre, j'observai un mur de brique de l'autre côté du chemin. La plage n'était qu'à dix maisons de là. J'allais dîner, faire une promenade sur le sable et décider de la manière d'agir.

J'arrivai au bord de l'eau juste au moment du coucher du soleil, pour m'apercevoir qu'il se couchait de l'autre côté de l'île. « C'est terrible », murmurai-je. Comment trouver une femme mystérieuse si je ne suis même pas capable de repérer la direction du soleil couchant ?

Je m'étendis sur le sable tendre, encore chaud de l'air du soir, à l'abri d'un palmier. J'essayai d'échafauder un plan dans mon esprit tout en admirant le balancement de ses vertes frondaisons dans la brise.

L'idée me vint le lendemain en passant devant les bureaux d'un journal local. J'entrai et rédigeai rapidement le texte d'une annonce à passer dans la rubrique « Messages personnels ». Il disait ceci : « Jeune guerrier pacifique, ami de Socrate, recherche employée de banque l'étant aussi. Faisons de la monnaie ensemble. »

J'ajoutai le numéro de téléphone de mon motel. C'était probablement une idée boiteuse, avec presque la même probabilité de succès qu'un message lancé à la mer dans une bouteille. J'avais une chance sur mille, mais au moins c'était une chance.

Plusieurs jours s'écoulèrent pendant lesquels je visitai les galeries d'art, fis de la plongée sous-marine et profitai de la plage, en attendant. Mon annonce avait fait chou blanc et continuer à battre le pavé me semblait futile. Découragé, j'appelai l'aéroport et fis une réservation, décidé à abandonner et à rentrer chez moi.

Dans le bus qui me conduisait à l'aéroport, je restai assis dans une sorte de torpeur, inconscient de ce qui m'entourait. Je me retrouvai dans la file devant le comptoir des enregistrements de la compagnie aérienne. Soudain, dans la salle d'embarquement, tandis qu'on appelait mon vol, une voix intérieure me dit : non. Et je sus que je ne pouvais pas abandonner. Ni maintenant ni jamais. Quoi qu'il arrive, il fallait que je la trouve.

J'annulai ma réservation, achetai un plan de la ville et pris le premier bus retournant à Honolulu. En chemin, je notai l'emplacement de toutes les banques.

Heureusement la première banque, au décor classique, était presque déserte à cette heure de la journée. Balayant la salle du regard, je misai aussitôt sur une possibilité valable, une femme mince et sportive d'une quarantaine d'années. Elle se tourna vers moi avec un petit sourire. Lorsque nos regards se croisèrent, j'eus un soudain éclair d'intuition. C'était incroyable ! Pourquoi n'avais-je pas eu confiance en moi dès le départ ?

Elle finit de parler à l'un des responsables et revint à son bureau près des coffres et de la chambre forte. J'attendis patiemment le moment opportun puis, prenant une profonde inspiration, m'avançai jusqu'à elle.

— Excusez-moi, dis-je avec mon sourire le plus lumineux et le plus engageant afin de ne pas paraître com-

plètement fou, je cherche une femme ou, plus exactement, une personne de sexe féminin, mais dont je ne
connais pas le nom. Voyez-vous, un vieux monsieur,
enfin, ce n'est pas exactement un monsieur, c'est un
homme appelé Socrate qui m'a suggéré de la contacter.
Est-ce que ce nom vous dit quelque chose ?

— Socrate ? N'était-ce pas un Grec ou un Romain ?

— Oui, il l'est... enfin il l'était... répondis-je.

Mon espoir diminuait.

— Peut-être ne le connaissez-vous pas sous ce nom.
C'est mon professeur. Je l'ai rencontré dans une *station-
service*, murmurai-je en insistant, une station-service en
Californie.

Et j'attendis en retenant mon souffle.

Lentement, son regard s'illumina.

— Oui ! J'ai eu un ami qui travaillait dans une station-
service en Californie. Mais il s'appelait Ralph. Croyez-
vous qu'il s'agisse de Ralph ?

— Euh, non, répondis-je, déçu. Je ne crois pas.

— Eh bien, il faut que je retourne travailler. J'espère
que vous trouverez Archimède.

— *Socrate*, rectifiai-je. Mais ce n'est pas lui que je
cherche, c'est une *femme* !

Cela jeta un froid et elle changea de ton.

— Excusez-moi, je dois y aller. J'espère que vous en
trouverez vite une.

Je sentis son regard sur ma nuque tandis que je me
dirigeais vers une autre employée, d'une cinquantaine
d'années, au maquillage outrancier. Elle ne correspon-
dait pas du tout au profil, mais je devais en avoir le
cœur net. Elle échangea un regard avec la première
employée, puis me considéra d'un air méfiant.

— Que puis-je faire pour vous ?

« Ils doivent apprendre un genre de télépathie ban-
caire », pensai-je.

— Je recherche une femme qui travaille dans une
banque, mais j'ai oublié son nom. Connaîtriez-vous
quelqu'un répondant au nom de Socrate qui...

— Il vaudrait peut-être mieux que vous demandiez à un agent, m'interrompit-elle.

Je pensai tout d'abord qu'elle voulait parler d'un agent de sécurité, mais elle me désigna une troisième femme en costume sombre assise derrière un bureau et qui venait juste de raccrocher son téléphone.

La remerciant d'un signe, je m'avançai jusqu'à l'autre femme, la regardai dans les yeux et déclarai :

— Bonjour, je suis un guerrier pacifique à la recherche d'une amie de Socrate.

— *Comment* ? fit-elle, un œil sur l'agent de sécurité.

— Je suis un client potentiel, je cherche à faire un placement.

— Oh, répondit-elle en souriant, je crois que nous pouvons vous être utiles.

— Mon Dieu, vous avez vu l'heure ! lançai-je en regardant ma montre. Je reviendrai. Après déjeuner. Au revoir, ciao, *aloha*… Et je sortis.

J'employai la même technique du guerrier pacifique/client potentiel tout l'après-midi. Puis j'entrai dans un bar et bus ma première bière depuis longtemps, alors que je *n'aime pas* la bière.

Huit banques plus tard, j'étais appuyé contre le mur d'une nouvelle institution de la haute finance et me promis que jamais, au grand jamais, je ne deviendrais détective privé ! J'avais mal partout. Toute cette histoire me semblait folle. Quelqu'un avait peut-être *donné* le papier à en-tête de la banque à cette femme. D'ailleurs, pourquoi un shaman travaillerait-il dans une banque ?

Mais alors, pourquoi un vieux guerrier comme Socrate avait-il choisi de travailler dans une station-service ?

Plus troublé et découragé que jamais, j'avais abandonné tout espoir de trouver comme par magie dans une banque un shaman qui reconnaîtrait immédiatement en moi son fils prodigue. Ce qu'il me restait de foi en mon intuition était aussi aplati que cette boîte de conserve gisant à mes pieds sur le trottoir. Je la ramassai et la mis dans une poubelle – une bonne action. Au moins n'avais-je pas complètement perdu ma journée.

Cette nuit-là, je dormis comme un mort, ce que j'étais presque.

Le lendemain, après la visite d'une dizaine d'autres banques, je revins épuisé et abattu. On m'avait enjoint de quitter les lieux dans deux organismes de prêts et de placements. Je m'étais pratiquement fait arrêter dans le dernier en devenant agressif. Mes nerfs craquaient, je décidai de suspendre mes recherches.

La nuit suivante, je rêvai que je passais sans cesse tout près de la femme que je cherchais, la manquant d'un rien, comme au cinéma quand deux personnages sont sur le point de se rencontrer mais se tournent le dos à la dernière minute et se ratent. Cette scène se répéta un nombre hallucinant de fois.

Je me réveillai fatigué. J'étais prêt à *tout* ce jour-là, sauf à rechercher une employée de banque anonyme. Pourtant, et je vis bien là le résultat de la formation que m'avait donnée Socrate, je trouvai la volonté de me lever, de m'habiller et de sortir. Un petit exercice de discipline comme celui-là fait toute la différence.

J'atteignis mes limites le troisième jour. Cependant, je trouvai une occasion de me réjouir, une oasis dans un océan de visages hostiles. Dans la quatrième banque de ce jour-là travaillait une employée extrêmement jolie ayant à peu près mon âge. Quand je lui racontai que je cherchais une femme bien *particulière*, elle me demanda avec un sourire qui révéla de ravissantes fossettes :

—Est-ce que *je suis* suffisamment particulière ?

—Euh… en réalité, vous êtes l'une des femmes les plus particulières que j'aie rencontrées depuis longtemps, dis-je avec un large sourire.

Je doutais qu'elle fût la femme shaman, mais des choses plus étonnantes m'étaient arrivées et avec Socrate on pouvait s'attendre à tout.

Elle me regarda dans les yeux, comme si elle espérait quelque chose. Peut-être était-elle simplement en train de flirter ou voulait-elle que j'ouvre un compte dans sa banque. Mais peut-être savait-elle quelque chose. Elle pouvait, par exemple, être la fille du shaman... Je ne devais négliger aucune piste et de toute façon il ne m'était pas interdit de m'amuser un peu.

— Savez-vous qui je suis ? demandai-je.

— J'ai l'impression de vous connaître, répondit-elle.

Bon sang. Me connaissait-elle, oui ou non ?

— Écoutez, Barbara, dis-je après avoir regardé son nom sur la plaque posée sur le comptoir, je m'appelle Dan. Je suis professeur d'université et je visite Honolulu. On se sent un peu perdu quand on passe des vacances tout seul. Je sais que nous venons à peine de faire connaissance, mais accepteriez-vous de dîner avec moi après votre travail ? Vous pourriez me montrer où le soleil se couche et nous pourrions parler de stations-service et d'anciens professeurs.

Elle sourit de nouveau. Un très bon signe.

— Si c'est votre technique, dit-elle, au moins elle est originale. Je termine à cinq heures. Attendez-moi dehors.

— Formidable ! Alors, à tout à l'heure.

Je sortis de la banque revigoré. J'avais un rendez-vous, peut-être même une piste. Mais une petite voix intérieure me disait « *Idiot*, que *fais*-tu ? Socrate t'envoie effectuer une quête et tu ramasses une employée de banque ! »

— Oh, silence ! lançai-je tout haut, amenant un passant à se retourner sur moi.

Ma montre marquait deux heures trente-cinq. Je pouvais encore faire le tour de deux ou trois banques avant cinq heures. Je consultai mon plan de la ville, désormais constellé de croix aux emplacements des banques. La First Bank of Hawaï se trouvait au coin de la rue.

3

L'or du fou

Les dieux aident celui qui a l'ardeur et la volonté.

ESCHYLE

Dès que j'entrai dans le hall, le gardien regarda de mon côté, s'avança vers moi, puis me dépassa. Avec un soupir de soulagement, je levai les yeux vers les caméras. Elles semblaient toutes braquées sur moi. Avec la mine d'un homme d'affaires, je m'avançai vers un guichet et fis semblant de remplir un formulaire de dépôt.

À quelques mètres se trouvait un bureau fonctionnel derrière lequel était assise une employée fonctionnelle – une grande femme, la cinquantaine, l'air aristocratique. Elle me regarda approcher et se leva avant même que j'ouvre la bouche.

— Je suis désolée, je pars déjeuner, mais MmeWalker va s'occuper de vous, dit-elle en indiquant l'autre bureau, sur quoi elle tourna les talons et sortit.

— Euh, merci… marmonnai-je.

Mme Walker ne me fut d'aucune aide, pas plus que les autres caissiers ou employés de cette banque et de la suivante, où un agent de sécurité m'invita à sortir et à ne jamais revenir.

Ne sachant s'il fallait rire – ou pleurer – je m'affaissai lourdement contre la façade en pierre polie de la dernière banque, puis me laissai glisser en position assise sur le trottoir.

—J'en ai assez, dis-je tout haut. C'est fini, plus de banques.

Je connaissais l'importance de la persévérance, mais il arrive un moment où l'on doit cesser de se cogner la tête contre les murs. J'irais à mon rendez-vous, regarderais le soleil se coucher et regagnerais l'Ohio.

Assis là, désolé, j'entendis une voix demander :

—Ça va ?

Levant les yeux, je découvris une femme d'environ soixante ans, de type asiatique, petite mais potelée, aux cheveux argentés. Vêtue d'un *moumou* trop grand pour elle, une canne en bambou à la main, elle me regarda avec une expression d'inquiétude maternelle.

—Ça va, merci, répondis-je en me levant avec effort.

—On ne dirait pas. Vous paraissez fatigué.

Irritable, je faillis rétorquer :

—De quoi vous mêlez-vous ?

Au lieu de cela, je soupirai :

—Vous avez raison, je suis fatigué, mais ça m'est déjà arrivé. Ça ira. Merci.

Je m'attendais qu'elle s'éloigne avec un signe de tête, mais elle resta là à me regarder.

—Tout de même, dit-elle, je parie qu'un verre de jus de fruits ne vous ferait pas de mal.

—Vous êtes médecin ? demandai-je, plaisantant à moitié.

—Non, sourit-elle, pas vraiment. Mais Victor, mon petit-fils, la brûle aussi par les deux bouts.

Remarquant ma perplexité, elle s'empressa d'ajouter :

—La chandelle !

—Oh, fis-je en souriant, la trouvant gentille. Oui, je prendrais bien un jus. Puis-je vous en offrir un aussi ?

—Vous êtes bien aimable, dit-elle tandis que nous entrions dans un café proche de la banque.

Je notai qu'elle boitait fortement.

— Je m'appelle Ruth Johnson, m'apprit-elle en appuyant sa canne en bambou contre le comptoir et en me tendant la main.

Johnson n'était vraiment pas le nom le plus asiatique que l'on puisse imaginer.

— Dans Millman, répondis-je en lui serrant la main.

Je commandai un jus de carotte.

— La même chose, fit-elle.

Je regardai son visage tourné vers la serveuse. Sous son bronzage, elle devait être en partie hawaïenne ou japonaise ou chinoise.

La serveuse déposa nos deux jus sur le comptoir. Je remarquai que Mme Johnson m'observait tandis que je prenais mon verre.

Son regard croisa le mien et le soutint. Elle avait des yeux profonds, comme Socrate. « Allons, pensai-je, arrête de te faire des idées. »

Elle me scrutait toujours.

— Est-ce que je vous connais ?

— Je ne crois pas, je viens ici pour la première fois.

— À Honolulu ?

« Non, sur cette planète », pensai-je.

— Oui, dis-je tout haut.

Après m'avoir encore examiné avec une attention soutenue, elle déclara :

— Alors, ce doit être mon imagination. Donc vous êtes en visite ?

— Oui, je suis professeur à Oberlin College, en voyage d'études.

— Ce n'est pas possible ! Oberlin ? L'une de mes nièces y est allée.

— Ah oui ? dis-je en regardant ma montre.

— Oui, et mon petit-fils, Victor, envisage de s'y inscrire l'année prochaine. Il vient d'obtenir son diplôme de Punaho School. Pourquoi ne viendriez-vous pas à la maison ce soir ? Vous feriez la connaissance de Victor. Il serait ravi de discuter avec un professeur d'Oberlin !

—Merci pour votre invitation, mais je suis déjà pris.

Pas découragée le moins du monde, mais d'une main tremblante, elle griffonna une adresse sur un morceau de papier qu'elle me tendit.

—Si jamais vous changez d'avis…

—Merci encore, dis-je en me levant pour partir.

—Merci à *vous*, reprit-elle, pour le jus.

—Tout le plaisir est pour moi, assurai-je en posant un billet de cinq dollars sur le comptoir.

Après un moment d'hésitation, je demandai :

—Vous ne travaillez pas dans une banque, par hasard ?

—Non, répondit-elle. Pourquoi ?

—Oh, pour rien.

—Alors, *aloha*, dit-elle en me saluant de la main. Créez-vous une bonne journée.

Je m'arrêtai et me tournai vers elle.

—Qu'avez-vous dit ? *Créez-vous* une bonne journée ?

—Oui.

—On dit en général « bonne journée ».

—Sans doute.

—L'un de mes anciens professeurs avait coutume de dire comme vous.

—Vraiment, fit-elle en hochant la tête d'une étrange manière. C'est très intéressant.

Mon sens de la réalité se mit à vaciller. Ma langue s'engourdit. Que se passait-il ?

Elle me fixa de nouveau, puis me pénétra d'un regard si intense que le café disparut.

—Je vous connais, dit-elle.

Soudain, tout s'éclaircit. Je sentis le rouge me monter aux joues et mes mains se mettre à picoter. Où avais-je ressenti cela pour la dernière fois ? Je m'en souvins. Dans une vieille station-service, par une nuit étoilée.

—Vous me connaissez ?

—Oui. Je n'étais pas sûre au début, mais maintenant je reconnais en vous une personne de cœur, quoique vous soyez un peu dur avec vous-même.

— Ah! lançai-je, déçu. C'est tout ce que vous vouliez dire.

— Je peux vous dire que vous êtes seul et que vous avez besoin de vous détendre un peu plus. Une promenade pieds nus dans les vagues vous ferait du bien. Oui, vous en avez besoin, murmura-t-elle.

Abasourdi, je m'entendis demander :

— Une promenade pieds nus dans les vagues ?

— Exactement.

Comme dans un brouillard, je me dirigeai vers la sortie et je l'entendis dire :

— À ce soir, sept heures.

Je ne me rappelle pas avoir quitté le café. Ce que je sais, c'est que je me suis retrouvé mes chaussures à la main, en train de marcher le long du sable propre et mouillé de la plage de Waikiki, les pieds léchés par de petites vagues.

Un peu plus tard, une mouette se posa près de moi. Je l'observai puis regardai tout autour de moi, comme en m'éveillant. Que fais-je ici ? En un instant, tout me revint : Ruth Johnson, le café, la maison, le rendez-vous à sept heures. Je consultai ma montre. Elle marquait six heures et quart.

Six heures et quart, répétai-je, comme si cela voulait dire quelque chose. Soudain, je me rendis compte que je venais de poser un lapin à Barbara, la jolie employée de banque, et ce n'était pas gentil. Que j'étais bête, si bête !

N'ayant rien d'autre à faire, je pris donc le bus pour une belle banlieue de Honolulu et marchai jusqu'à l'adresse notée par Ruth Johnson. Son écriture n'étant pas très lisible, j'espérais ne pas m'être trompé.

À sept heures et quart, je m'avançai dans l'allée encombrée de voitures d'une maison bien entretenue. De la musique de danse résonnait par la porte ouverte. Une femme d'un certain âge faisant de la balançoire rentrait et sortait d'un rayon de lune. Je montai les marches et vis que ce n'était pas Ruth Johnson. Les gens, à l'intérieur, parlaient fort. Quelqu'un se mit à rire et j'eus le sentiment désagréable de m'être fourvoyé.

La femme sur la balançoire me dit :

— *Aloha* ! Entrez donc !

J'acquiesçai d'un signe de tête et pénétrai dans la maison. Le vaste séjour grouillait de jeunes et de quelques personnes un peu plus âgées, qui dansaient, bavardaient et mangeaient, les femmes portant des robes ou des corsages à fleurs, et les hommes un jean et un T-shirt.

La musique s'arrêta un instant. Un plouf retentit lorsque quelqu'un plongea ou tomba dans la piscine que l'on devinait à travers les portes vitrées coulissantes. Des éclats de rire sonores suivirent.

Posant la main sur l'épaule d'une jeune femme au moment précis où commençait un rock and roll, je dus crier pour me faire entendre.

— Je cherche Ruth Johnson.

— Qui ? cria-t-elle.

— Ruth Johnson ! criai-je encore plus fort.

— Je ne connais pas grand monde ici, dit-elle avec un haussement d'épaules. Eh, Janet, appela-t-elle, tu connais une Ruth Johnson ?

La réponse de Janet ne parvint pas jusqu'à moi.

— Ça ne fait rien, dis-je en me dirigeant vers la porte.

En descendant les marches, je fis une dernière tentative.

— Ruth Johnson habite-t-elle ici ? demandai-je à la femme sur la balançoire.

— Non, répondit-elle.

— Oh.

Démoralisé, je fis demi-tour, prêt à partir. Ne pouvais-je donc *rien* faire correctement ?

— Ruthie habite chez sa sœur plus loin dans la rue, ajouta la femme. Elle est allée acheter des boissons.

Juste à cet instant, une voiture s'arrêta devant la maison.

—La voilà.

Ruth Johnson mit un moment à sortir du véhicule. Je courus à sa rencontre, impatient de comprendre.

Elle se penchait pour ramasser un gros sac de courses quand j'arrivai derrière elle.

—Laissez-moi vous aider.

Elle se retourna, ravie, mais pas surprise, de me voir.

—*Mahalo* ! Merci ! fit-elle. Vous voyez, j'avais raison de dire que vous êtes bon.

—Peut-être pas autant que vous le croyez, répliquai-je en voyant en flash le visage de la petite fille et de la femme que j'avais laissées.

Je gravis les marches avec elle lentement, à son rythme.

—Pourquoi m'avez-vous invité ici ? demandai-je

—Désolée de vous ralentir, déclara-t-elle, ignorant ma question. J'ai eu une petite… disons attaque. Mais je vais de mieux en mieux.

—Madame Johnson, pouvons-nous en venir au fait ?

—Je suis heureuse que vous ayez trouvé la maison.

—Je viens de loin…

—Oui, les gens viennent de loin pour nos réceptions. Nous savons vraiment nous amuser !

—Vous ne savez pas qui je suis.

—Je crois que personne ne connaît vraiment les autres. Mais nous voilà arrivés ! lança-t-elle gaiement. Et puisque vous êtes là, pourquoi n'entrez-vous pas faire la connaissance de Victor et vous amuser ?

Déçu, je m'adossai contre le mur, le regard baissé.

—Vous vous sentez bien ? demanda-t-elle, inquiète.

—Oui, ça va.

—Hé, Ruthie ! cria quelqu'un depuis l'intérieur. Tu as rapporté du soda et des chips ?

—Ils sont là, Bill !

Elle se tourna vers moi.

—Quel est votre nom, déjà ?

—Dan.

—Eh bien, Dan, entrez, dansez un peu et faites connaissance. Cela vous requinquera.

— Merci pour cette proposition. Vous êtes gentille, mais il vaut mieux que je parte. J'ai beaucoup à faire demain.

Soudain fatigué, je poussai un profond soupir.

— Bonne réception et merci… *mahalo*, pour votre amabilité, conclus-je avant de me tourner vers la rue.

— Attendez un peu, lança-t-elle en boitillant après moi. J'ai eu tort de vous faire venir jusqu'ici. Permettez-moi de vous dédommager.

Elle fouilla dans son sac à main.

— Vraiment, je ne peux accepter, je n'ai pas besoin…

Elle saisit ma main et me regarda dans les yeux. Tout commença à tourner.

— Prenez ceci, dit-elle en me mettant de force dans la main ce qui ressemblait à des billets froissés. Nous nous reverrons peut-être.

Elle fit vivement demi-tour et rentra dans la maison. Le son de la musique s'enfla, puis tomba soudain quand la porte se referma derrière elle.

Je glissai l'argent dans ma poche et m'éloignai dans la nuit tiède.

Les cocotiers, les bananiers et les jardins paysagers luisaient discrètement sous la lumière d'un réverbère proche d'un arrêt de bus où je tombai assis et essayai de mettre de l'ordre dans mes idées. Il y avait un os. C'était *sûrement* elle et pourtant ce ne l'était pas. J'étais revenu à la case départ.

Je ne savais pas si j'aurais le courage de visiter une banque de plus. J'étais las de passer pour un fou. Peut-être était-ce sans espoir ; peut-être étais-je quelqu'un d'étrange, comme me l'avait dit ma femme. Peut-être avait-elle raison sur toute la ligne. Pourquoi ne pouvais-je pas être un homme normal, amateur de football, de cinéma et faisant des barbecues le dimanche ?

J'envisageais sérieusement de rentrer chez moi le lendemain et de consulter un bon thérapeute lorsque le bus arriva dans un grincement de freins. La porte s'ouvrit et je me levai en cherchant l'argent dans ma poche… et découvris que ce que Ruth Johnson m'avait donné n'était pas du tout de l'argent.

— Eh, mon gars, lança le chauffeur, vous montez, oui ou non ?

Occupé à défroisser les morceaux de papier, je l'entendis à peine et ne répondis pas. Puis mes yeux s'ouvrirent tout grands et mon souffle se suspendit. Vaguement conscient que le bus repartait sans moi, je fixai les deux morceaux de papier que je tenais à la main. Le premier était une annonce de journal de la rubrique « messages personnels ». Il commençait par : « Jeune guerrier pacifique, ami de Socrate ». Tout mon corps se mit à trembler.

Le second papier était une note que Mme Johnson avait griffonnée d'une écriture tremblante, presque illisible :

Je suis de l'ancienne école – l'école dure. Rien n'est donné sans désir, préparation et initiation. C'est une question de confiance et de foi. Jeudi soir, dans trois jours, les courants seront parfaits. Si vous souhaitez continuer, suivez exactement ces instructions : rendez-vous à Makapuu Beach en début de soirée.

Je retournai le papier et continuai à lire :

Vous verrez une zone rocheuse vers Makapuu Point. Marchez dans cette direction jusqu'à ce que vous trouviez un petit abri. L'un des côtés est enfoncé. Derrière, vous verrez une planche à surf. Quand vous serez seul, au crépuscule, pas avant, prenez la planche et avancez au-delà des vagues. La marée sera forte. Laissez les courants vous porter. Soyez sûr…

Étrange. « Soyez sûr… », c'était tout. Le message s'arrêtait sur ces mots. Que voulait-elle dire par là ? me demandai-je en replaçant le papier dans ma poche.

Et mon étonnement se transforma en enthousiasme et en un profond sentiment de soulagement. Ma quête était terminée. Je l'avais trouvée ! Une source d'énergie jaillit en moi. Mes sens s'ouvrirent. Je percevais la température de l'air, entendais au loin les grillons et sentais l'odeur légère des pelouses fraîchement tondues, encore humides de pluie. Je fis à pied tout le chemin jusqu'à mon motel. L'aube allait poindre lorsque j'arrivai.

Je m'effondrai sur le lit qui rebondit et grinça. Je ne trouvai le sommeil que bien plus tard.

Cette nuit-là, je rêvai de squelettes, par centaines, blanchis par le soleil, délavés sur le rivage rocheux, étendus sur de la lave noire. Une vague s'écrasa, nettoyant le rivage et ne laissant que la lave, noire comme la nuit profonde. L'obscurité m'absorba. J'entendis un ronflement, d'abord léger puis plus fort.

Éveillé par le grincement d'une benne à ordures, j'ouvris les yeux et fixai le plafond, mais les images rigides des squelettes persistèrent dans mon esprit, avec un sentiment de crainte et de mauvais présage. Jeudi soir, tout allait commencer.

Les choses prenaient vraiment tournure, une nouvelle vague se dressait. Comme autrefois. Je me sentais tellement vivant ! Je compris alors combien ma vie avait été facile ces dernières années : j'étais devenu un guerrier de salon, dont les batailles étaient menées par des alter ego à la télévision ou au cinéma. À présent, j'étais debout, prêt au départ.

4

Un feu sur la mer

Ce qui donne la lumière doit pouvoir brûler.

Viktor FRANKL

Je ne fis aucun préparatif particulier, ce n'était apparemment pas nécessaire. Il suffisait de trouver une grande planche à surf et de se mettre à l'eau.

Le jeudi après-midi, je réglai ma note d'hôtel, prêt à camper sur la plage, prêt au changement, prêt à tout. C'est du moins ce que je pensais. J'emportai mes affaires, tassées dans mon sac à dos, jusqu'à Makapuu Beach. J'arrivai au point dit en respirant la fraîcheur de l'air salin. J'aperçus de loin, en haut d'une dune de lave, un vieux phare qui se détachait nettement sur le ciel empourpré.

Le but à atteindre était plus éloigné que je ne le pensais et il faisait presque nuit quand je trouvai l'abri. La planche à surf était là, exactement comme elle l'avait écrit. Elle n'était pas profilée et en fibre de verre comme je m'y attendais. C'était une vieille planche en bois, semblable à celles qu'utilisaient les anciens rois d'Hawaï. J'en avais vu une en photo dans le magazine *National Geographic*.

Je balayai du regard la plage déserte et l'océan tranquille. Malgré le soleil couchant, on se sentait bien dans l'air apaisant. Je me déshabillai, ne gardant que mon maillot de bain, rangeai mes vêtements et mon portefeuille dans mon sac, et cachai ce dernier dans les buissons. Puis je transportai la planche pesante dans l'eau qui m'arrivait aux cuisses et la lâchai avec une lourde claque sur la surface transparente.

Après un dernier regard vers la plage, je m'élançai et glissai malhabilement parmi les vagues.

Haletant, je me promis de mieux entretenir ma forme tandis que je franchissais la dernière crête blanche phosphorescente, à peine illuminée par une lune déclinante qui apparaissait et disparaissait selon la course des nuages. Soumis au doux balancement de l'océan, je m'interrogeai sur cette étrange initiation. Cela était plutôt plaisant, mais combien de temps Ruth Johnson voulait-elle que je me laisse flotter avant de revenir. Toute la nuit ?

Les balancements rythmés de l'océan m'apaisèrent, porteurs d'une agréable lassitude. Allongé sur le dos, j'admirai les constellations d'Orion, du Scorpion et du Sagittaire. Tandis que mes yeux scrutaient les étoiles, mes pensées dérivaient avec le courant, attendant Dieu sait quoi… pourquoi pas les instructions d'un vaisseau spatial.

Je dus m'endormir, car je me redressai brusquement, à califourchon sur la planche ballottée de tous côtés. Je m'étais assoupi sans m'en rendre compte. Je me demandai si l'illumination était comparable.

Je regardai autour de moi, essayant de discerner la côte dans l'obscurité, lorsque je repensai tout à coup : le courant. Elle avait écrit que le courant serait « parfait ». Parfait pour quoi ? Je scrutai l'horizon dans toutes les directions, mais avec le mouvement de la mer ajouté à la couverture de nuages, je ne pouvais rien voir avant l'aube… ni étoiles ni terre.

J'avais laissé ma montre sur le rivage et n'avais aucun sens de l'heure ni de ma position. Combien de temps avais-je dérivé ? Et dans quelle direction ? Je me rendis compte avec un frisson d'effroi que j'étais peut-être entraîné tout droit vers le large et la panique s'empara de moi.

Des scènes paranoïaques se déroulèrent dans le théâtre de mon imagination. Et si cette vieille femme était excentrique ou même folle ? Si elle avait un compte à régler avec Socrate. Aurait-elle délibérément... ? Non, c'était impossible ! Les méthodes que j'utilisais d'habitude pour tester la réalité ne m'étaient ici d'aucune aide.

Dès que je surmontais une vague de crainte, une autre me submergeait. Mon esprit coula dans les profondeurs de la mer et je tremblais en imaginant d'immenses formes sombres nageant en dessous de moi. Je me sentais minuscule et seul, un point flottant sur l'océan, à des centaines de mètres au-dessus du fond.

Des heures s'écoulèrent, me sembla-t-il. Je restai allongé, immobile, épiant le bruit de la vedette des gardes-côtes, scrutant le ciel dans l'attente d'un hélicoptère de secours. Mais personne ne savait où je me trouvais, personne sauf Ruth Johnson.

Les nuages masquaient la lune et les étoiles, laissant le ciel si sombre que je ne savais même plus si j'avais les yeux ouverts ou fermés. Je dérivai ainsi, entre conscience et inconscience, ayant peur de dormir. Mais les doux balancements des vagues de l'océan finirent par gagner et je plongeai lentement dans le silence, comme un rocher coulant dans les profondeurs de la mer.

Je m'éveillai aux premières lumières de l'aube, pris conscience de l'endroit où je me trouvais, m'assis brutalement et tombai de la planche. Crachant de l'eau salée, je me hissai de nouveau et regardai alentour avec espoir... puis avec un début d'appréhension. Je ne voyais que l'océan ; les nuages continuaient d'obscurcir toute vue de terre. Tout ce que je savais, c'est que j'étais loin sur le Pacifique. J'avais entendu parler de courants forts, capables d'entraîner quelqu'un au large. Je pouvais pagayer, mais dans quelle direction ? Luttant contre la panique, je me forçai à respirer profondément afin de me calmer.

Mais une autre révélation encore plus inquiétante se fit jour dans mon esprit. Je n'avais ni chemise, ni protection contre le soleil, ni nourriture, ni boisson. Pour la première fois, je pensai que je pourrais bien mourir là. Cette aventure avait un caractère de tout ou rien. J'avais peut-être commis une énorme erreur.

Ruth Johnson avait écrit que c'était «une question de confiance et de foi». «Oui, murmurai-je pour moi-même, confiance, foi et aveugle stupidité.» Qu'est-ce qui m'avait pris? Qui se lancerait sur une planche à surf dans les courants, la nuit, parce qu'une vieille femme lui a écrit un mot?

— Ce n'est pas possible, dis-je, surpris par le son de ma propre voix.

Mes paroles semblaient étouffées, noyées dans les vastes espaces au-dessus et en dessous de moi. Je sentais déjà la chaleur du soleil matinal sur mes épaules.

Les nuages se dissipèrent, laissant place à un brûlant soleil d'azur. J'avais le temps de réfléchir, tout le temps. À l'exception de l'appel occasionnel d'un albatros ou du faible bourdonnement d'un avion au loin, le silence était ma seule compagnie.

De temps à autre je trempais les pieds dans l'eau salée ou fredonnais une chanson pour me rassurer. Mais je n'eus bientôt plus le cœur à chanter. L'angoisse se mit à courir le long de mon échine.

La journée passait et la soif vint. Ma peur s'intensifia avec la chaleur du soleil. Ce n'était pas la peur soudaine d'un fusil dans les côtes ou d'une voiture fonçant droit sur moi, mais juste une paisible prise de conscience, l'impression qu'inévitablement, si quelqu'un ne venait pas à mon secours, je mourrais de brûlures sur la mer fraîche et verte.

Les heures s'écoulèrent avec une lenteur angoissante et ma peau devint rose vif. À la fin de l'après-midi, la soif était devenue une obsession. J'essayai tout ce que je pouvais imaginer pour me protéger : je changeai l'orientation de la planche pour m'exposer différemment. Je me glissai dans l'eau rafraîchissante à de nombreuses reprises, à l'abri de la planche, en prenant soin de bien me tenir à sa surface craquelée. L'eau était ma seule protection contre le soleil et m'amena dans l'obscurité bénie.

Toute la nuit durant, mon corps brûla de fièvre, puis fut secoué de frissons. Le moindre mouvement m'était pénible. Je tremblais, recroquevillé sur moi-même, envahi par les remords. Pourquoi avais-je commis une telle folie ? Comment avais-je pu faire confiance à cette vieille femme et pourquoi m'avait-elle fait une chose pareille ? Était-elle cruelle ? Ou s'était-elle simplement trompée ? Le résultat était le même. J'allais mourir sans savoir pourquoi. « Pourquoi ? » me répétai-je tandis que mon esprit s'embrouillait.

Quand vint le matin, je gisais immobile, la peau couverte d'ampoules et les lèvres fendues. J'aurais pu mourir, je crois, mais reçus un don du ciel : des nuages sombres apparurent avec l'aube et un orage éclata, m'apportant quelques heures d'ombre et de vie. Les gouttes de pluie, mêlées à mes larmes de gratitude, mordaient mon visage enflé.

Je n'avais rien pour retenir l'eau, sinon ma bouche ouverte. Allongé sur le dos, je l'ouvris toute grande pour attraper chaque goutte, jusqu'à en avoir des crampes musculaires. Je retirai mon maillot de bain pour le laisser absorber autant de pluie que possible.

Trop vite, le soleil brûlant réapparut, s'élevant encore plus haut dans l'azur du ciel vide, comme si la tempête n'avait jamais existé. Mes lèvres se craquelèrent. Entouré d'eau, je mourais de soif.

Le Mahatma Gandhi avait dit : « Dieu ne peut apparaître à un homme affamé que sous la forme d'un pain. » L'eau était désormais devenue mon dieu, ma déesse, mon unique pensée et passion. L'illumination, la compréhension, je les aurais échangées sans hésiter contre un verre d'eau fraîche, pure et désaltérante.

Je restai dans l'océan, accroché à la planche, la plus grande partie de la matinée. Mais cela ne fit rien contre cette terrible soif. Plus tard, dans l'après-midi, je crus voir tout près une nageoire dorsale qui tournait et remontai vite sur la planche. Mais ma peau se craquelant de plus en plus et ma soif s'intensifiant, la pensée me vint que les mâchoires d'un requin constituaient peut-être ma seule délivrance par rapport à une mort lente. Tel un daim offrant sa gorge au lion, une partie de moi, petite mais grandissante, voulait abandonner, juste glisser dans l'eau et disparaître.

Puis la nuit tomba de nouveau. De nouveau je brûlais de fièvre. Dans mon délire, je rêvai que je nageais dans une source de montagne, buvant tout mon saoul, que je m'étendais dans un calme bassin et laissais l'eau pénétrer ma peau. Puis le souriant visage de Ruth Johnson m'apparut, avec ses cheveux d'argent et son regard profond se moquant de ma bêtise.

Fluctuant entre conscience et inconscience, avec la montée et la descente de la mer, mon esprit rationnel apparaissait et disparaissait comme un fantôme. Dans un moment de lucidité, je sus que si je ne trouvais pas une terre le lendemain, tout serait fini.

Des images me traversèrent l'esprit : chez moi dans l'Ohio, dans mon jardin, assis dans ma chaise longue à l'ombre d'un bouleau, sirotant un jus de citron en lisant un roman, jouant avec ma petite fille, grignotant un en-cas parce que je n'avais pas très faim – c'était le confort et la sécurité de la maison. Tout cela me semblait désormais un rêve lointain – et ceci, une réalité cauchemardesque. Je ne me souviens pas de m'être endormi.

Le matin vint beaucoup trop vite.

Ce jour-là, je connus l'enfer : la douleur et les brûlures, la peur et l'attente. J'étais prêt à glisser de la planche et à nager dans l'eau fraîche pour me laisser prendre par la Mort. Rien ne pouvait apaiser ma douleur. Je maudissais mon corps, ce corps mortel. Il était devenu un fardeau, une source de souffrance. Mais une autre partie de moi-même s'accrochait, déterminée à se battre jusqu'à mon dernier souffle.

Le soleil progressait dans le ciel avec une douloureuse lenteur. J'appris à haïr le bleu d'azur et adressai des remerciements silencieux à chaque nuage qui venait couvrir le soleil tandis que je m'agrippais à la planche, submergé par de l'eau que je ne pouvais pas boire.

Toute la nuit suivante je fus un gisant épuisé, ni éveillé ni endormi, comme flottant dans le purgatoire.

Essayant de voir derrière mes paupières enflées, je crus discerner au loin des falaises et imaginai entendre le léger roulement des vagues contre les rochers. Soudain sur le qui-vive, je compris que ce n'était pas un mirage. C'était réel ! L'espoir et la vie se trouvaient devant moi. Je commençai à pleurer, mais m'aperçus que je n'avais plus de larmes.

Un flux d'énergie me parcourut. Mon esprit, soudain clair comme le cristal, se concentra. Je ne pouvais pas mourir maintenant, j'étais trop proche ! Je commençai à pagayer vers le rivage avec toutes les forces qui me restaient. J'allais vivre !

Les falaises se dressaient maintenant au-dessus de moi comme de gigantesques gratte-ciel, tombant droit dans la mer. Toujours plus vite, porté par le courant, j'avançais vers les rochers. Tout à coup, les vagues se firent coléreuses. Je me rappelle m'être accroché à ma planche lorsqu'elle se souleva dans l'air et s'écrasa. Ensuite, je dus m'évanouir.

5

Nouveaux débuts

*Guérir est une question de temps, mais
c'est aussi, parfois, une question d'occasion.*

HIPPOCRATE, *Préceptes*, chapitre premier

Sur l'île de Molokai, dans la vallée de Pelekunu, profondément enfoncée parmi des rochers couverts de mousse, se dressait une petite cabane. À l'intérieur de cette cabane, une femme poussait des cris stridents.

— Mama Chia[1]! Mama Chia! hurlait-elle de douleur et de peur en traversant les affres d'un accouchement difficile.

Molokai – où, vers 1800, les lépreux avaient été exilés pour y mourir, isolés du reste du monde par la peur et l'ignorance.

Molokai – terre d'Hawaïens, de Japonais, de Chinois et de Philippins, avec une faible population américaine et européenne; un refuge pour la contre-culture et les styles de vie alternatifs. Demeure de gens hardis et indépendants qui évitent le développement et le commerce touristique des autres îles, qui travaillent dur, vivent simplement, enseignent à leurs enfants les valeurs fondamentales et aiment la nature.

---

1. Prononcer : Tchi-a.

Molokai – île des esprits de la nature et lieu légendaire secret où sont enterrés les kahuma kupua, les shamans, magiciens et guérisseurs, les guerriers spirituels en harmonie avec les énergies de la terre.

Molokai était prête à accueillir une autre âme.

Mitsu Fujimoto, une petite Japonaise-Américaine de quarante ans, secouait la tête d'un côté à l'autre. Trempée de sueur, elle priait, gémissait et pleurait pour son enfant, en appelant faiblement Mama Chia. Poussant, haletant à chaque contraction, elle luttait pour la vie de son bébé.

Quelques heures ou quelques minutes plus tard – je ne saurais le dire – après avoir dérivé, délirant, entre conscience et inconscience, je m'éveillai, désespérément assoiffé. Assoiffé mais donc en vie ! Cette constatation logique me remit d'un coup les idées en place et je passai mon corps en revue, intérieur et extérieur. Une douleur cognait dans ma tête, ma peau brûlait. J'étais aveugle ! Je bougeai un bras – qu'il était faible ! – pour toucher mes yeux et découvrir avec un immense soulagement qu'ils étaient recouverts de gaze.

Je n'avais aucune idée de l'endroit où je me trouvais. Dans un hôpital, dans une chambre, dans l'Ohio ou peut-être de retour en Californie. S'agissait-il d'une maladie, d'un accident, à moins que ce ne soit qu'un rêve.

La longue chevelure noire emmêlée de Mitsu s'éparpillait sur son visage et son oreiller. Après la mort d'un premier bébé, une dizaine d'années auparavant, elle avait fait vœu de ne plus en avoir d'autre, pensant ne pas pouvoir revivre la douleur d'une telle perte.

Mais avec le tournant de la quarantaine venait sa dernière chance. C'était maintenant ou jamais. Alors Mitsu Fujimoto et son mari, Sei, avaient pris leur décision.

Après de nombreux mois, le visage de Mitsu s'était illuminé et son ventre arrondi. Les Fujimoto allaient connaître le bonheur d'être parents.

Sei avait couru chercher de l'aide dans la vallée. Et maintenant, Mitsu gisait, tordue de douleur sur son matelas, haletant et se détendant entre les contorsions, épuisée, seule, craignant un grave problème, que le bébé ne soit mal tourné. À chaque nouvelle vague de contractions, sa paroi utérine se durcissait comme la pierre et Mitsu criait, appelant Mama Chia.

Quand je repris conscience, le monde demeura obscur, mes yeux étant encore couverts de gaze. Ma peau était en feu. Je ne pouvais que gémir, et attendre.

J'entendis un son. Mais qu'était-ce ? On aurait dit un linge mouillé essoré au-dessus d'une cuvette. Comme m'apportant une réponse, un tissu frais vint toucher mon front. Puis un parfum apaisant emplit mes narines.

Les émotions à fleur de peau, je sentis une larme couler le long de ma joue.

— Merci, murmurai-je, d'une voix à peine audible.

Tendant lentement le bras, j'attrapai la petite main qui tenait le linge et rafraîchissait maintenant ma poitrine et mes épaules.

Je fus surpris par la voix d'une petite fille de neuf ou dix ans.

— Reposez-vous maintenant, se borna-t-elle à dire.

Elle me souleva doucement la tête afin que je puisse boire. J'en voulais plus et inclinai davantage le verre dont le contenu coula sur ma poitrine. Elle me le retira.

— Je suis désolée ; je ne dois vous donner qu'un peu à la fois, s'excusa-t-elle en relâchant ma tête.

Ensuite, je m'endormis sans doute.

Les douleurs de Mitsu continuaient, mais elle était désormais trop épuisée pour pousser, trop lasse pour appeler. Soudain, la porte d'entrée s'ouvrit et son mari se précipita, haletant de l'effort accompli sur l'abrupte route de terre battue.

— Mitsu ! lança-t-il. Elle est là !

— Fuji, il me faut des draps propres, dit Mama Chia, se dirigeant tout droit vers la future maman pour faire les premiers contrôles.

Puis elle se lava vite les mains.

— J'ai également besoin de trois serviettes propres et faites bouillir quatre litres d'eau. Ensuite retournez vite au camion et rapportez l'oxygène.

Travaillant de manière rapide et efficace, Mama Chia, sage-femme guérisseuse, kahuna, prit de nouveau le pouls de Mitsu et se prépara à tourner le bébé. La naissance s'annonçait difficile, mais avec la volonté de Dieu et l'aide des esprits de l'île, elle sauverait la mère et, ensemble, elles mettraient au monde une nouvelle vie.

Mes brûlures ne me causaient que de petits élancements. J'essayai de faire bouger les muscles de mon visage.

— Que me suis-je fait ? demandai-je, consterné et espérant toujours me réveiller de ce cauchemar – fou, stupide, inutile.

Mais ce n'était pas un rêve. Des larmes me piquaient les yeux. Si faible que je pouvais à peine bouger, la bouche sèche et craquelée, j'eus du mal à demander :

— De l'eau… s'il vous plaît.

Mais personne n'entendit.

Je me souvins des paroles de Socrate à propos de la quête du sens de la vie.

— Mieux vaut ne jamais commencer, mais une fois que l'on a commencé, il faut aller jusqu'au bout.

— Mieux vaut ne jamais commencer, murmurai-je avant de me rendormir.

Le cri d'un bébé retentit par les fenêtres ouvertes de la petite cabane dans la forêt pluvieuse. Mitsu, tenant l'enfant contre sa poitrine, parvint à esquisser un sourire. Fuji s'assit tout près, rayonnant, caressant sa femme puis son bébé. Des larmes de joie coulaient le long de ses joues.

Comme elle l'avait fait tant de fois par le passé, Mama Chia nettoyait.

— Mitsu et votre fils se portent bien, Fuji. Je les laisse entre vos mains, maintenant, en de très bonnes mains, j'en suis convaincue.

Elle sourit.

Pleurant sans retenue, Fuji prit ses deux mains dans les siennes et passa de l'hawaïen au japonais puis à l'anglais :

— Mama Chia, *mahalo ! Mahalo ! Arigato gosaimas !* Comment pourrons-nous jamais vous remercier ?

— Vous venez de le faire, répondit-elle.

Mais elle voyait à son expression qu'il ne considérait pas les remerciements et les larmes comme un paiement suffisant. C'était une question d'honneur et de fierté, aussi ajouta-t-elle :

— J'aimerais quelques légumes quand vous les récolterez. Vous cultivez les meilleures patates douces de l'île.

— Vous aurez les meilleures des meilleures ! promit-il.

Jetant un dernier regard à Mitsu, fatiguée mais dont le visage rayonnait tandis qu'elle cajolait son enfant, Mama Chia rassembla ses affaires dans son sac à dos et s'en fut pour sa lente descente vers la vallée. Elle avait un autre patient à visiter.

Je m'éveillai quand les petites mains désormais familières soulevèrent ma tête et versèrent avec douceur du liquide sur ma langue. Je l'aspirai avidement. Son goût était étrange mais bon. Encore quelques petites gorgées de plus, puis les mains étalèrent délicatement une sorte de baume sur mon visage, ma poitrine et mes bras.

— C'est un cataplasme de fruit de noni mélangé à de l'aloé, pour aider votre peau à guérir, dit la voix douce et jeune.

À mon réveil suivant, je me sentais mieux. Mon mal de tête avait presque disparu et ma peau, même si elle tirait encore, ne brûlait plus. J'ouvris les yeux. Les bandes de gaze avaient disparu.

Heureux d'avoir recouvré la vue, je tournai lentement la tête et regardai autour de moi. J'étais seul, sur un lit de camp dans l'angle d'une cabane de rondins d'une seule pièce, petite mais propre. La lumière pénétrait à travers les stores de fortune. Au pied du lit se trouvait un coffre en bois et, contre le mur le plus éloigné, une commode.

Une foule de questions me traversèrent l'esprit : où suis-je ? Qui m'a sauvé ? Qui m'a amené ici ?

— Ohé ? dis-je. Ohé ? répétai-je plus fort.

J'entendis des pas, puis vis entrer une enfant aux cheveux noirs de jais et au beau sourire.

— Bonjour, dit-elle. Vous sentez-vous mieux ?

— Oui, répondis-je. Qui... qui êtes-vous ? Où suis-je ?

— Vous êtes ici ! répondit-elle, amusée. Je suis Sachi, l'assistante de Mama Chia, ajouta-t-elle fièrement. Mon vrai nom est Sachiko, mais Mama Chia m'appelle Sachi.

— Qui est Mama Chia ? l'interrompis-je.

— C'est ma tante. Elle m'enseigne les méthodes kahuna.

— Kahuna. Alors je suis toujours à Hawaï ?

— Bien sûr ! dit-elle en souriant de cette question stupide. Vous êtes à Molokai. Elle montra sur le mur derrière moi une carte pâlie de l'archipel.

— Molokai ? J'ai dérivé jusqu'à Molokai ! m'étonnai-je.

Mama Chia descendait lentement le sentier tortueux. Elle avait eu une semaine chargée et se sentait fatiguée. Mais son travail faisait naître une énergie allant au-delà de celle de son corps physique.

Elle poursuivit sa marche à travers la forêt. Elle n'avait pas le temps de se reposer. Elle voulait voir un autre malade. Sa robe à fleurs encore humide de la dernière averse portait à l'ourlet des traces de boue. Ses cheveux collaient à son front en mèches mouillées. N'attachant aucune importance à son aspect, elle se hâtait de son mieux sur le sentier forestier glissant jusqu'à son prochain patient.

Elle atteignit le dernier virage – son corps s'en souvenait si bien qu'elle aurait pu faire ce parcours par une nuit sans lune – et vit la petite clairière et la cabane blottie, presque cachée, contre un mur d'arbres verdoyants.

«Exactement là où je l'avais laissée», s'amusa-t-elle en elle-même.

Elle dépassa le hangar et le potager et entra.

J'essayai de m'asseoir et de regarder par la fenêtre ouverte. Les rayons inclinés du soleil de fin d'après-midi venaient éclairer le mur opposé. L'esprit embrouillé, je retombai allongé.

— Sachi, demandai-je faiblement, comment suis-je arrivé ici? Et...

Je me redressai d'un coup et faillis m'évanouir quand une femme entra en boitant dans la pièce et se dirigea vers moi.

— Ruth Johnson? m'écriai-je, ébahi.

Comment cela était-il possible?

— Est-ce que je rêve? demandai-je.

— Peut-être bien, dit-elle.

Mais ce n'était pas un rêve. La femme qui m'avait envoyé en mer sur une planche à surf se tenait maintenant debout devant moi.

— Vous avez failli me tuer! hurlai-je.

La vieille femme posa sa canne contre le mur, arrangea mon oreiller et me ramena doucement en position allongée. Elle ne souriait pas, mais de son visage émanait une tendresse que je n'avais encore jamais vue. Elle s'adressa à la fillette.

— Tu t'es bien occupée de lui, Sachi; je sais que tes parents seront contents.

Le visage de Sachi s'éclaira d'un sourire. J'avais pour ma part d'autres choses en tête.

— Qui êtes-vous? demandai-je à Ruth Johnson. Pourquoi m'avez-vous fait cela? Que se passe-t-il ici?

Elle ne répondit pas tout de suite, mais en m'appliquant un nouveau baume sur le visage, elle déclara posément :

—Je ne comprends pas – vous n'avez pas l'air d'un jeune écervelé – pourquoi avez-vous ignoré mes instructions ? Pourquoi vous êtes-vous lancé sans protection solaire, sans nourriture ni boisson ?

Je repoussai sa main et m'assis de nouveau.

—Quelles instructions ? Pourquoi aurais-je eu besoin de protection solaire la nuit ? Qui emporte à boire et à manger sur une planche à surf ? Pourquoi ne m'avez-vous pas dit ce dont j'aurais besoin ?

—Mais je vous l'ai dit, m'interrompit-elle. Je vous ai écrit de prendre de l'eau, de la nourriture et de la protection solaire pour trois jours et...

—Votre mot ne disait rien de tout cela.

Elle eut un silence pensif.

—Comment est-ce possible ? demanda-t-elle en regardant dans le vide. J'ai tout écrit sur la seconde feuille...

—Quelle seconde feuille ? Tout ce que vous m'avez donné, c'est la coupure de journal avec l'annonce et une note. Vous avez écrit au recto et au verso...

—Mais il y avait une autre feuille ! coupa-t-elle.

Soudain, tout s'éclaircit.

—Le mot se terminait par « soyez sûr », répliquai-je. Je croyais que vous vouliez me dire d'avoir confiance !

Comprenant ce qui avait dû se passer, Mama Chia ferma les yeux. Des émotions mélangées passèrent sur son visage pendant un instant puis disparurent. Secouant tristement la tête, elle soupira :

—La page suivante vous disait tout ce dont vous auriez besoin et où les courants vous conduiraient.

—J'ai dû la laisser tomber en mettant les papiers dans ma poche.

Je me laissai aller en arrière, ne sachant pas s'il fallait rire ou pleurer.

—Dire que je pensais, seul au milieu de l'océan, que vous étiez de « l'école dure ».

— Pas dure à ce point-là ! répondit-elle.

Il ne nous restait plus qu'à rire car tout cela était d'un ridicule achevé. Riant encore, elle ajouta :

— Et quand vous vous sentirez plus fort, pour terminer en beauté, nous pourrons vous jeter du haut d'une falaise !

Riant encore plus fort qu'elle, je réveillai mon mal de tête. L'espace d'un instant, je me demandai si elle parlait sérieusement ou non.

— Mais qui êtes-vous ? Je veux dire...

— À Oahu, j'étais Ruth Johnson. Ici, mes amis, mes élèves, mes patients – et les gens que j'ai failli tuer – m'appellent Mama Chia.

Elle sourit.

— Alors, Mama Chia, comment suis-je arrivé jusqu'ici ?

Elle s'approcha de la carte pour me le montrer.

— Les courants vous ont fait traverser le canal de Kaiwi, contourner Ilio Point, puis amené vers l'est le long de la côte nord de Molokai, après Kahiu Point, vers Kamakou. Vous avez atterri, peu élégamment dois-je dire, mais juste à temps, dans la vallée de Pelekunu, comme je l'avais prévu. Il existe une piste, un escalier, connus de peu de gens. Des amis m'ont aidée à vous amener jusqu'ici.

— Où sommes-nous ?

— Dans un endroit isolé, une réserve dans la forêt.

Je secouai la tête.

— Je ne comprends rien. Pourquoi tout ce mystère ?

Elle me fit tressaillir en lançant :

— Tout cela fait partie de votre initiation, comme je vous l'ai dit. Si vous aviez été préparé...

Elle s'interrompit pour dire ensuite :

— J'ai agi à la légère. Je suis désolée pour ce que vous avez dû endurer, Dan. J'avais l'intention de tester votre foi, non de vous faire frire, s'excusa-t-elle de nouveau. Mais je suppose que, comme Socrate, j'ai le goût du spectaculaire.

—Eh bien, puis-je au moins me considérer comme initié ?

—Je le pense en tout cas, soupira-t-elle.

Après un silence, je lui demandai :

—Comment avez-vous su que je venais à Hawaï ? Jusqu'à il y a quelques jours, je ne le savais pas moi-même. Saviez-vous qui j'étais quand nous nous sommes rencontrés pour la première fois devant la banque ? Et comment avez-vous fait pour me trouver ?

Mama Chia regarda par la fenêtre un moment avant de répondre.

—Il y a là d'autres forces en action... je ne peux l'expliquer autrement. Je ne lis pas souvent les journaux locaux et pour ainsi dire jamais les petites annonces personnelles. Mais j'étais chez ma sœur à Oahu, pour la réception de Victor, et j'ai vu le journal sur la table du salon. Nous allions sortir et, en attendant ma sœur, j'ai feuilleté le journal. Mes yeux sont tombés sur votre annonce, j'ai reçu comme une décharge électrique. J'ai senti l'appel du destin.

J'étais allongé, parfaitement immobile, mais des frissons montaient et descendaient le long de ma colonne vertébrale.

—En lisant cette annonce, poursuivit-elle, je pouvais voir votre visage aussi clairement que je vous vois maintenant.

Elle effleura tendrement mes joues meurtries :

—J'étais si heureuse que vous arriviez enfin.

—Pourquoi ? En quoi cela vous importait-il ?

—En lisant l'annonce, tout ce que Socrate m'avait écrit à votre sujet me revint.

—Que vous avait-il écrit ?

—Peu importe. Il est temps que vous mangiez, dit-elle.

Plongeant la main dans son sac à dos, elle en tira une mangue et une papaye.

—Je n'ai pas vraiment faim, dis-je. Mon estomac s'est rétréci. Je préférerais savoir ce que Socrate a écrit à mon sujet.

—Vous n'avez rien mangé depuis sept jours, gronda-t-elle.

—Cela m'est déjà arrivé, répondis-je. De plus, j'avais besoin de maigrir.

Je montrai mon tour de taille qui s'était aminci.

—Peut-être, mais ce fruit a été béni et vous aidera à guérir plus rapidement.

—Vous le croyez vraiment ?

—Je ne le crois pas, je le sais, affirma-t-elle, coupant en deux la papaye fraîche dont elle évida les pépins noirs avant de m'en tendre la moitié.

Je regardai le fruit attrayant.

—Peut-être ai-je un peu faim, admis-je, et je grignotai un petit morceau.

Il fondit doucement sur ma langue. Je respirai son parfum.

—Hummm, fis-je, grignotant un nouveau morceau. Alors, ça guérit ?

—Oui, répondit-elle en me tendant une tranche de mangue mûre. Cela aussi.

Mangeant avec obéissance et un enthousiasme croissant, je demandai entre deux bouchées :

—Comment m'avez-vous trouvé, dans la rue ?

—Encore un coup de pouce du sort, répondit-elle. Quand j'ai lu votre annonce, j'ai décidé de prendre contact avec vous... de commencer par vous observer d'abord pour voir si vous alliez réussir à me trouver.

—Je ne vous aurais jamais trouvée, vous ne travaillez même pas dans une banque.

—Plus depuis six ans.

—Je crois que nous nous sommes trouvés, dis-je en prenant un autre morceau de mangue.

Mama Chia sourit.

—Oui. Maintenant il est temps pour moi de partir et pour vous de vous reposer.

—Je me sens beaucoup mieux, vraiment, et je voudrais savoir pourquoi vous étiez si contente que j'arrive.

Elle ne répondit pas tout de suite.

— Vous n'êtes pas encore conscient du Tout. Un jour, vous toucherez peut-être beaucoup de monde. Vous trouverez peut-être l'action à accomplir qui apportera quelque chose. Pour l'instant fermez les yeux et dormez.

« Action », pensai-je en fermant les paupières. Ce mot fit son chemin dans mon esprit et me rappela un souvenir vieux de plusieurs années, avec Socrate. Nous regagnions à pied le campus de Berkeley après un petit déjeuner au café de Joseph. Alors que nous approchions, un étudiant m'avait tendu un prospectus.

— Soc, avais-je dit, regarde. C'est pour sauver les baleines et les dauphins. La semaine dernière, on m'en a distribué un sur les peuples opprimés ; la semaine d'avant, c'était sur les enfants qui meurent de faim. Parfois, je me sens tellement coupable de faire tout ce travail sur moi-même alors que tant de gens sont dans le besoin.

Socrate m'avait lancé un regard vide d'expression, continuant de marcher comme si je n'avais rien dit.

— Socrate, tu m'as entendu ?

En guise de réponse, il s'était arrêté, retourné et m'avait dit :

— Je te donne cinq dollars si tu réussis à me gifler.

— Comment ? Qu'est-ce que cela a à voir avec…

— Dix dollars, interrompit-il, augmentant la mise.

Puis il avait commencé à me gifler pour rire, mais j'avais refusé d'entrer dans son jeu.

— Je n'ai jamais frappé un homme âgé et je n'ai pas l'intention de…

— Crois-moi, jeunot, tu peux y aller avec tes réflexes d'escargot.

Il n'en fallait pas plus. Après quelques coups d'essai, j'avais vraiment cherché à le toucher et je m'étais retrouvé plaqué à terre par une prise douloureuse. Soc m'avait aidé à me relever en me demandant :

— Tu remarqueras qu'un peu d'action peut être très efficace.

—J'ai remarqué ! avais-je répliqué en secouant mon poignet.

—Pour pouvoir aider les gens, il faut d'abord les comprendre… mais pour les comprendre, il faut d'abord se comprendre soi-même. Connais-toi toi-même, prépare-toi. Développe en toi la clarté, le courage et la sensibilité pour accomplir la bonne action, au bon endroit, au bon moment. Ensuite, agis.

Ce fut la dernière chose dont je me souvins avant de tomber dans un profond sommeil.

Le lendemain matin, Sachiko arriva avec des fruits frais et une cruche d'eau. Puis, me saluant de la main, elle lança :

—C'est l'heure de l'école.

Sur ces mots, elle sortit en courant.

Mama Chia arriva peu après. Elle m'appliqua encore de ce baume qui sentait le propre sur le visage, le cou et la poitrine.

—Votre état s'améliore, comme je m'y attendais.

—D'ici quelques jours je devrais être en mesure de voyager.

Je m'assis et m'étirai avec précaution.

—Voyager ? Vous croyez être prêt à aller quelque part ? Et que trouverez-vous là-bas – ce que vous avez trouvé en Inde ?

—Comment savez-vous ? demandai-je, médusé.

—Quand vous comprendrez comment je sais, vous serez prêt à poursuivre votre voyage, fit-elle avec un regard qui me transperça. Abraham Lincoln a dit un jour que s'il avait six heures pour abattre un arbre, il passerait les cinq premières à affûter sa hache. Vous avez devant vous une grande tâche et vous n'êtes pas encore affûté. Cela prendra du temps et une énergie considérable.

—Mais je me sens de mieux en mieux. J'aurai bientôt suffisamment d'énergie.

—Ce n'est pas de votre énergie que je parle mais de la mienne.

Je retombai en arrière, avec soudain l'impression d'être un fardeau.

— Je dois vraiment partir, dis-je. D'autres gens ont besoin de vous. Je ne veux pas m'imposer.

— Vous imposer ? Est-ce que le diamant s'impose à celui qui polit les pierres précieuses ? Est-ce que l'acier s'impose à l'armurier ? Je vous en prie. Dan, restez encore un peu. Je ne vois pas de meilleure manière d'employer mon énergie.

Ses paroles m'encouragèrent.

— Eh bien, dis-je en souriant, ce ne sera peut-être pas aussi difficile que vous le pensez. J'ai un entraînement de gymnaste. Je sais m'appliquer et j'ai passé beaucoup de temps avec Socrate.

— Oui, Socrate vous a préparé pour moi et je vous préparerai pour ce qui suivra.

Elle ferma le récipient et reposa le baume sur la commode.

— Et qu'est-ce qui suivra ? Avez-vous prévu quelque chose ? Que faites-vous ici d'ailleurs ?

Elle rit.

— Je joue différents rôles, porte des casquettes différentes pour des gens différents. Pour vous, je n'en porte aucune.

Elle marqua une pause avant d'ajouter :

— La plupart du temps, j'aide mes amis. Parfois, je reste simplement assise à ne rien faire. Parfois je m'entraîne à changer de forme.

— Changer de forme ?

— Oui.

— Cela consiste en quoi ?

— Oh, à devenir différentes choses, à fusionner avec les esprits des animaux, des rochers ou de l'eau… ce genre de choses. À considérer la vie d'un autre point de vue, si vous comprenez ce que je veux dire.

— Mais vous ne le faites pas vraiment ?

— Je dois partir, dit-elle, laissant ma question en suspens. J'ai des gens à voir.

Elle prit le sac à dos qu'elle avait déposé près de la bibliothèque, attrapa sa canne et sortit sans me laisser le temps d'en dire plus.

Je m'assis de nouveau, avec peine. Je ne la voyais pas très bien par la porte restée ouverte, tandis qu'elle claudiquait, en balançant sa canne, le long du sentier tortueux qui montait dans la forêt.

Retombant en arrière, je regardai les minces rayons de soleil qui filtraient par les rideaux tirés, me demandant si je me sentirais jamais à nouveau bien au soleil.

J'avais traversé une épreuve, mais je l'avais trouvée ! Mon corps frémissait d'une impatience croissante. La voie à suivre serait peut-être difficile, voire même dangereuse, mais elle était ouverte.

6

Pieds nus sur un sentier forestier

*Le chemin le plus dégagé pour parvenir
dans l'Univers traverse une forêt vierge.*

John Muir

Affamé, le lendemain matin, je fus ravi de trouver une coupe de fruits posée sur la table de nuit. Prenant un couteau et une cuillère dans le tiroir, je mangeai dans la foulée deux bananes, un fruit de la passion et une papaye. Je m'exerçai à ralentir et à mastiquer, mais les aliments semblaient être engloutis.

Me sentant mieux après ce petit déjeuner, je décidai d'explorer les environs. Quand je posai les pieds par terre, je fus pris de vertige pendant quelques instants. Je laissai passer, puis me levai. Faible et instable, je me regardai ; j'avais tellement maigri que je perdais presque mon maillot de bain.

— Il faut que j'écrive un livre, marmonnai-je. Je l'appellerai *Le Régime Surf*, il me rapportera probablement un million de dollars.

Encore peu sûr sur mes jambes, j'avançai jusqu'à la cruche d'eau posée sur la commode, bus lentement, puis me dirigeai jusqu'à une sorte de W-C chimique dissimulé derrière un rideau. C'était ce qu'il fallait. Mes reins fonctionnaient en tout cas encore.

J'examinai mon visage dans un vieux miroir. Avec ses croûtes et ses plaies suintantes, je le reconnaissais à peine. Une partie de mon dos était encore bandée. Comment cette petite Sachi pouvait-elle supporter de me voir, encore plus de me toucher ?

Je parvins à sortir, en me reposant souvent, et restai à l'ombre de la cabane et des arbres. C'était bon de sentir le sol sous mes pieds, pourtant ceux-ci étaient encore sensibles. Sans chaussures, je ne pouvais aller loin. Je me demandai si quelqu'un avait trouvé mon sac à dos avec mes affaires. Si c'était le cas, on pouvait croire que je m'étais noyé. Ou, pensai-je sombrement, peut-être un voleur s'était-il emparé de mon portefeuille, mes billets d'avion et ma carte de crédit ! Non, j'avais trop bien caché le sac. Il était enfoui dans un bosquet touffu, recouvert de broussailles sèches. J'allais en parler à Mama Chia à son prochain passage… qui n'eut lieu que plusieurs jours plus tard.

Je parvins à avancer un peu le long du chemin jusqu'à un point de vue. Au-dessus de moi se dressaient vers le ciel dans le lointain, au centre de l'île, les falaises de lave nue surplombant l'épaisse forêt tropicale. Beaucoup plus bas, je devinai à travers les arbres luxuriants des parcelles de ciel bleu. Mon abri, estimai-je, se trouvait à mi-chemin entre les falaises, en haut, et la mer, en bas.

Fatigué et quelque peu déprimé par ma faiblesse, je repris le chemin de la cabane, me recouchai et dormis à nouveau.

À mesure que les jours s'écoulaient, je recouvrais un appétit de loup. Je mangeais des fruits tropicaux, puis des patates douces, des pommes de terre, du maïs, du taro et, bien que je sois végétarien, un peu de poisson frais avec une sorte de soupe d'algues que je trouvais sur la commode chaque matin, apportés, supposais-je, par Sachiko. Mama Chia avait insisté pour que je mange la soupe qui « aiderait à guérir mes brûlures et les radiations ».

Je commençai, tôt le matin et en fin d'après-midi, à m'aventurer plus loin, progressant de quelques centaines de mètres dans la vallée luxuriante, vers la forêt tropicale habitée par le kukui au tronc lisse, le bananier torsadé, le palmier élevé et l'eucalyptus dont les feuilles luisaient dans la brise marine. Des gingembres rouges et blancs poussaient de toutes parts parmi les délicates fougères amaumau, et la terre rougeoyante était recouverte d'un épais tapis de mousses, d'herbes et de feuilles.

À l'exception de la petite clairière où se dressait ma cabane, tout était en pente. Au début, je me fatiguais rapidement. Mais mon souffle revint bientôt, à force de grimper dans l'air humide et curatif de la forêt tropicale. En bas, à quelques kilomètres, des falaises abruptes, les *pali*, tombaient dans la mer. Comment avait-on bien pu faire pour me transporter jusqu'à la cabane ?

Les matins qui suivirent, des bribes de rêves s'attardèrent dans ma conscience de veille : des images de Mama Chia et le son de sa voix. Et chaque matin, je me sentais étonnamment reposé. Je remarquai avec stupéfaction que mes plaies avaient pelé rapidement, faisant place à une nouvelle peau fine, presque guérie et comme neuve. Mes forces revenaient et, avec elles, un sentiment renouvelé d'urgence. J'avais trouvé Mama Chia : j'étais là. Et maintenant ? Que me fallait-il apprendre ou faire avant qu'elle ne me dirige vers la prochaine étape de mon voyage ?

Quand je me réveillai le lendemain, le soleil était déjà presque au zénith. J'écoutais, étendu, les cris aigus d'un oiseau au-dehors, puis partis pour une autre petite promenade. Mes pieds nus s'habituaient à la terre.

À mon retour, je vis Mama Chia entrer dans la cabane, où elle s'attendait probablement à me trouver couché. Je descendis rapidement la pente, glissant sur les feuilles humides, encore luisantes de la dernière averse. Décidant de m'amuser un peu avec elle, et fier de ma prompte guérison, je me cachai derrière la cabane pour l'épier. Elle ressortit étonnée, regardant autour d'elle. Je me cachai, mettant la main devant ma bouche pour étouffer un rire, puis respirai profondément et passai de nouveau la tête pour voir. Elle avait disparu.

Craignant qu'elle ne soit partie à ma recherche, je sortis de ma cachette pour l'appeler lorsque je sentis une tape sur mon épaule ; je me retournai, elle était là et me souriait.

— Comment avez-vous su où j'étais ? demandai-je.
— Je vous ai entendu m'appeler.
— Je ne vous ai pas appelée !
— Si.
— Non. J'allais le faire, mais…
— Alors comment ai-je su que vous étiez là ?
— C'est moi qui vous ai posé la question !
— Alors je crois que nous avons bouclé la boucle, dit-elle. Asseyez-vous. J'ai apporté le déjeuner.

Au mot « déjeuner », j'obéis sur-le-champ, m'asseyant sur un épais tapis de feuilles humides à l'ombre d'un arbre. Mon estomac gargouilla lorsqu'elle m'offrit de somptueuses patates douces, les meilleures que j'aie jamais mangées, du riz spécialement préparé et un assortiment de légumes croquants. Je ne sais comment elle avait tout fait tenir dans son sac à dos.

Le repas l'emporta sur la conversation jusqu'au moment où je dis, entre deux bouchées :

— Merci. Vous savez vraiment bien cuisiner.
— Ce n'est pas moi, c'est Sachi.
— Sachiko ? Qui lui a appris à cuisiner ainsi ? demandai-je.
— Son père.
— Elle est douée. Ses parents doivent être fiers d'elle.
— Ils sont plus que fiers.

Mama Chia arrêta de manger et porta son regard au-delà de la clairière, dans l'épaisse forêt émeraude.

— Laissez-moi vous raconter une histoire vraie. Il y a neuf ans, j'ai aidé à mettre au monde Sachi. Lorsqu'elle

avait quatre ans, j'ai également accueilli son petit frère.
Peu de temps après la naissance de son frère, la petite
Sachi commença à demander à ses parents de la laisser
seule avec le bébé. Ils craignaient que, comme la plupart des enfants de quatre ans, elle ne soit jalouse et
veuille le malmener. Aussi refusèrent-ils. Mais elle ne
montrait aucun signe de jalousie. Elle était très gentille avec le bébé et ses requêtes pour être seule avec
lui se firent de plus en plus insistantes. Ils décidèrent
d'accepter.

Ravie, elle alla dans la chambre du bébé et ferma la
porte, mais celle-ci avait une fente – suffisante pour que
les parents, curieux, puissent regarder et écouter. Ils
virent la petite Sachi s'avancer doucement vers son petit
frère, approcher son visage du sien et lui demander :
« Bébé, dis-moi comment tu ressens Dieu. Je commence
à oublier. »

— Elle a dit cela ? m'étonnai-je.

— Oui.

— Je comprends pourquoi elle est votre apprentie, fis-
je après un grand silence.

Après un moment de tranquillité à l'ombre de l'arbre,
Mama Chia m'annonça :

— Demain, nous ferons une promenade.

— Ensemble ? demandai-je.

— Non, me taquina-t-elle. Vous prendrez la route
haute et moi la route basse.

Je ne la connaissais pas encore très bien et il m'étaït
parfois difficile de savoir si elle plaisantait. Ma perplexité la fit rire.

— Oui, ensemble, confirma-t-elle.

J'avais le sentiment que les choses allaient prendre
tournure. Puis je regardai mon maillot usé, mes pieds
et mon torse nus. Levant les yeux vers elle, je déclarai :

— Je ne sais pas si je peux aller très loin sans…

En souriant, elle désigna du doigt un endroit derrière
moi.

— Regardez derrière l'arbre.

— Mon sac à dos ! criai-je, stupéfait.

Tandis qu'elle riait, je courus en examiner le contenu. Mon portefeuille, qui contenait quelques dollars et une carte de crédit, ma montre, un short propre, mes tennis, ma brosse à dents et mon rasoir – tout y était !

— Le père de Sachi avait du travail comme charpentier à Oahu, m'expliqua Mama Chia. Je l'ai envoyé à Makapuu Point pour récupérer vos affaires. Il m'a dit que vous les aviez cachées.

— Quand puis-je le rencontrer pour le remercier ? demandai-je.

— Il est impatient de vous rencontrer, lui aussi, mais il a dû retourner à Oahu pour terminer son travail. Il sera de retour d'ici quelques semaines. Je suis heureuse que vous ayez un nouveau short, ajouta-t-elle en se pinçant le nez d'une main et en montrant mon maillot chiffonné de l'autre. Vous pourrez laver celui-ci.

Je pris sa main en souriant.

— Merci, Mama Chia. Je vous suis vraiment reconnaissant pour tout ce que vous avez fait.

— Oui, j'ai tellement fait, répondit-elle en effaçant mes remerciements d'un geste de la main. Avez-vous entendu parler de la nouvelle race de chien, croisement entre un bouledogue et un colley ? Il vous arrache le bras, puis court chercher de l'aide.

Elle sourit.

— J'ai fait suffisamment de dégâts. C'est ma manière de « courir chercher de l'aide ».

Après avoir ramassé les reliefs de notre repas, elle se leva. Je voulus l'imiter, mais j'étais si faible que je tenais à peine sur mes jambes.

— Je me sens comme une marionnette, dis-je tandis qu'elle me raccompagnait jusqu'à la cabane.

— Vous vous sentez seulement faible au niveau musculaire, parce que votre corps utilise l'énergie pour guérir tout le reste. Vous avez subi une rude épreuve. La plupart des gens auraient abandonné et seraient morts. Votre Moi Basique est très fort.

—Mon quoi basique? demandai-je, étonné, en m'installant sur le lit.

—Votre Moi Basique, répondit Mama Chia. Une partie de vous-même – une conscience séparée de votre esprit conscient. Socrate ne vous a-t-il rien enseigné au sujet des trois Moi?

—Non, répondis-je, intrigué. Parlez-moi de ces trois Moi. Ce concept semble intéressant.

Mama Chia se leva, marcha jusqu'à la fenêtre et regarda au-dehors.

—Les trois Moi sont beaucoup plus qu'un concept, Dan. Ils sont aussi réels, à mes yeux, que la terre, les arbres, le ciel et la mer.

Elle s'assit sur le rebord de la fenêtre et ajouta:

—Il y a quelques siècles, avant l'invention du microscope, presque personne ne croyait à l'existence des bactéries et des virus. L'humanité demeurait donc impuissante face à ces envahisseurs invisibles. Ceux qui croyaient en leur existence étaient traités de fous. Moi aussi, je travaille avec des éléments invisibles pour la plupart des gens – avec les esprits de la nature et les énergies subtiles. Mais invisible ne veut pas dire imaginaire, Dan. Chaque nouvelle génération a tendance à l'oublier, si bien que le cycle se reproduit – l'aveugle conduisant l'aveugle, dit-elle sans la moindre trace de rancœur. L'ignorance, tout comme la sagesse, se transmet de génération en génération tel un héritage sacré. Les trois corps – le Moi Basique, le Moi Conscient et le Moi Supérieur – font partie d'un enseignement secret. En réalité, les secrets n'ont jamais été cachés, mais rares sont les gens qui s'y intéressent, et plus rares encore ceux qui ont les yeux pour voir.

Elle traversa la pièce en boitant comme à son habitude et se retourna une fois arrivée à la porte.

—Quand je parle de «choses invisibles», sachez que pour moi, elles ne le sont pas. Mais ce qui est vrai pour moi ne l'est pas nécessairement pour vous. Je ne vous dis pas de me croire, je partage simplement mon expérience avec vous.

— Comment puis-je expérimenter ces Moi ? Et quand ? demandai-je.

Elle remplit un verre d'eau et me le tendit.

— Quand vous serez suffisamment fort… Si Socrate vous a bien préparé, je pourrai vous conduire jusqu'au bord et vous montrer la voie. Il vous suffira alors d'ouvrir les yeux et de sauter.

Elle s'avança vers la porte et conclut :

— Maintenant, reposez-vous.

— Attendez ! dis-je en m'asseyant. Avant de partir, ne pouvez-vous m'en dire un peu plus sur les trois Moi ? J'aimerais savoir…

— J'ai encore beaucoup de choses à vous dire, m'interrompit-elle, mais d'abord, il vous faut dormir.

— Je suis fatigué, avouai-je en bâillant.

— Oui. Demain nous marcherons et nous parlerons aussi.

Par la porte ouverte, je la regardai balancer sa canne et s'enfoncer en claudiquant dans la forêt. Je bâillai de nouveau, puis mes yeux se fermèrent et le monde s'obscurcit.

Livre deux

Illuminations

*Le véritable voyage de découverte ne
consiste pas à chercher de nouveaux
paysages, mais à avoir de nouveaux yeux.*

Marcel PROUST

7

Les trois Moi

*Vous ne pouvez transcender ce que vous
ne connaissez pas. Pour aller au-delà de
vous-même, vous devez vous connaître.*

Sri Nasargadatta MAHARAJ

Le lendemain, le chant des oiseaux me sembla plus
doux et le monde plus beau. Mes forces revenaient.
Seules demeuraient quelques plaies. Passant la main
sur ma barbe de deux semaines, je décidai de la conserver pour un temps.

Après m'être gavé de fruits tropicaux et de pain fait
maison apparus comme par miracle sur la commode,
et dans lesquels je vis un nouveau cadeau de Sachi, je
sortis, me déshabillai et pris une douche sous une violente averse chaude. La pluie cessa aussi vite qu'elle
était venue, laissant un ciel clair et ensoleillé.

À peine avais-je terminé de peigner mes cheveux
mouillés et de m'appliquer une épaisse couche de protection solaire que Mama Chia apparut sur le sentier
avec son sac à dos habituel, sa canne et une grande
robe *moumou* – sa tenue de promenade favorite,
m'apprit-elle.

Après de brèves salutations, elle me conduisit jusqu'à
un étroit chemin tortueux descendant vers la mer. Tandis qu'elle claudiquait le long du sentier glissant à
quelques mètres devant moi, je constatais qu'il ne lui

était pas facile de se déplacer et fus frappé par sa détermination.

Elle s'arrêta à plusieurs reprises – une fois pour me faire remarquer un oiseau coloré, une autre pour me montrer une petite chute d'eau et un étang, dissimulés aux yeux du passant ordinaire. Nous nous assîmes ensuite pour écouter le son de l'eau tombant dans l'étang. Je lui proposai de porter son sac à dos, mais elle refusa, disant :

— Peut-être la prochaine fois.

À partir de ce moment, notre conversation s'espaça. Nous devions tous deux nous concentrer sur nos pas le long de la piste éternellement boueuse, traversée de racines d'arbres.

Pour finir, nous descendîmes un ravin abrupt et débouchâmes dans une petite clairière de sable, l'une des rares plages parmi les falaises. De chaque côté, la roche de lave s'élançait droit vers le ciel, formant ces hautes falaises.

Mama Chia sortit une petite couverture de son sac et l'étendit sur la plage. La marée venait de se retirer, laissant le sable à la fois doux, dur et humide. La brise marine reposante caressait agréablement mon visage et mon torse.

— Mama Chia, demandai-je, est-ce mon imagination ou ne suis-je là que depuis une dizaine de jours ?

— C'est vrai.

— Et n'ai-je pas failli mourir d'insolation et de soif ?

— Si, répondit-elle de nouveau.

— Et est-ce que je ne guéris pas extraordinairement vite ?

Elle acquiesça.

— J'ai travaillé sur vous la nuit.

— Comment ?

— Quand vous dormez, votre Moi Conscient s'efface ; c'est alors que je peux travailler directement sur le Moi Basique, le subconscient, dont le rôle est de guérir votre corps.

— Vous deviez m'en dire plus sur le Moi Basique.

Mama Chia me regarda d'un air pensif, puis elle prit un morceau de bois et dessina un cercle dans le sable.

— Un dessin vaut mieux que des paroles, dit-elle en traçant la silhouette d'un corps humain dans un cercle, les bras étendus, copie grossière du célèbre dessin de Léonard de Vinci.

Sans autre commentaire, elle s'assit sur une dune de sable, croisa les jambes et dit :

— J'ai besoin de faire un travail intérieur pour recharger mes batteries. À moins que vous n'ayez appris à en faire autant, je vous suggère une petite sieste. Peut-être pourrons-nous parler après.

— Mais...

Le temps d'une respiration, Mama Chia sembla entrer dans une profonde transe instantanée. Je la regardai quelques instants, puis mon attention fut de nouveau attirée par le dessin qu'elle avait esquissé dans le sable. Soudain envahi d'une certaine somnolence par cette journée étouffante et heureux de l'ombre prodiguée par les falaises, je m'étendis sur la couverture et fermai les paupières.

Mes pensées se tournèrent vers Holly et Linda, là-bas, dans l'Ohio – à des années-lumière, me semblait-il, de cette crique cachée où je me reposais à quelques mètres d'une femme shaman dont tous les pouvoirs ne m'étaient pas encore révélés. Quelques semaines plus tôt, elle n'existait pour moi que dans les plus profonds recoins de mon esprit. La vie est incroyable, pensai-je, avant de plonger dans une vision ressemblant à un rêve. Si je ne me souviens pas toujours de mes rêves, je n'oublierai jamais cette vision.

Bien qu'endormi, j'étais pourtant parfaitement réveillé. En vérité, je voyais avec plus de clarté que jamais auparavant. Le visage souriant de Mama Chia brilla devant moi le temps d'un éclair, puis s'évanouit. Dans l'obscurité qui suivit apparut une forme humaine :

le corps d'un homme dans un cercle, les bras écartés. Non la silhouette que Mama Chia avait dessinée dans le sable, mais une image vivante de l'original de Léonard de Vinci.

Puis, en un clin d'œil, je vis mon propre corps apparaître à l'intérieur du cercle et commencer à pivoter, tournoyant dans l'espace.

Depuis mon point de conscience, je vis ma forme physique venir se positionner debout très droite dans la forêt sous un ciel étoilé. Dans la lumière d'un pâle clair de lune, simplement vêtue d'un short, la silhouette se tenait les bras écartés comme si elle voulait enlacer la vie elle-même, la tête légèrement relevée vers la gauche, contemplant à travers les arbres les étoiles étincelant dans le ciel de velours noir. Je voyais tout cela dans le moindre détail – chaque ombre portée par la lune sur chaque feuille.

Puis trois lumières empourprées apparurent à l'intérieur et autour du corps, séparées et distinctes des auras ou champs d'énergie. Mon attention s'arrêta d'abord sur un embrasement rouge terrestre illuminant la région du ventre. Je reconnus immédiatement le Moi Basique.

Mon attention se déplaça vers la tête, où la lumière blanche de la conscience emplissait le Moi Conscient. Il brillait d'un éclat tel qu'on ne discernait plus le visage.

Ma conscience s'éleva ensuite au-dessus de la tête, où je commençai à voir un tournoiement de couleurs irisées rayonnantes…

Soudain, tout se mit à basculer et le tonnerre gronda au loin. Des éclairs déchirèrent le ciel. Le vent gémit et les arbres s'écrasèrent sur le sol avec fracas. Et la forme physique devant moi se divisa en trois Moi séparés !

Le Moi Supérieur, que je n'avais vu que dans l'éclat d'une couleur lumineuse, disparut. Les deux êtres restants prirent deux formes physiques distinctes. Le Moi Basique m'apparaissait à présent comme un enfant, entouré d'une lumière rouge. Il recula et rétrécit tandis que l'éclair suivant illuminait son visage, révélant la peur primordiale.

Le Moi Conscient prit la forme d'un robot gris dont la tête informatisée brillait d'une lumière électrique. Il ronfla et cliqueta, puis regarda avec raideur vers le ciel, sans expression, comme s'il triait des informations pour déterminer la meilleure ligne de conduite.

Au grondement de tonnerre suivant, l'enfant décampa et courut instinctivement se mettre à l'abri dans un arbre creux. Je le suivis et le regardai s'y recroqueviller. Il semblait timide et ne parlait pas. Tandis que je le fixai, je me sentis attiré plus profondément dans son rayonnement.

En l'espace d'une microseconde, ma conscience avait fusionné avec celle de l'enfant. Je voyais la vie par ses yeux et ressentais toutes ses émotions. Troublé par les myriades d'images de tempêtes anciennes et d'associations remontant à de vieilles incarnations, je me ramassai instinctivement sur moi-même tandis que des visions effrayantes – un patchwork de souvenirs génétiques – fusaient dans ma conscience enfantine. J'improvisais avec mon instinct primaire ce qui me faisait défaut en logique pure. Je sentais une vaste réserve d'énergie vitale; mes émotions étaient grandes ouvertes, amplifiées. Poussé par un élan primaire de survivre, de rechercher le plaisir et d'éviter la douleur, je me sentais plus enclin à agir qu'à contempler. Mon monde intérieur était indompté, non raffiné par la culture, les règles ou la logique. Dans mon état sauvage et charnel, j'étais de l'énergie en mouvement – étroitement lié au monde naturel, totalement chez moi dans le corps avec ses sensations et ses impulsions.

Ayant peu de moyens de percevoir la beauté délicate ou la foi supérieure, je ne connaissais que les bons et les mauvais sentiments. En cet instant, je sentais un besoin irrésistible d'être guidé, que quelqu'un interprète pour moi, me rassure et me guide. J'avais besoin du Moi Conscient.

C'est alors qu'ayant conçu son plan, l'ordinateur-robot entra également dans l'arbre creux. Mais il m'ignora complètement, moi, l'enfant, comme si je n'avais aucune importance. Froissé et me sentant déconsidéré, je lui donnai un coup de coude pour attirer son attention. Pourquoi ne m'écoutait-il pas? Après tout, j'avais été le premier à trouver l'abri! Il continua de m'ignorer. Je le poussai, lui donnai des claques, sans plus de résultats. Furieux, je courus dehors, pris une pierre et la jetai dans les jambes du robot. Cela attira son attention.

— Que veux-tu? demanda-t-il d'une voix monocorde.
— Écoute-moi! criai-je.

L'instant d'après, ma conscience quitta l'enfant pour fusionner avec l'ordinateur-robot. Elle regardait à travers les yeux de cette machine douée de raison et voyait le monde avec objectivité et un calme glacial. L'enfant que j'avais été apparaissait désormais comme un trouble-fête. Je cherchai une solution pour l'apaiser.

À ce moment précis, la tempête cessa et l'enfant sortit en courant pour jouer. Je laissai ce problème de côté et m'avançai avec raideur dans la forêt. Nullement gêné par les émotions ou les sentiments, mon monde était ordonné, structuré et terriblement limité. Je voyais la forêt dans des nuances de gris. La beauté, pour moi, était une définition, une catégorie. Je ne savais rien du Moi Supérieur ou foi. Je recherchais ce qui était utile et constructif. Le corps n'était à mes yeux qu'un fardeau nécessaire, une machine me permettant de bouger et de me reproduire – un outil de l'esprit.

En sécurité dans l'esprit du robot, j'étais insensible aux caprices de l'émotion. Et pourtant, sans l'esprit enjoué, l'énergie émotionnelle et la vitalité de l'enfant, je ne vivais pas vraiment. Je n'existais que dans un monde stérile, fait de problèmes et de solutions.

Ma conscience s'éveilla, comme sortant d'un rêve et, éprouvant un désir soudain et irrésistible de sentir à nouveau la forêt, de connaître les énergies montantes de la vie, je me détachai du Moi Conscient.

De mon nouveau point d'observation, je voyais le Moi Conscient et le Moi Basique dos à dos dans leurs propres mondes. Si seulement ils étaient ensemble, comme leurs vies s'en trouveraient enrichies !

J'appréciais l'innocence enfantine et la sagesse corporelle instinctive du Moi Basique ; j'attachais de la valeur à la raison, à la logique et aux capacités d'apprendre du robot, le Moi Conscient. Mais sans l'inspiration du Moi Supérieur, la vie semblait insipide, creuse et incomplète.

Lorsque je compris cela, j'entendis le Moi Supérieur m'appeler depuis la forêt et ressentis une intense envie de fusionner avec lui. Je me rendis compte que j'avais cette envie depuis des années, voire depuis toujours. Pour la première fois, je savais ce que je recherchais.

Quelques instants plus tard, je fus à nouveau accaparé par le Moi Conscient. Piégé dans son esprit d'acier, j'entendis sa voix bourdonnante répéter inlassablement, d'abord avec lenteur puis plus vite :

— Je-suis-la-seule-chose-qui-existe. Le Moi-Supérieur-n'est-qu'une-illusion.

Ma conscience repassa dans le Moi Basique enfantin. Maintenant, je ne désirais rien d'autre que jouer, me sentir bien, puissant et en sécurité.

De nouveau, je me retrouvai dans le Moi Conscient et vis une réalité – puis repartis dans le Moi Basique et en ressentis une autre. De plus en plus vite, je bondis en des allers et retours entre le Moi Conscient et le Moi Basique, l'esprit et le corps, le robot et l'enfant, pensant et sentant, logique et impulsif. De plus en plus vite.

Je m'assis, le regard fixe, terrifié, en nage, pleurant doucement. Puis je repris peu à peu conscience de mon environnement : la crique abritée au bord de l'océan, la plage chaude, un ciel tournant au rose et au pourpre au-dessus d'une mer paisible. Mama Chia était à côté de moi, immobile, elle me regardait.

Voulant chasser les restes de cette vision, j'essayai de ralentir ma respiration et de me détendre. Je parvins à expliquer :

— J'ai fait un mauvais rêve.

Elle parla lentement mais avec fermeté :

— Était-ce un mauvais rêve ou le miroir de votre vie ?

— Je ne comprends pas.

Je mentais. Je m'en rendis compte aussitôt. Avec ma nouvelle prise de conscience des trois Moi, je ne pouvais plus prétendre être « un ». J'étais un être divisé, balançant entre les besoins enfantins égocentriques du Moi Basique et le froid détachement du Moi Conscient, sans contact avec le Moi Supérieur.

Ces dernières années, mon esprit avait constamment étouffé mes sentiments. Il les avait ignorés et dévalués. Au lieu de reconnaître la peine et la passion que je ressentais, mon Moi Conscient avait gardé le contrôle et balayé en les dissimulant sous le tapis mes sentiments et mes relations avec autrui.

Je comprenais maintenant que les symptômes physiques que j'avais ressentis à la maison – les infections, les douleurs – étaient l'effet de mon Moi Basique, pleurant comme un enfant pour attirer l'attention. Il voulait que j'exprime tous mes sentiments intérieurs. Je comprenais soudain l'aphorisme : « Les organes pleurent les larmes que les yeux refusent de verser. » Et des propos de Wilhelm Reich me revinrent à l'esprit : « L'émotion non exprimée est emmagasinée dans les muscles du corps. » Ces troublantes révélations me déprimèrent et me découragèrent. Je voyais tout le chemin qu'il me restait à parcourir.

— Ça va ? demanda Mama Chia.

— Bien sûr, commençai-je, puis je me repris : non, je ne me sens pas bien. Je me sens épuisé et déprimé.

— Bravo ! dit-elle, rayonnante. Vous avez appris quelque chose. Maintenant, vous êtes sur la bonne voie !

Hochant la tête, je demandai :

— Dans le rêve, je n'ai expérimenté que deux des trois Moi. Mon Moi Supérieur a disparu. Pourquoi m'a-t-il quitté ?

— Il ne vous a pas quitté, Dan. Il était là tout le temps. Mais vous étiez si préoccupé par votre Moi Basique et votre Moi Conscient que vous étiez incapable de le voir ou de sentir son amour et son soutien.

— Comment puis-je le sentir ? Comment m'y prendre ?

— C'est une bonne, une très bonne question ! dit-elle, riant toute seule en se levant.

Puis elle fit glisser son sac sur ses épaules et se mit lentement en marche sur le chemin rocailleux. L'esprit encore plein de questions sans réponses, je la suivis.

Le sable se transformait en pierres et en terre à mesure que nous grimpions le long d'un sentier abrupt le long de la falaise. Je me tournai et regardai la crique, légèrement en contrebas. La marée montait. À une vingtaine de mètres, une vague s'écrasa près de la silhouette que Mama Chia avait dessinée dans le sable. Je clignai des yeux. Regardant à nouveau, je crus voir trois silhouettes – un petit corps, semblable à celui d'un enfant ; une silhouette carrée, en forme de boîte ; et une grande en forme d'ovale – juste avant qu'une vague ne surgisse, effaçant toute trace sur le sable.

La montée fut plus dure que la descente. Mama Chia semblait pleine d'entrain, alors que j'étais d'humeur mélancolique. Aucun de nous ne parlait. Une série d'images issues de la vision traversèrent mon esprit tandis que je la suivais sur le chemin pour entrer dans la forêt qui s'obscurcissait.

Quand nous parvînmes à la clairière, la demi-lune était proche du zénith. Mama Chia me souhaita une bonne nuit et poursuivit son chemin sur le sentier montant.

Je restai debout devant la cabane pendant quelques instants à écouter le chant des grillons. La douce brise de la nuit semblait me pénétrer. Je ne mesurais pas

combien j'étais fatigué avant d'entrer dans la maisonnette. Je me souviens vaguement d'être passé par les toilettes, puis de m'être affalé sur le lit. J'entendis les
grillons encore un moment, puis ce fut le silence. Cette
nuit-là, en rêve, je cherchai mon Moi Supérieur, mais
ne trouvai que le vide.

8

Les yeux du shaman

Un grand maître ne tente jamais d'expliquer sa vision; il vous invite simplement à rester à ses côtés et à regarder par vous-même.

Révérend R. INMAN

Pas encore totalement réveillé – et à plusieurs niveaux – j'ouvris les yeux et vis Mama Chia debout à côté de mon lit.

Je crus d'abord être encore en train de rêver, mais revins rapidement sur terre lorsqu'elle cria :

— Debout !

Je me levai si vite que j'en tombai presque par terre.

— Une minute et je suis prêt, bredouillai-je, encore chancelant, me promettant la prochaine fois de me lever avant son arrivée.

Je parvins d'un pas hésitant jusqu'aux toilettes, enfilai mon short et sortis sous l'averse prendre ma douche matinale.

Je rentrai, trempé, et pris une serviette.

— Il doit être bientôt midi.

— Onze heures et quelques minutes, dit-elle.

— Alors…

— Mais jeudi, interrompit-elle. Vous êtes resté inconscient pendant trente-six heures.

Je faillis lâcher la serviette.

— Presque deux jours ?

Je retombai lourdement sur le lit.

—Vous semblez contrarié. Avez-vous manqué un rendez-vous? demanda-t-elle.

—Non, je ne crois pas.

Levant les yeux vers elle, j'ajoutai :

—J'en ai manqué un?

—Pas avec moi, non. De toute façon, les rendez-vous ne sont pas pratique courante à Hawaï, expliqua-t-elle. Les continentaux ont essayé de les importer, mais c'est comme tenter de vendre de la viande à des végétariens. Vous sentez-vous mieux?

—Beaucoup mieux, répondis-je en me frottant les cheveux avec la serviette. Mais je ne sais pas très bien ce que je suis censé faire ici, ni en quoi vous devez m'aider. M'aiderez-vous à voir mon Moi Supérieur?

—Cela reste à voir, répondit-elle en souriant de son jeu de mots et en me tendant ma chemise.

—Mama Chia, dis-je en m'habillant, les choses que j'ai vues – cette vision sur la plage – m'avez-vous hypnotisé?

—Pas exactement. Ce que vous avez vu provenait des Archives Intérieures.

—De quoi s'agit-il?

—C'est difficile à décrire. On peut appeler aussi cela « l'inconscient universel » ou « le journal de l'Esprit ». Tout est écrit là.

—*Tout?*

—Oui, répondit-elle. Tout.

—Vous pouvez… lire ces archives?

—Parfois. Cela dépend.

—Mais comment ai-je fait pour les lire, moi?

—Disons que j'ai tourné les pages pour vous.

—Comme une mère ferait la lecture à son enfant?

—Quelque chose comme ça.

La pluie cessa et elle sortit. Je la suivis jusqu'à un tronc d'arbre, près du hangar, et m'assis.

—Mama Chia, dis-je, il faut que je vous parle de quelque chose qui commence vraiment à mè préoccuper. Voyez-vous, plus j'apprends, plus cela empire…

Elle m'interrompit.

— Occupez-vous simplement de ce qui se présente à vous pour le moment et l'avenir prendra soin de lui-même. Sinon, vous passerez le plus clair de votre vie à vous demander quel pied avancer en premier pour descendre du trottoir alors qu'il vous reste la moitié du chemin à parcourir pour atteindre le carrefour.

— Mais alors, ne faut-il pas prévoir et préparer l'avenir ?

— Les plans sont utiles, mais ne vous y attachez pas ; la vie réserve trop de surprises. D'un autre côté, la préparation a de la valeur, même si l'avenir que l'on a prévu n'arrive jamais.

— Comment cela ?

Elle ne répondit pas tout de suite.

— Un vieil ami qui habite l'île, Sei Fujimoto (vous ne l'avez pas encore rencontré) a travaillé comme jardinier et homme de peine durant la plus grande partie de sa vie, raconta-t-elle. Mais son premier amour fut la photographie. Je n'ai jamais vu un homme aussi passionné par les images sur papier ! Il y a des années, il passait le plus clair de son temps à rechercher la prise parfaite. Fuji aimait tout particulièrement les paysages : les ombres des arbres, les vagues qui se brisent, transpercées par les rayons du soleil, et les nuages éclairés par le clair de lune ou le soleil du matin. Quand il n'était pas en train de prendre des photos, il était chez lui, occupé à les développer dans sa chambre noire. Fuji a pratiqué cet art pendant près de trente ans, accumulant pendant toute cette période un trésor de photographies inspirées. Il conservait les négatifs dans son bureau, dans un tiroir fermé à clé. Il vendait quelques photos et donnait les autres à des amis. Il y a environ six ans, un incendie a détruit toutes les photos prises au long de ces trente années, tous les négatifs, ainsi que la plus grande partie de son équipement. Il n'était pas assuré contre l'incendie. Tout le témoignage et le fruit d'une génération de travail créatif s'envolèrent en fumée – une perte totale et irremplaçable. Fuji porta le deuil comme pour un enfant. Trois ans auparavant, il *avait* perdu un enfant et comprenait parfaitement la relativité de la souffrance. S'il avait pu supporter la mort de son enfant, il pouvait tout supporter. Mais plus encore, il vit la situation dans une perspective plus vaste et, peu à peu, se rendit compte qu'il lui restait quelque chose de grande valeur que le feu n'endommagerait jamais : *Fuji avait appris à voir la vie d'une manière différente*. Chaque jour, en se levant, il voyait un monde de lumière et d'ombre, de formes et de structures – un monde de beauté, d'harmonie et d'équilibre. Quand il m'a fait part de cette perception, Dan, il était tellement heureux ! Sa prise de conscience reflète celle des maîtres zen qui montrent à leurs étudiants que toutes les voies, toutes les activités – professions, sports, arts, métiers manuels – servent de moyens de développement interne, de simples bateaux pour traverser le fleuve. Une fois sur l'autre rive, on n'a plus besoin de bateau.

Sur ces mots, Mama Chia prit une profonde inspiration et me sourit avec sérénité.

— J'aimerais rencontrer Sei Fujimoto.

— Vous le rencontrerez, assura-t-elle.

— Cela me fait penser à une chose que Socrate m'a dite : « Ce n'est pas le chemin vers le guerrier pacifique, mais le chemin du guerrier pacifique ; et c'est le voyage lui-même qui crée le guerrier. »

— Socrate avait toujours une manière de tourner les mots, dit-elle, puis elle soupira songeusement. Vous savez, j'ai été très éprise de lui à une époque.

— Ah oui ? Quand ? Comment ? Et que s'est-il passé ?

— Il ne s'est rien passé, dit-elle. Il était occupé par son entraînement et son enseignement ; j'étais occupée de mon côté. Et bien qu'il m'ait respectée et appréciée, je ne crois pas qu'il ait partagé mes sentiments. Ce fut le cas de bien peu d'hommes, en dehors de mon défunt mari, Bradford.

Cela me sembla triste et injuste.

— Mama Chia, dis-je avec galanterie, si j'avais quelques années de plus, je crois bien que je vous ferais la cour.

— C'est très gentil de votre part, dit-elle.

— Je suis ainsi, répondis-je. Pouvez-vous m'en dire plus sur votre rencontre avec Socrate, et sur votre vie ?

Après un instant de réflexion, elle expliqua :

— Peut-être une autre fois. Pour l'instant, j'ai à faire, et je crois qu'il vous faut un peu plus de temps pour réfléchir à ce que vous avez appris avant que...

Elle s'interrompit, puis termina sa phrase :

— ... avant que nous ne passions à l'étape suivante.

— Je suis prêt.

Mama Chia me fixa sans rien dire. Elle se borna à sortir de son sac un petit paquet de noix macadamia qu'elle me lança.

— À demain, fit-elle en partant.

Je me sentais beaucoup plus fort, mais elle avait raison, je n'étais pas en état de faire des prouesses. Je passai le restant de la matinée dans une sorte de rêverie – assis à regarder les arbres entourant mon abri, ici sur Molokai. Un sentiment troublant montait en moi, mais je n'avais pas encore des mots pour le définir. Préoccupé, je sentis à peine le goût des petits morceaux de pain, des macadamia et des fruits que je mangeais.

Quand le soleil de l'après-midi toucha la cime des arbres à l'orée de la clairière, je me rendis compte que j'étais seul. Étrange, pensai-je. J'avais coutume d'apprécier la solitude. Je l'avais choisie pendant la plus grande partie de mes années d'université. Mais après avoir dérivé sur cette planche à surf et cru que je ne reverrais peut-être jamais un être humain, quelque chose avait changé. Et maintenant...

Ma rêverie fut interrompue par un jovial « Salut ! » venant de ma gauche. Sachi, sautant, bondissant et dansant, se dirigeait vers moi. Ses cheveux noirs de jais, coupés court comme ceux de Mama Chia, se balançaient harmonieusement à chacun de ses mouvements. Elle s'élança d'une pierre sur un tronc d'arbre et déposa un petit paquet.

— J'apporte encore du pain. Je l'ai fait moi-même.

— Merci, Sachi. C'est une très délicate pensée.

— Mais non, répliqua-t-elle. Je n'ai pas vraiment *pensé*. Comment vous sentez-vous ?

— Beaucoup mieux depuis ton arrivée. J'étais si seul que je commençais à parler tout seul.

— Cela m'arrive, dit-elle.

— Eh bien, maintenant que tu es là, nous pouvons nous asseoir et parler tout seuls… non, *attends* ! plaisantai-je. J'ai une meilleure idée : pourquoi ne pas parler ensemble ?

Mon humour maladroit la fit sourire.

— D'accord. Vous voulez voir l'étang aux grenouilles ?

— Volontiers.

— Il n'est pas loin. Suivez-moi, dit-elle en s'élançant allégrement vers la forêt.

Faisant de mon mieux pour ne pas me laisser distancer, je la vis apparaître et disparaître à une dizaine de mètres de moi, se promenant de-ci de-là entre les arbres. Au moment où je la rattrapai, elle était assise sur une grosse pierre, montrant un couple de grenouilles. L'une d'elles nous honora d'un coassement retentissant.

— Tu ne plaisantais pas, jeune fille : ce sont vraiment de grosses grenouilles.

— Là, c'est la reine, dit-elle. Et j'appelle celle-ci « Grincheuse » parce qu'elle s'enfuit toujours quand je la caresse.

Elle tendit lentement la main pour caresser l'une des grenouilles.

— Mon frère aime leur donner à manger, moi je n'aime pas les insectes gluants. Je les aimais, mais c'est fini.

Puis, tel un petit elfe des bois, elle repartit en sautillant vers la cabane. J'adressai un au revoir muet à

« Grincheuse » et suivis ses pas. Au moment de partir, j'entendis un puissant « Grrrump ». Me retournant, je vis des ronds dans l'eau tandis que la grenouille plongeait.

De retour dans la clairière, Sachi esquissa des pas de danse.

—C'est Mama Chia qui m'a appris, expliqua-t-elle. Elle m'enseigne une foule de choses.

—J'en suis persuadé, répondis-je.

Et il me vint une idée.

—Peut-être puis-je t'apprendre quelque chose moi aussi. Sais-tu faire la roue ?

—Vaguement, fit-elle, lançant ses bras vers le sol et ses jambes en l'air. Je parie que je ressemble aux grenouilles, ajouta-t-elle en riant. Pouvez-vous me montrer ?

—Je crois. J'étais assez bon dans le temps, dis-je en faisant la roue d'un seul bras par-dessus le tronc d'arbre.

—Oh ! s'exclama-t-elle, impressionnée. Que c'était bien lié !

Elle essaya de nouveau, mais ne s'améliora guère.

—Regarde, Sachi. Je te montre encore une fois.

Le restant de l'après-midi passa comme un éclair, tant j'étais absorbé à faire ce que j'aimais. Et je dois dire avec plaisir que Sachi apprit à faire la roue avec beaucoup de grâce.

Je remarquai une fleur rouge lumineuse et, obéissant à une impulsion, la cueillis et la mis dans ses cheveux.

—Tu sais, racontai-je, j'ai une fille, plus jeune que toi ; elle me manque. Je suis heureux que tu sois venue me rendre visite.

—Moi aussi, répondit-elle.

Caressant la fleur, elle m'offrit le plus doux des sourires.

—Il faut que je parte maintenant. Merci pour la roue, Dan.

Elle commença à descendre le chemin en courant, puis se retourna et me lança :

—N'oubliez pas votre pain !

Son sourire illumina ma journée.

Quand Mama Chia arriva le lendemain matin, j'étais prêt, j'attendais en lançant des cailloux contre un arbre.

—Voulez-vous du pain frais ? lui demandai-je. J'ai déjà mangé, mais si vous avez faim…

—Je n'ai besoin de rien, dit-elle. Mettons-nous plutôt en route. Nous avons plusieurs kilomètres à faire d'ici le coucher du soleil.

—Où allons-nous ? questionnai-je tandis que nous nous éloignions de la cabane.

—Par là.

Elle désigna la chaîne centrale de montagnes de lave noire, à des centaines de mètres au-dessus de nous. Me tendant son sac à dos, elle se contenta de déclarer :

—Maintenant, vous êtes assez fort pour porter mon sac.

Nous avançâmes lentement le long d'un chemin de plus en plus raide, tout en lacets et détours. Mama Chia montait en maintenant une allure régulière. La forêt était silencieuse, à l'exception du cri occasionnel d'un oiseau, et de mon pas rythmé allant à contretemps du balancement de sa canne et de sa démarche claudicante.

Elle s'arrêtait de temps à autre pour admirer un oiseau coloré, me montrer un arbre rare ou une petite cascade.

En fin de matinée, je commençai à me sentir inquiet.

—Mama Chia, Socrate m'a dit que l'on n'a pas *vraiment* appris quelque chose tant que l'on est pas capable de le faire.

Elle s'arrêta, se tourna vers moi et déclara avec force :

—J'entends et j'oublie, je vois et je me souviens, je fais et je comprends.

—C'est tout à fait cela, reconnus-je. J'ai *vu* et *entendu* parler de beaucoup de choses, mais je n'ai véritablement rien *fait*. J'ai appris certaines choses sur

98

la guérison, mais suis-je capable de guérir ? Je connais le Moi Supérieur, mais je ne peux pas le *sentir* !

Toute la frustration que j'avais contenue pendant cinq ans explosait dans un flot de paroles.

— J'ai été gymnaste champion du monde ; je suis diplômé de l'Université de Californie ; j'ai une belle petite fille. Je prends soin de moi, mange bien, fais ce qui convient. Je suis professeur d'université – j'ai fait tout ce que j'étais censé faire – et malgré tout cela, même après ma formation avec Socrate, j'ai l'impression que ma vie part à la dérive ! Je croyais qu'en apprenant ce qu'il faut et en prenant les bonnes décisions, je rendrais ma vie plus facile, plus contrôlable, mais la situation ne fait qu'empirer – comme quelque chose qui vous glisse des mains et qu'on ne sait retenir ! C'est comme si j'étais tombé du chemin, comme si je m'étais perdu, d'une certaine manière. Il y a des gens dans des situations bien pires que la mienne, je le sais ; personne ne me tyrannise ; je ne connais ni la pauvreté, ni la faim, ni l'oppression. Je donne peut-être l'impression de pleurnicher ou de me plaindre, mais je ne m'apitoie pas sur mon sort, Mama Chia. Je veux juste que cela cesse !

La regardant dans les yeux, j'ajoutai :

— Une fois, je me suis cassé la jambe, c'était grave : mon fémur était brisé en une quarantaine de morceaux, alors la douleur, je connais. Et ce que je ressens là me semble tout aussi réel. Comprenez-vous ?

— Je vous comprends très bien, dit-elle. La douleur et la souffrance font partie de la vie de chacun. Elles revêtent simplement des formes différentes.

— Alors pouvez-vous m'aider à trouver ce que je cherche ?

— Peut-être, répondit-elle, puis elle se retourna et reprit la montée.

À la sortie de la forêt, la mousse et les feuilles firent place sous nos pieds à une terre brun rougeâtre, qui se transforma vite en boue lorsque tomba une brève pluie torrentielle. Je glissais de temps à autre, alors que Mama Chia avançait lentement mais d'un pas assuré. Finalement, au moment où je pensai qu'elle avait oublié ma demande, elle déclara :

— Dan, avez-vous jamais pensé qu'une personne *seule* ne pourrait jamais créer un immeuble ? Pour intelligent ou fort qu'il soit, un individu isolé ne peut construire un immeuble sans les efforts combinés d'architectes, de sous-traitants, d'ouvriers, de comptables, de fabricants, de camionneurs, de chimistes et de centaines d'autres encore. Aucun n'est mieux que les autres.

— Qu'est-ce que cela a à voir avec...

— Prenez Socrate, par exemple, continua-t-elle. Il a de nombreux talents, mais également la sagesse de ne pas les employer tous en même temps. Il a compris qu'il ne pouvait pas tout faire pour vous – du moins pas tout d'un coup. Il ne pouvait pas saturer votre psyché. Il ne pouvait vous enseigner que ce que vos oreilles étaient capables d'entendre et vos yeux de voir. Quand il m'a écrit, il m'a avertie que vous seriez dur avec vous-même – que vous avez tendance à vous énerver – et que parfois j'aurais peut-être à vous calmer.

Elle se retourna pour me sourire tandis que nous poursuivions notre lente escalade.

— Il m'a également parlé de graines qu'il a semées dans votre esprit et votre cœur et qui germeront plus tard. Je suis ici pour les alimenter, pour les aider à pousser. Votre formation ne vous a pas rendu parfait, Dan, mais elle vous a bien servi. Rien n'est perdu ni gaspillé ; Socrate a beaucoup fait, et vous aussi. Il vous a aidé à dissiper les pires illusions, à élargir votre vision. Il vous a apporté des fondations ; maintenant, même si vous ne pouvez pas toujours entendre, du moins êtes-vous prêt à écouter. S'il ne vous avait pas préparé, je crois que vous ne m'auriez jamais trouvée.

— Mais je ne vous ai pas trouvée ; c'est vous qui m'avez trouvé.

— Pour étranges qu'aient été les circonstances de notre rencontre, je ne pense pas qu'elle aurait eu lieu si vous n'aviez pas été prêt. C'est ainsi que ces choses fonctionnent. Je n'aurais peut-être pas choisi de travailler avec vous ; vous ne seriez peut-être pas venu à la réception. Qui sait ?

Nous nous arrêtâmes un instant pour admirer la vue en arrivant sur les hauteurs, non loin du pied du pic rocheux. Les cimes vertes des arbres s'étendaient presque à perte de vue. Je ressentais l'humidité de l'air sur les bras et le visage. M'essuyant le front, j'entendis Mama Chia dire :

— J'ai connu un homme qui monta jusqu'au sommet d'une montagne et appela Dieu. Il tendit les bras vers le ciel et cria : « Emplis-moi de lumière, je suis prêt. J'attends ! » La voix de Dieu lui répondit : « Je t'emplis de lumière, mais tu ne la retiens jamais ! »

Elle passa le bras autour de mon épaule et ajouta :

— Nous avons tous des « fuites », Dan. Vous, moi, Socrate. Ce n'est pas une raison pour s'affoler. Rappelez-vous simplement que vous êtes un « humain en formation ». Vous allez encore trébucher ; nous le faisons tous. Je ne peux que vous aider à transformer votre expérience en leçons, et vos leçons en sagesse. Pour l'instant, je ne peux que vous encourager à avoir confiance dans le déroulement de votre vie.

Elle s'arrêta et s'agenouilla près d'une fleur jaune qui poussait dans une petite fissure sur une grosse pierre.

— Nos vies sont à l'image de cette fleur. Nous semblons si fragiles et pourtant, quand nous rencontrons des obstacles, nous les traversons, avançant toujours vers la Lumière.

J'effleurai les pétales jaunes.

— Mais les fleurs poussent si lentement ! Je n'ai pas l'impression d'avoir assez de temps. J'ai le sentiment de devoir faire quelque chose maintenant.

Son sourire détendu apaisa ma frustration.

— Les fleurs poussent dans le temps qui leur convient. Il n'est pas facile de voir le chemin tourner et disparaître devant soi quand on sait qu'il y a une longue montée. Vous voulez passer à l'action parce que c'est tout ce que l'on vous a appris. Mais d'abord, vous avez besoin de comprendre.

— Comprendre sans agir est inutile !

— Et agir sans comprendre peut être dangereux. Si vous agissez avant de comprendre, vous ne savez même pas ce que vous faites ! Alors détendez-vous, conseilla-t-elle en respirant profondément, pratiquant ce qu'elle prêchait. Il n'est nul besoin de se presser, et aucun endroit où se précipiter. Vous avez tout le temps pour l'accomplissement.

— Dans cette vie ?

— Ou la prochaine.

— Je veux commencer un peu avant ! dis-je. Je sens un appel intérieur, un message de mon Moi Basique. Il ne dit pas : « Du calme, détends-toi et va à la plage », il me dit que je dois faire quelque chose, quelque chose qui concerne mon Moi Supérieur.

— Pourquoi tant d'intérêt pour votre Moi Supérieur ? Ne vous amusez-vous pas assez maintenant ?

Ignorant les efforts de Mama Chia pour me remonter le moral, je m'enfonçai plus profondément dans l'autocritique. Comment pouvais-je rêver de contacter mon Moi Supérieur alors que j'étais incapable de faire la queue sans m'impatienter, de conduire en dessous de la vitesse maximum autorisée ou de me détendre dans un embouteillage ? Ou de sauver mon mariage ?

Mama Chia me tira de ma sombre rêverie.

— Vous êtes dur avec vous-même, Dan Millman, je le lis sur votre visage. Vous croyez que vous avez un grave problème à résoudre, mais est-ce bien le cas ? Dans ma vie, j'ai appris que c'est précisément aux moments où les choses semblent empirer que vous êtes peut-être prêt à franchir un pas. Quand vous avez l'impression de n'arriver nulle part, de stagner, voire même de reculer, vous reculez en fait pour prendre un départ sur les chapeaux de roue.

— Vous le croyez vraiment ?

— Ce n'est pas ce que *je* crois qui importe. Regardez votre vie maintenant. Passez-la en revue avec votre Moi Basique ; il sait – il me l'a déjà dit. Vous êtes sur le point de faire un pas – peut-être pas aujourd'hui ni demain, mais bientôt. Et tout comme Socrate vous a préparé pour moi, je remplirai mon rôle en vous préparant pour l'étape suivante.

— À vous entendre, cela paraît simple.

— Ni simple ni aisé, mais inévitable – tôt ou tard. Vous êtes encore pris dans la trame des événements et vous ne voyez pas au-delà. Comme un moustique sur un écran de télévision, dit-elle, vous ne voyez qu'un ensemble de points, mais ils forment une image plus grande, Dan. Chacun de nous a son rôle à jouer. Le moment venu, vous trouverez votre but. Peut-être vous attend-il dans le désert.

Avant que je puisse lui demander ce qu'elle voulait dire, elle reprit :

— Le premier pas sur le chemin du guerrier pacifique consiste à saisir les trois Moi, en ayant la tête dans les nuages et les pieds sur la terre. Nous avons des choses à faire ensemble, vous et moi, conclut-elle. Et nous allons vous préparer de la même manière que nous escaladons cette montagne, pas à pas.

Sur ces mots, elle se retourna et se remit en route. Ses paroles m'encourageaient, mais mon corps, ressentant l'effort, cédait à la lassitude.

Pendant ce temps, Mama Chia boitillait infatigablement.

— Où allons-nous exactement ? demandai-je, haletant.

— Au sommet.

— Que ferons-nous une fois là-haut ?

— Vous verrez quand nous arriverons, répondit-elle, avançant sur le chemin rocheux.

La pente ne tarda pas à devenir beaucoup plus abrupte, comme un escalier sans fin. L'air se raréfiait et notre respiration devenait difficile à chaque pas alors que nous grimpions vers le pic de Kamakau, à une altitude de près de mille sept cents mètres.

Deux heures plus tard, juste avant le crépuscule, nous atteignîmes le sommet, posant enfin le pied sur un sol plat. D'un geste de la main, Mama Chia dirigea mon regard vers un incroyable panorama de l'île de Molokai. Me tournant lentement, je contemplai l'étendue de verdure luxuriante de la forêt jusqu'à la mer. L'horizon s'embrasait de couleurs tandis que le soleil couchant peignait les nuages en rouge, pourpre, orange et rose.

— Eh bien, nous y voilà, dis-je dans un soupir.

— Oui, nous y voilà, répéta-t-elle en continuant de regarder le soleil couchant.

— Et maintenant, qu'allons-nous faire ?

— Ramasser du bois. Nous camperons près d'ici cette nuit. Je connais un endroit. Nous atteindrons notre destination demain.

Elle désigna la pointe orientale de l'île.

Elle me conduisit vers une petite cascade dont nous bûmes l'eau vive, riche en minéraux, avec avidité. Tout près se dressait un petit surplomb rocheux qui nous abriterait en cas de pluie soudaine. Heureux de ce repos, je fis tomber de mes épaules le sac de Mama Chia, me sentant alors plus léger que l'air. Mes jambes vacillaient et je pressentis qu'elles seraient raides le lendemain.

Je me demandais comment cette femme d'un certain âge, plus petite mais beaucoup plus lourde que moi, pouvait soutenir un tel effort. Cela ne m'aurait pas étonné si elle avait décidé de poursuivre la randonnée la nuit entière.

Nous allumâmes un feu suffisamment important pour chauffer les rochers et y plongeâmes des patates douces emballées dans du papier d'aluminium. Servies avec quelques légumes crus, elles constituèrent le repas le plus délectable qu'il m'ait été donné de manger.

Nous fîmes nos lits de mousse épaisse et ajoutâmes des branches dans le feu, non pour la chaleur qu'elles prodiguaient, mais pour leur rougeoiement et le confort de leur crépitement.

Quand nous nous couchâmes, je demandai doucement :

— Mama Chia, m'être trouvé en pleine mer sur cette planche à surf m'a sans doute effrayé plus que je ne le croyais car, depuis, je pense beaucoup à la vie et à la mort. Il y a quelques jours, au moment où j'allais m'endormir, j'ai vu le visage d'un ami d'Oberlin qui est mort il ý a quelque temps. Il était jeune et plein de vie ; et soudain se déclara une maladie que les médecins qualifièrent d'incurable. Il pria beaucoup, je m'en souviens. Mais il mourut tout de même.

Mama Chia soupira.

— Il y a toujours une réponse à nos prières. C'est simplement que parfois Dieu dit non.

— Pourquoi ?

— Pourquoi un parent aimant dit-il non ? Parfois les enfants veulent aller à l'encontre de leurs besoins. Les gens se tournent vers Dieu quand leurs bases tremblent, et ils découvrent que c'est Dieu qui les secoue. L'esprit conscient ne peut pas toujours prévoir ce qui sert notre plus grand bien. La foi implique une confiance fondamentale en l'univers – la croyance que *tout* est pour notre plus grand bien. C'est ce que je crois.

— Vous en êtes persuadée ?

— Je n'en ai pas l'assurance formelle, mais je choisis d'y croire parce que alors, si j'agis en conséquence, ma vie s'écoule mieux. Je ne me sens jamais victime des circonstances. Mon attitude demeure forte et positive. Je vois la difficulté comme une sorte d'« haltérophilie spirituelle », un défi pour fortifier l'esprit. Mes problèmes physiques, si pénibles qu'ils aient été, ont toujours été accompagnés d'un cadeau, même si je ne l'ai pas toujours apprécié sur le moment, dit-elle. Pour moi, ce cadeau était une compassion plus profonde ; pour quelqu'un d'autre, ce pourrait être une plus grande sensibilité au corps, ou une plus forte motivation à faire de l'exercice, à exprimer des sentiments plutôt qu'à les dissimuler, ou peut-être à mieux manger, se détendre ou jouer plus. La douleur ou l'inconfort sont souvent un moyen de nous secouer, d'attirer notre attention.

— Avec moi, c'est efficace, affirmai-je en regardant les flammes.

— Oui, mais je ne le recommande pas comme méthode, ajouta-t-elle avec un sourire malicieux. Bien que la douleur nous rende plus attentifs à nous-mêmes, c'est généralement le dernier recours du Moi Basique. Il n'envoie des messages rudes que lorsque nous avons ignoré les plus doux – nos intuitions et nos rêves.

— Les Moi Basiques, poursuivit-elle, supportent beaucoup, comme les enfants. Loyaux par nature, ils ne sont pas faciles à aliéner. Mais quand ils en ont assez, ils en ont assez.

Une autre question me revenant à l'esprit, je demandai :

— Si le Moi Basique est responsable du corps, il peut guérir n'importe quelle maladie, n'est-ce pas ?

— Dans les circonstances adéquates, et si cela est possible dans le destin de la personne en question, oui.

— Alors les remèdes n'ont pas vraiment d'importance ?

— Tout a de l'importance. Les remèdes sont un moyen d'aider le Moi Basique et un don du monde naturel, m'expliqua Mama Chia en tendant la main pour cueillir une cosse de graines dans un buisson voisin.

Ouvrant la cosse, elle me montra les petites graines et dit :

— Les Moi Basiques, comme vous l'avez expérimenté, sont en étroite relation avec le monde naturel : chaque plante, chaque herbe, est porteuse de messages et d'énergies spécifiques que le Moi Basique comprend. Il en est de même pour chaque couleur, chaque arôme et chaque son. Pour la danse aussi. La guérison est un grand mystère, même pour les médecins d'aujourd'hui : nous sommes encore en train de découvrir les lois de l'équilibre de la nature. Mais en nous mettant en contact plus étroit avec nos Moi Basiques et les forces subtiles en action, nous verrons encore plus de « miracles ».

— La plupart des médecins ont tendance à se fier à leur Moi Conscient, à leur esprit, plutôt qu'à leur intuition, n'est-ce pas ? demandai-je.

— Ce n'est pas une question de se fier à son Moi Basique ou son Moi Conscient, répondit-elle. Les Arabes ont un proverbe qui dit : « Fais confiance à Dieu, mais attache ton chameau. » Il est important de faire confiance à son Moi Basique pour guérir une coupure, par exemple, mais le Moi Conscient nous rappelle d'utiliser un pansement. Si vous mangez trop mal, fumez, buvez trop d'alcool ou avez recours à d'autres drogues, si vous vous épuisez ou retenez vos émotions, il est plus difficile au Moi Basique de faire son travail et de maintenir un système immunitaire fort ; il ne peut pas toujours guérir sans la coopération du Moi Conscient. Il ne peut qu'envoyer des messages corporels douloureux pour attirer votre attention. La prière seule peut ne pas suffire. Il faut faire ce que vous pouvez de votre côté pour aider. Le cardinal Francis Spellman a dit : « Priez comme si tout dépendait de Dieu et travaillez comme si tout dépendait de l'homme. »

Je regardai Mama Chia avec une admiration et un étonnement croissants.

— Mama Chia, comment savez-vous tant de choses ? Où avez-vous appris tout cela ?

Elle ne me répondit pas. Je l'observais à travers la lumière du feu, pensant qu'elle s'était assoupie. Mais ses yeux étaient grands ouverts, comme s'ils regardaient un autre monde. Pour finir, elle déclara :

— J'y penserai cette nuit. Peut-être vous raconterai-je une partie de mon histoire demain. Nous avons encore un long chemin à parcourir.

Sur ces paroles, elle se tourna sur le côté et s'endormit rapidement. Je restai éveillé un certain temps à regarder les braises mourantes du feu avant d'en faire autant.

9

Une femme complète

Dieu réconforte les perturbés et perturbe
ceux qui se sont installés dans le confort.

Anonyme

Le matin venu, une douche rafraîchissante sous la cascade m'aida à soulager la raideur de mes jambes, de mon dos et de mes épaules. Je n'avais pas recouvré l'intégralité de mes forces, mais le régime simple et l'exercice en plein air m'avaient apporté plus de vitalité que je n'en avais eu depuis plusieurs années.

Après un léger petit déjeuner de papaye, de banane et d'eau de la cascade, nous repartîmes le long de la chaîne de roches volcaniques jaillies de la mer un million d'années plus tôt, en respirant au rythme de nos pas. Mama Chia devait connaître ces montagnes dans leurs moindres recoins. Elle semblait prendre instinctivement le bon chemin à chaque tournant.

Tandis que nous marchions, je lui demandai à nouveau de me raconter sa vie.

—En général, je n'en parle pas, commença-t-elle. Mais je pense qu'il est important de vous dire certaines choses.

—Pourquoi ?

—Je n'en suis pas sûre, mais je crois qu'un jour vous raconterez votre propre voyage dans un livre pour aider les autres, et vous voudrez peut-être me mentionner.

— Peut-être même deviendrez-vous célèbre, vous ferez des publicités pour de la bière ! plaisantai-je.

Elle me répondit en souriant :

— Je suis certaine que vous avez compris que je préfère rester dans l'anonymat. Cependant une vie peut en inspirer une autre.

— Vous avez toute mon attention, dis-je en marchant juste derrière elle sur le chemin qui devenait plus étroit.

— Je suis née ici, à Molokai, en 1910, commença-t-elle. Mon père était moitié hawaïen et moitié japonais, ma mère aussi. Tout comme cette île, j'ai un riche héritage, mais pas un corps robuste, dit-elle en levant sa canne.

— Pas robuste, rétorquai-je. J'ai pourtant du mal à suivre votre rythme.

Elle sourit et hocha la tête.

— Jack London a écrit : « Dans la vie, il ne s'agit pas d'avoir les bonnes cartes en main, mais de bien jouer avec de mauvaises cartes. » J'ai joué mes cartes de mon mieux. Enfant, j'étais fatiguée presque en permanence. J'avais beaucoup d'allergies et tombais souvent malade. J'étais clouée au lit une bonne partie du temps et ne suivais pas l'école régulièrement. Mon père me disait que Teddy Roosevelt était également un enfant délicat et maladif, mais qu'il devint un « solide cavalier » et le président des États-Unis. Les histoires de mon père me donnèrent de l'espoir, mais mon corps ne fit que s'affaiblir.

Mama Chia sortit quelques macadamia de son sac et les partagea avec moi en poursuivant :

— Puis, quand j'ai eu sept ans, mes parents ont entendu parler d'un kahuna kupua – un shaman – appelé Papa Kahili. Guérisseur puissant, il était révéré par tous ceux qui le connaissaient et sa réputation s'étendit parmi ceux qui comprenaient les anciennes coutumes. En tant que chrétiens pratiquants, mes parents n'avaient pas confiance dans les gens qui parlaient d'esprits de la nature. Mais comme je continuais à m'affaiblir et que personne n'avait été capable de m'aider, leur amour l'emporta finalement sur leurs craintes et ils demandèrent à Papa Kahili de m'examiner. Lors de notre première rencontre, il ne proposa aucun remède et ne se livra à aucun cérémonial magique comme mes parents s'y attendaient. Il me parla simplement avec douceur. Je sentis que je comptais vraiment pour lui. Ce jour-là, sans que je le sache, ma guérison avait commencé. Par la suite, il apporta des remèdes à base de plantes et parla d'une foule de choses – de la puissance de guérison qui était en moi. Il me raconta des histoires qui furent des sources d'inspiration, peignant de merveilleuses images dans mon esprit. Papa Kahili m'emmena en voyage à de nombreuses reprises et, à chaque retour, je me sentais un peu plus forte.

— Vos parents ont-ils fini par l'accepter ?

— Oui, après quelques mois. Ils l'appelèrent « prêtre de Dieu », et apprécièrent qu'il ne s'attribue jamais l'amélioration de mon état de santé. Il disait que c'était le Saint-Esprit qui le guidait et agissait à travers lui. Pendant ce temps, la Première Guerre mondiale faisait rage en Europe. Les grands événements de l'histoire étaient rapportés dans les quotidiens. Mais les journaux ne parlèrent jamais de Papa Kahili. Il ne fut jamais mentionné dans les livres d'histoire. Il faisait partie de l'histoire secrète, tout comme le printemps souterrain donne naissance aux champs de fleurs. Dans notre petit monde, pourtant, il était l'un des plus grands.

À la fin de la guerre, j'avais huit ans et j'étais suffisamment forte pour aller à l'école. Bien que trop grosse, timide et pas très jolie, je me fis des amis. Pendant les sept années suivantes, je me plongeai dans ce que j'avais manqué, ce à quoi j'aspirais à cet âge : je voyageai à Oahu et dans les autres îles. J'allai à des soirées ; je fis les magasins avec mes amies ; je sortis même avec des garçons.

Finalement, je me lassai des soirées, des voyages et des magasins. Je m'étais toujours sentie… différente des autres, comme une étrangère en pays étranger. J'avais toujours cru que c'était à cause de mes maladies. Mais à cette époque, je me sentais étrangère même avec mes amis. Ils appréciaient la vie sociale avec ses réunions et ses soirées bruyantes, ils aimaient acheter des affaires à la mode. Je préférais lire et m'asseoir au clair de lune parmi les arbres, dit-elle, pointant sa canne vers les arbres kukui qui nous entouraient et nous dominaient. Peut-être toutes ces années passées au lit, dans la solitude, et toutes mes lectures, m'avaient-elles rendue attentive à d'autres choses, plus importantes. Je commençai à passer plus de temps seule.

— Mama Chia, dis-je, je ne veux pas vous interrompre, mais je sais ce que vous voulez dire par se sentir différent des autres.

Elle s'arrêta, se retourna et acquiesça d'un signe de tête.

— Je vous en prie, ajoutai-je, continuez.

— Eh bien, fit-elle en poursuivant son chemin, je savais que j'avais déçu mes parents et je voulais vraiment qu'ils puissent être fiers de moi. Mon père avait travaillé très dur dans la canne à sucre et avait économisé pour que j'aille à l'université. Aussi j'étudiai ardemment et lus beaucoup plus que mes amis d'études, me promettant de répondre aux attentes de mes parents. En 1928, je fus admise à l'Université de Stanford.

— Vous êtes allée à Stanford ? lançai-je, incrédule.

— Oui. Cela vous étonne-t-il ?

— Oui... je ne sais pas pourquoi.

— Clouée au lit toutes ces années, je n'ai cessé de lire. Mes parents dépensaient de l'argent et de l'énergie pour me procurer des livres touchant à tous les sujets. Je croyais avoir pris du retard à l'école, mais étais au contraire très en avance et obtins d'excellents résultats à l'examen d'admission...

— C'est là que nous différons ! m'exclamai-je avec un sourire.

Elle sourit à son tour et poursuivit :

— Mes parents croyaient que j'y allais pour trouver un bon mari, mais pour moi, l'université constituait une grande aventure. Il y avait tant à apprendre, et des bibliothèques *regorgeant* de livres. Pas question de perdre un instant. Fascinée par le corps humain, peut-être en raison de mes propres problèmes, je m'inscrivis au programme de préparation au diplôme de médecine. Lors de ma dernière année, cependant, je tombai sur un petit article traitant de la tradition kahuna hawaïenne. Je le trouvai passionnant. Je lus également des choses sur d'autres systèmes de guérison spirituelle ou holistique, dont l'hypnose et la psychanalyse, travaillant sur les croyances et le mental. Je pris conscience que ma voie était la *guérison* et non la médecine conventionnelle.

— Vous ne croyez pas à la médecine conventionnelle ?

— J'apprécie le rôle de la médecine occidentale et ses technologies, répondit-elle, mais je crois que la plupart des médecins, tout comme leurs patients, ont été séduits par le soulagement rapide des symptômes au moyen de médicaments et de chirurgie réparatrice, au lieu d'éduquer et d'inciter les gens à transformer leurs habitudes et leur style de vie, à travailler en harmonie avec les principes de la nature. Un jour, la médecine changera, prédit-elle, dès que les gens seront prêts.

— Avez-vous alors quitté Stanford ? Que s'est-il passé ?

— Au moment le plus inattendu, comme c'est souvent le cas, j'ai rencontré mon futur mari. Un jour, en sortant de la bibliothèque, un livre m'a glissé des mains. Avant que je ne puisse le rattraper, un beau jeune homme, surgi de je ne sais où, le ramassa et me le tendit avec un sourire. Nous commençâmes à parler sans pouvoir nous arrêter. Il s'appelait Bradford Johnson. Nous nous mariâmes juste après la remise des diplômes. Je ne compris jamais comment lui – homme beau et athlétique – pouvait aimer quelqu'un comme moi. J'avais coutume de lui dire que j'avais dû lui sauver la vie dans une précédente incarnation et qu'il m'en devait une !

— Quoi qu'il en soit, à la fin de nos études, en 1932, Bradford obtint un poste d'enseignant en Californie et je fus enceinte. Nous étions si heureux !

La voix de Mama Chia changea, se faisant plus douce, si bien que je l'entendis à peine dire :

— Je perdis le bébé.

Elle se tut pendant quelques instants.

— J'appris que je ne pourrais pas en avoir. Jamais. Je me sentis trahie, une fois encore, par mon corps. Bradford était un homme très compréhensif. Il dit que nous pourrions toujours adopter, mais nous étions tellement occupés... et après tout, j'avais un neveu et deux nièces.

Elle sourit, mais son sourire s'évanouit bientôt.

— Un mois plus tard, mon père mourut brutalement. Ma mère perdait la vue et avait besoin de moi. Bradford trouva un poste d'enseignant à Oahu. Je passais ainsi la semaine à la maison à Molokai avec ma mère et les week-ends avec lui à Oahu. Nous nous installâmes dans cette routine jusqu'à la fermeture de l'école de Bradford, lors de la grande crise. Il vint vivre avec moi ici à Molokai. Ce fut une époque de vaches maigres, mais nous avions un abri et notre jardin.

Puis ce fut 1941 et Pearl Harbor. Le bombardement et tous les événements qui suivirent comptent parmi les plus pénibles de ma vie.

Mama Chia s'arrêta et se tourna pour contempler la vue panoramique de la forêt tropicale loin en dessous de nous, et la mer encore plus bas.

— Je n'ai pas l'habitude de me raconter ainsi, dit-elle. Peu de gens en savent autant sur moi et je n'ai nul besoin personnel de parler de tout cela ; comprenez-vous ? Peut-être devrions-nous en rester là...

Je l'arrêtai en posant la main sur son bras.

— Mama Chia, vous n'êtes pas n'importe qui. Votre vie m'intéresse. Tant de personnes d'un certain âge sont des trésors vivants, une partie de l'histoire. Mais elles ne racontent jamais leur vie parce qu'elles la croient banale.

Secouant tristement la tête, j'ajoutai :

— J'aimais Socrate, moi aussi, et je lui ai demandé maintes fois de me parler de son passé, mais il ne l'a jamais fait. C'était comme s'il n'avait pas eu confiance en moi – je ne sais pas. Je ne le lui ai jamais dit, mais cela me blessa. Je ne saurai peut-être jamais d'où il venait et c'est comme s'il me manquait une partie de ma vie. Et vous doutez que votre vie m'intéresse !

Elle hocha la tête en silence tout en gardant un visage impassible – jusqu'à ce que je voie des larmes perler de ses yeux tandis qu'elle regardait au loin l'océan d'azur. Des nuages nous survolaient, effleurant les pics qui nous surplombaient. Mama Chia attrapa sa canne et s'engagea devant moi sur un chemin inégal. Je la suivis et elle reprit son histoire.

— Comme beaucoup de gens à Honolulu, Bradford assista à la destruction de Pearl Harbor et, en homme digne de Stanford, il s'enrôla dans la marine pour défendre notre pays. Et comme d'innombrables autres femmes, je dis une prière pour mon mari chaque matin et chaque soir.

De vilaines rumeurs commencèrent à courir selon lesquelles des Japonais-Américains étaient envoyés en camps de détention sur le continent par peur du sabotage. Je ne pouvais croire une telle chose. Mais les rumeurs étaient fondées. Bien que seulement en partie d'origine japonaise, je vins m'installer dans cette région isolée de la forêt tropicale et vécus tranquillement avec ma mère, qui avait alors la soixantaine et souffrait d'un certain nombre de maux qu'il n'était pas en mon pouvoir de soulager.

Papa Kahili, qui avait passé près d'une décennie à étudier avec un shaman africain sur ce continent, revint à Molokai. Je lui demandai d'aider ma mère. À cette époque il était très âgé et son travail dévoué en Afrique, avec la lutte contre la faim, la dysenterie et une foule d'autres affections, avait laissé sa marque. Il me dit que l'Esprit appelait ma mère et qu'elle serait bientôt heureusement libre de son corps douloureux, et qu'il la suivrait de peu.

Il parla avec ma mère, la conseilla et, une semaine après son retour, elle mourut paisiblement pendant son sommeil. Je me retrouvai seule et aidai Papa Kahili chaque jour. Rassemblant mon courage, je lui demandai s'il accepterait de m'enseigner le savoir kahuna ; car j'avais le sentiment que c'était là ma destinée.

Il se mit à verser les larmes d'un vieil homme, qui savait cela depuis toutes ces années – mais devait attendre que la demande vienne de moi. Il m'adopta donc dans sa famille, et dans la tradition kahuna. Papa Kahili est maintenant dans le monde des esprits, mais je sens sa présence à chaque instant. C'est comme si j'avais trouvé un maître. Il m'a donné les outils pour aider ceux qui sont dans le besoin. Je commençai par aider les gens dont il s'était occupé, ici à Molokai ; je suivis également une formation de sage-femme. Après avoir vu suffisamment de gens mourir pendant mes études de préparation à médecine, je voulais équilibrer les choses en voyant plus de bébés venir au monde. Ainsi, je participais au miracle de la naissance, même si les bébés n'étaient pas à moi.

Un jour, je reçus une lettre du ministère de la Marine. Avant même de l'ouvrir, je connaissais son contenu – mot pour mot. Quand j'eus fini de pleurer, j'ouvris l'enveloppe d'une main tremblante. La lettre confirmait ce que j'avais rêvé depuis plusieurs nuits. Bradford, mon mari, était perdu en mer.

La guerre se termina et je n'y tins plus. Trop de fantômes, trop de souvenirs. J'avais économisé suffisamment et, en 1952…

— Quand j'avais six ans, remarquai-je.

— Quand vous aviez six ans, j'entamai un voyage de douze ans autour du monde. Ne suivant pour carte que mon intuition, je passai les deux premières années à voyager aux États-Unis, en bus, en train, à pied, en visitant des gens et des lieux vers lesquels mon Moi Supérieur me conduisait.

— Avez-vous jamais visité Berkeley, en Californie ? lui demandai-je.

— Oui, dit-elle, j'ai traversé Berkeley, mais, si c'est ce que vous voulez savoir, je n'ai rencontré Socrate que huit ans plus tard. Je fis d'abord des pèlerinages en Europe du Nord, pour étudier les traditions populaires et les enseignements des Vikings, puis je descendis en Espagne, en Europe centrale et vers le sud ensuite, dans plusieurs villages d'Afrique, puis vers les cultures arabes et du Moyen-Orient, l'Inde, le Népal, le Tibet et le grand Pamir...

— J'y suis allé, glissai-je, mais n'y ai pas trouvé ce que je cherchais...

— Je suis heureuse d'avoir attendu un certain âge. Si j'avais voyagé dans ma jeunesse, avant d'être préparée, je serais passée à côté de l'école.

— Quelle école ? demandai-je en me souvenant des paroles de Socrate.

— Après un passage en Chine organisé par des amis, je visitai la Thaïlande et des parties de l'Indonésie...

— *Quelle école ?* répétai-je.

— Une école cachée – au Japon.

— Comment était-elle cachée ?

— Pas de publicité. Elle était discrète.

Elle sourit, puis ajouta plus sérieusement :

— Peu de personnes ont des yeux pour la voir. À ce moment-là, j'avais compris beaucoup de disciplines de la guérison du corps et de l'esprit. Je voulais en apprendre plus sur la voie spirituelle, mais je voulais aussi relever des défis physiques et voir si je pouvais effectivement changer mon corps. Le maître me montra ce dont j'étais capable. C'est là que je rencontrai l'un de ses plus étonnants élèves – l'homme que vous appelez Socrate.

— *Vraiment* ? m'exclamai-je en trébuchant presque sur une grosse pierre. Parlez-moi plus de Socrate et de cette école ! Comment était-elle ? Qu'y faisait-il ?

Mama Chia marqua une pause.

— Si Socrate ne vous l'a pas dit, il devait avoir ses raisons.

Notant ma déception, elle ajouta :

—Vous pouvez être certain que les choses que Socrate vous a dites, ou pas dites, étaient pour votre bien. Je ne crois pas que ce soit le moment d'en parler.

—Où se trouve cette école ? Qui est le maître ? Et qu'en est-il des autres endroits où je dois me rendre ?

—Le moment n'est pas venu, répéta-t-elle. Vous devez apprendre certaines choses par votre intuition, votre perspicacité et votre expérience.

Déçu, je levai les yeux et m'aperçus que nous étions pratiquement au point le plus élevé à des kilomètres à la ronde.

—Il faut que je termine mon histoire, dit-elle, pour aider à préciser où nous en sommes et ce que nous devons faire ensemble. J'ai reçu un enseignement dans cette école pendant deux ans et trois mois. Pour la première fois de ma vie, mon corps, s'il n'était pas svelte et musclé, était au moins proportionné. Je pouvais courir ! Je pouvais sauter, tourner et lancer les jambes en l'air. Croyez-moi si vous voulez, dit-elle avec délices, je devins une assez bonne acrobate et pratiquante d'arts martiaux.

Elle fit tourbillonner sa canne, effectuant un ensemble de mouvements impressionnants bien que rouillés.

—Et j'appris beaucoup sur mon pouvoir et mon esprit. Je développais mes connaissances sur la guérison. Dès mon retour à Molokai, en 1964, pleine d'un nouvel enthousiasme et d'une énergie neuve, prête à réaliser des miracles et à guérir même les lépreux, je fus appelé par Sei Fujimoto. Désespéré, il me dit que son bébé était soudainement tombé malade et me pria de le suivre. Alors que nous nous précipitions vers sa voiture, il m'expliqua que l'enfant avait eu des convulsions, puis s'était évanoui. Il était complètement paniqué ; sa femme, Mitsu, ne réagissait guère mieux : elle n'était plus elle-même quand je suis arrivée. Ils étaient pauvres et isolés, aucun hélicoptère n'avait donc été averti, et il était trop tard. L'enfant était mal en point.

Mama Chia s'arrêta, s'assit et me fit signe d'en faire autant. Nous nous installâmes sur un affleurement de roche qui recouvrait les montagnes du centre et elle raconta tristement :

— Je tentai tout ce que je savais et pouvais pour aider cet enfant ; j'y mis toute ma volonté et toute mon énergie. Je priai, je lui parlai, je l'appelai. Mais il mourut néanmoins.

À ce souvenir, ses yeux s'emplirent de larmes et elle me regarda.

— Il y a dans ce monde peu de choses plus douloureuses que la perte d'un enfant, dit-elle. Ni la foi ni la philosophie ne peuvent guérir le cœur. Seul le temps a le pouvoir de nous faire oublier. Et les Fujimoto portèrent très longtemps le deuil de leur enfant. Il était mort dans mes bras et quelque chose mourut en moi aussi. Je le vis en rêve par la suite. D'abord, je croyais que j'aurais pu le sauver si j'avais étudié un peu plus, si j'en avais su plus. Je fus ensuite obsédée par l'idée que je n'étais pas faite pour guérir les autres. J'étais imprégnée de cette pensée et malgré les protestations des gens que j'avais aidés et les remerciements compatissants des Fujimoto pour mes efforts pour sauver leur enfant, je fis vœu de ne plus jamais pratiquer la guérison. Cela me semblait de la supercherie ; j'avais l'impression d'être un charlatan. J'avais perdu foi en moi-même et dans mon Esprit.

C'est alors que je déménageai à Oahu, en 1965, et entrai à la banque. Je me mis à reprendre du poids.

— Cela vous a-t-il gêné ? demandai-je. Après tout ce que vous aviez appris et ressenti dans cette école, ne vouliez-vous pas retrouver votre forme ?

— Chacun a des forces et des faiblesses, me rappela-t-elle. Mes émotions ont parfois pris le dessus, comme pendant ces années à la banque. Je n'avais pas assez envie, ou pas assez de raisons pour changer. Je tombai dans une routine ennuyeuse mais sécurisante, accomplissant des gestes, arborant un sourire comme un costume deux-pièces. Quand j'y repense, pour moi c'était l'enfer. Mais c'était ce que j'avais choisi. Cela dura presque deux ans, jusqu'à ce que je reçoive une lettre de Socrate, il y a six ans.

— C'était en 1967, glissai-je.

— Oui. Je ne sais comment il me retrouva, ni pourquoi il décida de m'écrire juste à ce moment-là. Nous avions perdu le contact depuis des années. Mais ce qu'il m'écrivit me rappela des choses que j'avais oubliées. Ses paroles me stimulèrent, m'inspirèrent et me redonnèrent une raison de vivre.

— Oui, il est fort pour cela, dis-je avec un sourire.

— Oui, accorda-t-elle en me rendant mon sourire. Très fort. C'est alors qu'il m'a parlé de vous. Il m'a dit que vous vous mettriez peut-être à ma recherche un jour. Je suis retournée à Molokai et y fais depuis lors ce pour quoi je suis née. J'ai gardé mes yeux intérieurs grands ouverts pour vous.

— Rien que ça, comme dit la chanson, ajoutai-je en souriant.

— Pas tout à fait, admit Mama Chia d'un air rayonnant. Il y a environ trois semaines, j'ai aidé à accueillir dans ce monde le nouveau fils de Mitsu et Sei Fujimoto !

— C'est formidable ! dis-je. J'aime les histoires qui finissent bien !

Mama Chia s'arrêta et s'appuya pour se reposer contre le tronc d'un arbre isolé. Puis son sourire s'évanouit et elle déclara :

— J'espère que vous serez aussi heureux quand votre fin viendra.

10

Sur le fil du rasoir

Oubliez vos inclinations et vos aversions.
Elles sont sans importance.
Faites simplement ce qui doit être fait.
Là n'est peut-être pas le bonheur,
Mais là est la grandeur.

George Bernard SHAW

Au début de l'après-midi, la descente abrupte fit place à une pente douce. En suivant la crête comme nous le faisions, le chemin rocheux s'était rétréci et n'avait plus que la largeur d'une poutre. Aucune marge pour l'erreur.

Plus question de conversation tandis que nous avancions avec la plus grande prudence le long de l'arête précaire. D'en haut, cela devait ressembler à une lame de rasoir, pensais-je en regardant de chaque côté à plusieurs centaines de mètres en contrebas. Luttant contre le vertige, je me forçais à me concentrer sur Mama Chia qui, à trois mètres devant moi, avançait avec l'assurance d'un chamois. Les pierres qui jalonnaient la crête étroite rendaient la marche dangereuse. Un faux pas et c'était la catastrophe. Nous continuâmes ainsi, en file indienne, descendant progressivement vers l'est. Quand la voie s'élargit, Mama Chia fit signe de s'asseoir pour prendre du repos.

Je respirai profondément et me détendis. Parfaitement calme, Mama Chia sortit de son sac, dont j'avais été heureux de me délester, un sandwich.

—*Kaukau*, dit-elle. De la nourriture.

—Oui, je vois, répondis-je sèchement en mordant à belles dents dans les épaisses tranches de pain. C'est délicieux, ajoutai-je, la bouche pleine.

Tandis que nous mangions, j'expliquai à Mama Chia combien j'étais impressionné par son intrépidité le long d'une crête qui m'avait donné à moi, ancien gymnaste, des sueurs.

—Vous me croyez donc courageuse ? lança-t-elle.

—En effet.

—C'est peut-être le cas, mais parce que j'ai eu des maîtres qui m'ont marquée. Je vais vous parler de l'un d'eux. Il y a des années, quand je travaillais comme volontaire au Stanford Hospital, j'ai fait la connaissance d'une petite fille, Liza, qui souffrait d'une maladie rare et grave. Sa seule chance de s'en sortir était une transfusion du sang de son frère de cinq ans qui avait miraculeusement survécu à la même maladie et produit les anticorps nécessaires pour la combattre. Le docteur expliqua la situation au petit garçon et lui demanda s'il était prêt à donner son sang pour sa petite sœur. Il n'hésita qu'un instant avant de prendre une profonde inspiration et de dire : « Oui, je le ferai si cela doit sauver Liza. »

Au cours de la transfusion, il était allongé sur un lit à côté de sa sœur et souriait, comme nous tous, en la voyant reprendre des couleurs. Puis il pâlit et son sourire disparut. Il regarda le docteur et demanda d'une voix tremblante : « Est-ce que je vais commencer à mourir tout de suite ? »

Mama Chia me regarda en ajoutant :

—C'était un tout jeune enfant et il avait mal compris le docteur. Il pensait qu'il allait donner *tout* son sang. Oui, j'ai appris à être courageuse, car j'ai eu des maîtres qui m'ont marquée.

Après cela, nous mangeâmes en silence. Puis je m'étendis pour une petite sieste. Juste au moment où je glissais dans le sommeil, la voix de Mama Chia me rappela brusquement à la réalité.

—Il est temps d'y aller; nous devons arriver avant la tombée de la nuit.

—Allons-nous chez quelqu'un?

—D'une certaine manière, répliqua-t-elle après un moment de silence.

De sombres nuages se déplaçaient au-dessus de nous, obscurcissant le soleil qui plongeait maintenant derrière les arbres et descendait vers l'horizon. Quittant la chaîne de montagnes, nous rentrâmes dans la forêt.

—Dépêchons-nous! dit-elle en accélérant le pas. Il se fait tard.

Nous progressions sur le terrain inégal. Il s'écoula encore une heure; nous devions nous frayer un chemin à travers des branches enchevêtrées. La randonnée durait depuis presque toute la journée et j'étais fatigué. Alors que nous descendions toujours, je criai :

—Nous avons dû faire huit ou neuf kilomètres aujourd'hui. Ne pouvons-nous pas nous reposer?

—Nous en avons plutôt fait quatorze, répondit-elle, mais nous ne pouvons pas encore nous reposer.

La pluie commença à tomber, mais l'abri prodigué par les arbres nous maintenait au sec.

—J'ai du mal à croire que vous puissiez marcher aussi vite pour une personne si... bien en chair, dis-je, courant presque pour la suivre.

—J'ai accès à beaucoup d'énergie, expliqua-t-elle.

—Comment faites-vous? Y a-t-il un truc?

—Vous savez, répondit-elle, qu'une mère, même très fatiguée, se lèvera plusieurs fois dans la nuit pour répondre aux appels de son enfant malade?

—Oui, je sais.

—Disons que je fais pareil avec vous.

Je ne pus voir si elle souriait, mais j'en eus l'impression.

Elle continua d'imposer le rythme. Je suivais, glissant de temps à autre sur quelque rocher couvert de mousse – montant et descendant le long des crêtes, passant auprès de nombreuses cascades alimentées par un écoulement permanent dans cette partie de l'île, puis traversant la forêt pendant encore plusieurs kilomètres.

Nous attaquâmes une nouvelle montée suivie d'une descente dans la vallée d'Halawa, et je me sentis soudain reposé, d'une manière inexplicable. Cette impression de vigueur augmenta tandis que nous descendions. Nous atteignîmes finalement une petite clairière, protégée de tous côtés par l'épais manteau des arbres.

Des rayons de soleil, bas à l'horizon, perçaient le feuillage dense, créant des rubans de lumière à travers la verdure.

— Mettez-vous à l'aise, proposa Mama Chia.

Reconnaissant, je me laissai tomber lourdement sur un doux manteau de feuilles à peine humides et me déchargeai de mon sac. Elle resta debout, près d'un kukui, regardant dans le vide.

Je venais de m'allonger sur le lit de feuilles, les yeux levés, lorsque j'entendis sa voix.

— Dan, commença-t-elle lentement, vous souvenez-vous de ce je vous ai dit sur le changement de forme ?

— Vous n'avez pas dit grand-chose…

Surpris par le cri sonore d'un oiseau, je me tournai vivement vers elle. Elle avait disparu et, à sa place, exactement là où elle s'était arrêtée, sur la branche basse du kukui, se trouvait un oiseau regardant dans le vide.

Il observait une immobilité parfaite, comme s'il attendait quelque chose.

— Ce n'est pas possible ! m'écriai-je. Vous n'êtes pas…

L'oiseau me fixa sans ciller ; je le regardai fixement moi aussi, guettant un signe, lorsque le visage souriant de Mama Chia se montra soudain, sortant de sa cachette derrière le tronc de l'arbre. Son sourire se changea en rire quand elle vit ma mine ébahie.

— Dan, j'aurais voulu avoir un appareil photo. Votre expression était impayable !

Elle s'avança et adressa un clin d'œil à l'oiseau qui vint se poser sur son épaule.

— Alors vous avez cru que je m'étais transformée en oiseau. J'ai l'impression que vous avez trop lu Carlos Castaneda.

— J'ai vu des choses bien plus étranges, dis-je pour me défendre.

Citant William Shakespeare, elle déclama :

— « Il y a plus de choses sur terre et au ciel… que n'en a rêvé votre philosophie. » Oui, Dan, et bien des miracles ordinaires passent inaperçus des gens ordinaires. *Mais les gens ne se transforment pas physiquement en petits oiseaux.* Le changement de forme implique le transfert de conscience, une forme de profonde empathie. Ni plus ni moins.

Elle caressa le petit oiseau d'un geste de la main, lissant sa poitrine rouge vif et ses plumes blanches tandis qu'il gazouillait.

— C'est un peu mon animal familier, il me suit de temps à autre, dit-elle en effleurant la courbe de son bec. Je l'appelle « Oiseau Rouge ».

— Est-il dressé ? demandai-je, revenant de mon embarras. Puis-je le prendre ?

— Je ne sais pas. Il faut le lui demander.

— Que suis-je censé faire, siffler dans le langage des oiseaux ?

Elle échangea un regard complice avec l'oiseau qui sembla rouler des yeux comme pour dire : « Qui est ce type ? »

Je tendis lentement la main et l'apapane à demi sauvage me laissa caresser son ventre.

— Je dois reconnaître que c'était un excellent tour. Vous m'avez bien eu.

L'expression de Mama Chia s'assombrit, comme le ciel au-dessus de nous, et elle se leva.

— Ce que nous allons faire ce soir n'a rien à voir avec des « tours », déclara-t-elle en prenant l'oiseau dans sa main. Il s'agira de vie et de *mort*.

Soudain, elle referma la main sur l'oiseau, le serrant jusqu'à ce qu'il demeure immobile et sans vie.

Choqué, je balbutiai, incrédule :

— Comment avez-vous *pu* ?

Il s'agit aussi de mort et de *vie*, m'interrompit-elle en lançant le petit oiseau en l'air, où il déploya ses ailes, s'envola jusqu'à un arbre et commença à chanter merveilleusement, sans paraître le moins du monde dérangé par une soudaine bruine, et à l'évidence en pleine forme.

La pluie allait cesser, mais cette impression de mystère ? Je me posai la question tandis que Mama Chia s'allongeait et se recroquevillait sur elle-même, comme une maman ourse, une créature de la forêt.

Je me reposai environ un quart d'heure, mais sans trouver le sommeil. J'appréhendais trop ce qui allait se passer.

— Nous sommes en route pour quelques jours, n'est-ce pas ? demandai-je.

— Ça en a l'air, répondit Mama Chia sans bouger.

— Est-ce que je ne vous tiens pas trop éloignée de... des autres personnes que vous aidez ?

Elle changea de position avec une certaine élégance et me regarda dans les yeux.

— Disons que j'ai pris un congé urgent prolongé.

— Quelle est l'urgence ?

— Vous, fit-elle, avec l'ombre d'un sourire qui s'effaça quand elle s'assit. Ce qui nous amène où nous sommes maintenant.

— Et où sommes-nous ?

— À Kalanikaula, dans un bocage sacré de kukui.

— Sacré ? dis-je en m'asseyant et en regardant autour de moi.

— Oui. Le sentez-vous ?

Je levai les yeux vers l'écorce grise, les feuilles vert clair et les fleurs blanches des magnifiques arbres, puis fermai les yeux et pris conscience que la beauté ne résidait pas tant dans l'aspect que dans la *sensation* du lieu.

— Oui, répondis-je. Je le sens. Mais pourquoi sommes-nous venus jusqu'ici ?

— On se rend dans un endroit sacré pour recevoir un enseignement sacré.

Brusquement, elle se leva et ajouta :

— Venez, il fera bientôt nuit.

Elle était déjà partie, disparaissant dans la forêt. Je me levai rapidement et la suivis.

— Voulez-vous me dire ce qui se passe ? demandai-je en me hâtant entre les arbres pour ne pas la perdre de vue.

— Quand nous serons arrivés.

— Arrivés où ?

Bien qu'étouffé par les arbres, le son de sa voix portait suffisamment.

— Au cimetière, dit-elle.

— Au cimetière ? Ce soir ? Maintenant ?

J'avais les cheveux qui se dressaient sur la tête, ce qui constituait un message limpide de mon Moi Basique : quelque chose se préparait. Quel était le vieux dicton ? « La lumière au bout du tunnel peut n'être que celle d'un train qui arrive. »

11

La tour de la vie

*Symboliquement, alors, une tour fut
d'abord conçue comme véhicule pour
relier l'esprit et la matière...
Les dieux doivent trouver un moyen
d'entrer de force, si nécessaire.*

Sallie NICHOLS

Le temps de lever les yeux, Mama Chia avait déjà vingt mètres d'avance. Je courus pour rester dans son sillage. À mesure que nous grimpions, sortant de la plantation de kukui, suivant l'arête étroite menant au cimetière, la forêt changeait. À perte de vue, dans la lumière argentée du croissant de lune, s'étendaient des kilomètres de forêt desséchée – des arbres qui, jadis, avaient été de fiers *ohi'a* et de beaux *koa* et qui étaient devenus des squelettes décharnés, balafrant désormais les crêtes au-dessus de la vallée de Wailau.

— Des cerfs ont été introduits ici pour satisfaire les chasseurs qui tuent par goût du sport, expliqua Mama Chia. Les cerfs mangent les jeunes plants, si bien que les arbres ne deviennent jamais adultes. La plupart des anciens arbres meurent de pourriture sèche et étouffés par une herbe collante et des plantes grimpantes que même les cerfs ne touchent pas.

Du sommet de l'arête rocheuse, nous redescendîmes, passant devant ces patriarches noueux, vestiges des arbres mourants. Dans la forêt baignée par le clair de lune, Mama Chia se mit à parler et ses paroles, tel un aimant puissant, m'entraînèrent dans une nouvelle vision de la réalité.

— Le corps humain est comme une tour de sept étages, expliqua-t-elle. Les explorateurs de l'intérieur le savent depuis des siècles, ils ont représenté les corps subtils et les centres d'énergie. Les mystiques indiens appellent ces sept étages les chakras. Laissez-moi vous montrer.

Elle s'arrêta pour prendre un stylo et un bloc dans son sac à dos que je portais. Après s'être accroupie, elle dessina un schéma.

Quand elle eut terminé, elle désigna le dessin du bout de son crayon.

— Cela traduit l'essence de ce qu'il vous faut savoir pour le moment. La tour de la vie est en vous. Et chaque étage possède des qualités propres, et chacun, du plus bas au plus élevé, représente un état de plus en plus évolué de la conscience.

Les trois étages du bas, la survie, la créativité et le pouvoir, constituent le domaine du Moi Basique ; les étages supérieurs ne l'intéressent pas et ne sont pas sous sa responsabilité. En éclaircissant les trois premiers étages et en traitant les questions qui les concernent, vous renforcez le Moi Basique. Au quatrième étage, le royaume du cœur, vous faites votre premier contact avec le Moi Supérieur.

— Et les trois étages supérieurs ? demandai-je.

— Ils ne vous concernent pas encore.

— Mais si ! dis-je avec enthousiasme. Cette carte, c'est précisément l'objet de toute ma recherche. Je le sais maintenant ! Je suis las de toujours lutter avec les étages inférieurs. C'est là, affirmai-je en indiquant le septième étage, que je veux aller.

Détachant son regard du dessin, Mama Chia me montra un kukui tout proche.

— À l'image de cet arbre, dit-elle, ou d'une tour, l'être humain est là pour relier le ciel et la terre, pour regrouper les trois Moi. Mais à moins d'avoir des racines profondes, un arbre ne peut donner de bourgeons. À moins d'avoir de solides fondations, la tour s'écroulera. Dan, nettoyez le sous-sol avant de passer à la villa sur le toit !

La Tour aux Sept Étages

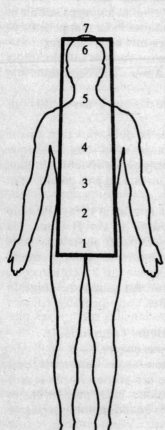

7 : ÊTRE PUR ET FÉLICITÉ
Pur esprit ; le moi a disparu

6 : UNITÉ
Lumière pure ; communion avec l'Esprit

5 : RÉVÉLATION MYSTIQUE
Inspiration pure ; yeux tournés vers l'Esprit

4 : AMOUR TRANSPERSON-NEL
Compassion pure ;
cœur ouvert ;
l'ego n'est plus le centre.
Émotions : Amour, bonheur.
But : Comment mieux servir.

LE GRAND SAUT

3 : POUVOIR PERSONNEL
Émotions : Colère, tension.
But : Discipline, engagement, volonté.

2 : SEXUALITÉ/CRÉATIVITÉ
Émotions : Chagrin ; faiblesse
But : s'ouvrir à l'extérieur ;
embrasser la vie ;
énergie et relations.

1 : SURVIE PERSONNELLE
Émotions : Peur, paralysie.
But : Prendre soin de soi.

Je réfléchis un moment. En vérité, j'avais toujours imaginé vivre à l'un des étages supérieurs. Désormais, je n'en étais plus si sûr.

— Que signifient ces mots, là, au milieu ? demandai-je en montrant le dessin. Le Grand Saut ?

— Ils se rapportent au pas le plus difficile et le plus merveilleux que puisse franchir un être humain, répondit-elle, l'évolution des intérêts personnels des trois étages inférieurs vers le cœur. Une fois au quatrième étage, promit-elle, le reste n'est plus qu'une montée en ascenseur. Et Dan, poursuivit-elle avec encore plus de passion, tous vos buts et aventures extérieurs reflètent cette quête intérieure, et chaque personne sur terre franchira finalement ces sept étapes vers l'âme.

Elle voulut dire encore autre chose, mais s'arrêta et vint se placer derrière moi.

— Asseyez-vous et mettez-vous à l'aise.

Elle se mit à me frictionner les épaules.

— Vous me massez le dos, ici, maintenant ? demandai-je.

Juste à ce moment, j'éprouvai comme des sursauts dans les jambes tandis qu'elle pressait un point sur mon cou. Je vis des éclairs de lumière.

— Détendez-vous le plus possible, m'encouragea-t-elle en pressant ses phalanges contre mes tempes, de plus en plus fort.

Sa voix commença à s'estomper quand je l'entendis dire :

— Il existe des archétypes dans les recoins les plus profonds de chaque esprit humain...

Je sentis mes yeux se fermer, puis perçus le bruit d'un vent lointain.

J'ouvris les yeux et clignai des paupières tandis que des nuages de poussière soufflaient sur un plateau gris, aussi sec qu'un cratère lunaire et s'étendant de tous côtés sur des kilomètres. Le vent fit de nouveau rage, gémissant, hurlant à travers ce vaste espace. Puis mon attention fut attirée par un objet, encore trop éloigné pour que je puisse le distinguer clairement. Était-ce une tour ? Oui, une tour blanche. Et je savais qu'il me fallait y aller. Par un acte de volonté, mais sans effort, je me sentis attiré plus près. La tour grandit, jusqu'à se profiler au-dessus de moi.

Écrasé par une merveilleuse et terrible sensation de crainte, je me trouvais devant une fenêtre au pied de la tour – le premier étage – et je sentis que cet étage et les étages supérieurs étaient tous encombrés par les débris de vies antérieures : des questions, des symboles et des craintes non pris en compte – des objets relégués dans une cave poussiéreuse.

Ma conscience pénétrant la faible lumière intérieure, je vis un monde vide, désolé, un plateau balayé par le vent, peuplé seulement d'adversaires et d'ennemis.

Je découvris bientôt que chaque fenêtre de chaque étage offrait une perspective différente sur le monde. Par la fenêtre du deuxième étage, en effet, je vis un royaume plus engageant d'arbres, de ruisseaux et d'herbes, où des couples s'adonnaient à toutes sortes de plaisirs, et je fus pris de désir.

La troisième fenêtre révéla un monde d'ordre, d'équilibre architectural et de beauté, où l'édifice s'élevait en un crescendo créatif, et où les gens se tenaient droits et dignes. À cet étage, j'aperçus le robot gris, le Moi Conscient, regardant par la fenêtre de la raison. Et d'une certaine manière, je sus que le Moi Conscient avait là son petit bureau, car c'était le plus haut niveau où il pouvait se maintenir dans mon cas.

Ma conscience s'éleva ensuite jusqu'à la fenêtre du quatrième étage. Là, je vis les gens du monde, quelles que fussent leurs couleurs, leurs cultures et leurs croyances, se tenir par la main, s'aimant et s'aidant les uns les autres, et chantant en harmonie. Je baignai dans des sentiments de compassion et entendis des voix d'anges.

Puis ma conscience s'éleva rapidement, traversant les trois derniers étages et, dans une vague de béatitude croissante, je ressentis, vis, entendis, goûtai et sentis bien au-delà des possibilités des sens habituels, au-delà des voiles, en me mettant en accord avec les énergies subtiles, les autres dimensions et réalités et... ah, la lumière !

L'instant suivant fut perturbateur. Comme un ascenseur qui chute, ma conscience retomba, distraite par les sonneries d'alarme des trois étages inférieurs ; et je sus que mon Moi Conscient serait ramené encore bien souvent aux questions de peur, d'énergie sexuelle et de pouvoir, jusqu'à ce qu'elles aient été résolues.

Je me souvins alors avec une intense nostalgie d'avoir été invité, en des moments de paix et d'expansion de mon enfance, aux étages supérieurs par des énergies angéliques. Je tenais à y retourner parce qu'une partie de moi avait toujours su qu'au-dessus de la tour, là où se trouve la Lumière, est ma demeure.

Telle était la tâche de mon âme, mon voyage sacré : en tant que Moi Conscient, commençant au rez-de-chaussée, j'avais besoin de trouver les lumières de chaque étage, de les allumer, de voir les problèmes et les objets qui s'y trouvaient, de les résoudre et de faire place nette. Mais cela ne serait possible que si j'étais d'abord disposé à voir et à accepter ce qui *est*, plutôt que de m'accrocher à des illusions tenant du rêve.

Revenant à une position favorable sur la plaine poussiéreuse, je vis de nouveau la tour dressée devant moi, s'élevant jusqu'aux cieux, et une brume violette, rose et or tournoyante. Au-dessus de la tour brillait une lumière d'une telle intensité que je ne pus fixer longtemps mon attention sur elle.

Je me souviens ensuite de m'être retrouvé assis, adossé contre un arbre. Mes yeux étaient grands ouverts, mais je voyais encore la tour. Puis elle se dissipa et je revins à un état de conscience normal et ne vis plus que les feuilles du kukui dans la brise tiède.

Je restai assis immobile. Malgré tout ce que j'avais connu avec Socrate, j'étais empli d'émerveillement.

Avec un soupir, je me tournai lentement et vis Mama Chia paisiblement assise non loin de là, les yeux fermés.

Je finis par retrouver l'usage de la parole :

— Quoi que vous ayez fait, je comprends maintenant la tour.

— Non, pas encore, répondit-elle en ouvrant les yeux. Mais vous comprendrez.

Refermant le bloc d'un coup sec, elle se leva et se mit à descendre le chemin. Je me levai d'un bond, attrapai son sac et la suivis.

— Que voulez-vous dire par « pas encore » ? lançai-je.

Sa réponse se perdit presque dans le vent :

— Avant de pouvoir voir la Lumière, il faut s'occuper de l'obscurité.

12

Aux prises avec la peur

*L'imminence de sa pendaison
aiguise l'esprit d'un homme.*

Samuel JOHNSON

— Ralentissez, voulez-vous ? Pourquoi tant nous presser ? criai-je, à la traîne sur le chemin baigné par le clair de lune. Allez-vous m'attendre ? criai-je encore. Où allons-nous ? Que faisons-nous ?

— Vous le saurez quand nous serons arrivés, dit-elle.

Son ton était sombre et sa réponse ne me rassura pas. Esquivant buissons et plantes grimpantes, je la suivis de mon mieux.

Des années auparavant, en tant que gymnaste, j'avais eu la peur comme adversaire amical. Je tentais presque quotidiennement des mouvements risqués – réalisant des sauts périlleux, prenant mon essor des barres ou du trampoline. Je dominais cette crainte parce que je savais exactement de quoi j'avais peur, et gardais donc le contrôle. Mais une terreur sans forme m'envahissait à présent, glaçant ma poitrine et mon ventre, et je ne savais comment faire face. Comme lors de mon premier tour dans des montagnes russes, quand j'étais petit garçon. Je me souviens d'avoir été entraîné dans la montée abrupte, où il n'était plus question de revenir en arrière ; les rires s'étaient transformés en cris au moment d'aborder le sommet, puis

135

l'avant avait basculé, commençant à tomber, et j'avais connu la terreur.

Mama Chia parla sur un ton d'urgence que je ne lui avais encore jamais entendu.

— Suivez-moi, par là ! commanda-t-elle en prenant un tournant en épingle.

Tandis que nous descendions, approchant du cimetière, mon esprit s'emballait. Qu'est-ce qu'un cimetière avait à voir avec la tour ? Empli de sombres pressentiments, je combattis mon envie de m'enfuir.

— Suivez exactement mes pas, dit-elle, la voix assourdie par la lourdeur de l'air épais. Ne vous écartez pas de ce chemin, compris ?

Nous débouchâmes dans une clairière. Je vis les tombes devant nous et mon estomac se noua.

— Pourquoi ? demandai-je. Je croyais que vous m'enseigniez les trois Moi.

Mama Chia prit une profonde inspiration, tourna son visage vers moi et me fit signe de la suivre. Son expression était grave et une autre vague de peur envahit mon ventre et ma poitrine. Cela ne fit qu'accroître ma confusion, car si j'étais déjà allé dans des cimetières, jamais je n'avais eu aussi peur. Tandis que nous traversions l'antique site funéraire, mon Moi Basique était pétrifié et mon corps engourdi. Je voulais dire à Mama Chia : « Je ne crois pas pouvoir continuer, mais n'étais même pas capable de parler. »

Je ne savais pas consciemment ce qui m'affolait. Mon Moi Basique lui, le savait ; cela au moins était évident.

Malgré la chaleur de la nuit, je claquais des dents en suivant Mama Chia sur un étroit sentier à travers le cimetière. Certaines pierres tombales étaient droites, d'autres légèrement penchées, de travers. Sur la pointe des pieds, je passais avec précaution par-dessus les tombes, jusqu'à ce qu'elle s'arrête à un emplacement vacant et se tourne vers moi.

— Nous sommes ici pour affronter l'obscurité du premier étage, annonça-t-elle, le royaume de la survie, de l'isolement et de la peur. Ce site est sacré, à l'abri des yeux des profanes. Seuls les kahunas sont enterrés ici. Sentez-vous la puissance de cet endroit ?

—O... oui, balbutiai-je.

—Lanikaula, le gardien, est là avec nous... derrière vous, dit-elle en pointant son doigt.

Je me retournai, mais ne vis rien au premier abord. Il n'y avait qu'une présence surpuissante, une force qui me fit faire un pas en arrière. J'étais pétrifié. Cette présence n'était pas maléfique, mais capable pourtant de me réduire instantanément en poussière. C'était une énergie de grande compassion, quoique sans pitié.

—Il était, et est encore, un puissant kahuna qui veille sur Molokai depuis sa mort, il y a quatre siècles. Nous devons demander la permission d'être ici, expliqua Mama Chia avec une grande vénération.

—Comment ?

—N'avez-vous jamais demandé la permission d'entrer chez quelqu'un ?

—Si...

—Alors je vous conseille de le faire maintenant, dit-elle d'une voix sifflante.

Elle ferma les yeux ; j'en fis autant. Immédiatement, je le vis devant moi, dans mon esprit. Je rouvris brusquement les yeux, mais n'aperçus que les arbres au loin et les tombes dans la petite clairière. Je rabaissai les paupières et le retrouvai, me regardant fixement avec une expression violente et pourtant aimante, un grand homme portant une sorte de coiffure de cérémonie hawaïenne. Il semblait capable de m'étreindre, comme de me faire disparaître de la surface de la terre. Cela me rappela Shiva, le dieu hindou, modificateur, transformateur, destructeur.

En silence, avec respect, je lui demandai la permission d'être là, expliquant ma quête. Tout cela se passa en l'espace de quelques secondes. Il sourit, acquiesça et disparut de ma vue.

—Qu'il en soit ainsi, dit Mama Chia.

Presque immédiatement, l'atmosphère changea. Je fus baigné dans une brise chaude, là où un vent froid avait précédemment glacé ma nuque. J'ouvris les yeux.

Mama Chia hocha la tête.

— Il a dit que vous êtes le bienvenu. Je crois qu'il vous aime bien. C'est très bon signe.

Elle se dirigea derrière l'une des tombes et je me détendis.

— Je suis content d'entendre que...

Je m'arrêtai soudain car, d'un geste brusque, elle me mit une pelle entre les mains, puis me conduisit jusqu'à un espace de terre nue.

— Il est temps de creuser.

— Quoi ? dis-je en tournant si vite la tête que je faillis me froisser un muscle du cou.

— Creusez là, dit-elle, ignorant ma réaction.

— Creuser ? Ici ? Un trou ? Cherchons-nous quelque chose ?

— Une tombe.

— Écoutez, dis-je, je suis un adulte. Je fais des choix responsables. Avant de commencer, j'aimerais vraiment savoir ce que tout cela signifie.

— Et moi, j'aimerais vraiment que vous cessiez de parler et que vous commenciez à creuser, répondit-elle. Ce que vous allez faire est nécessaire et repose sur un rituel tibétain qui implique la confrontation avec toutes vos peurs. Si quelqu'un choisit cette voie sans être préparé, cela peut se traduire par une psychose permanente. J'ai le sentiment que vous êtes prêt, mais il n'y a aucun moyen d'en être certain. Voulez-vous continuer ?

La question était posée : faire ou mourir. Ou peut-être : faire *et* mourir. Socrate m'avait dit un jour que je pouvais « descendre du bus » à tout moment si je le souhaitais... si je voulais le laisser repartir sans moi.

— Il faut me dire maintenant, Dan.

Je tournai la tête vers elle comme si j'avais reçu une gifle.

— Eh bien...

Je m'arrêtai pour prendre mon souffle et décidai de suivre la voie que je m'étais toujours fixée. Quand un défi se présentait, je le relevais.

— O... oui, bégayai-je, jamais je... je ne serai au... aussi prêt.

Il s'agissait d'affronter ma peur, aussi commençai-je à creuser. La terre était molle et la tâche progressait plus vite que je ne m'y attendais. Sous le regard de Mama Chia, les bras croisés, je passai d'une travée large de soixante centimètres à une largeur de deux mètres. La profondeur du trou atteignit un mètre vingt. Je transpirais abondamment. Plus je creusais et plus le trou ressemblait à une tombe, et moins cela me plaisait. Je n'étais pas très enthousiaste.

Ma crainte monta puis se transforma en colère.

— Non, dis-je en sautant hors de la tombe, je ne suis pas obligé de faire cela et je refuse de jouer à des jeux mystérieux sans en connaître les tenants et les aboutissants. Je ne suis pas un pantin! Pour qui est cette tombe? Pourquoi est-ce que je fais cela?

Mama Chia me regarda fixement pendant ce qui me sembla une bonne minute et dit :

— Venez ici.

Elle me conduisit à une tombe voisine et me montra l'épitaphe qui y figurait. Je la regardai sans en avoir l'air.

L'écriture était vieille et érodée, mais je parvins à déchiffrer :

Souviens-toi, ami qui passes.
Tel que tu es, j'ai aussi été.
Tel que je suis maintenant, tu devras être.
Prépare-toi à me suivre.

Mama Chia arborait une mine terriblement grave.

— Je pense que vous savez pour qui est cette tombe, fit-elle.

Je me plantai devant elle.

—J'ai le choix, dis-je.

—Vous avez toujours le choix, convint-elle. Vous pouvez recommencer à creuser ou attraper la première planche de surf en partance.

Je ne pensais pas qu'elle était vraiment sincère – à propos de la planche de surf – mais il était clair que si je voulais continuer à être son élève, j'allais devoir en passer par là. Au point où j'en étais arrivé, il me fallait voir où cela me menait.

Esquissant un pâle sourire, je dis :

—Bon, puisque vous me présentez les choses si gentiment.

Je redescendis dans la tombe et continuai de creuser jusqu'à ce qu'elle dise :

—C'est assez profond. Tendez-moi la pelle et sortez.

—Vous voulez dire que j'ai fini ?

—Oui.

—Hou, je dois reconnaître que c'était plutôt effrayant, dis-je en m'extrayant de la tombe humide et en posant la pelle à côté. Mais dans l'ensemble, ce n'était pas si terrible.

J'étirai mes muscles fatigués.

—Allongez-vous là, dit-elle en montrant un drap qu'elle avait étendu sur le sol près de la tombe ouverte.

—Un autre massage ? Cela ne vous semble-t-il pas un peu étrange ? demandai-je.

Comme elle montrait toujours le drap, sans sourire, je m'étendis sur le ventre.

—Sur le dos, dit-elle.

Je me retournai et la regardai se dresser au-dessus de moi.

—Je fais le mort ou quoi ?

Elle me foudroya du regard.

—Pardon, dis-je, je suis un peu nerveux.

—Ce n'est pas un jeu ; si vous offensez les esprits qui sont ici, vous aurez des raisons d'être beaucoup plus nerveux !

Essayant de me détendre, je déclarai :

— Je crois qu'un peu de repos ne me ferait pas de mal.

— Un long repos, confirma Mama Chia en saisissant la pelle dont elle abaissa le tranchant.

Je levai les bras pour me protéger, pensant un instant qu'elle allait me frapper, mais elle la planta dans la terre à côté de la tombe. Puis elle s'agenouilla au bord de la tombe, derrière moi, et ferma les yeux.

Allongé là, je regardai son visage qui m'apparaissait à l'envers et pâle dans le clair de lune. Pendant un terrible moment de paranoïa, je pensai que je ne connaissais rien de cette femme. Peut-être n'était-elle pas celle à qui Socrate m'avait envoyé. Peut-être était-elle l'Ennemi.

Elle commença à parler d'une voix qui résonnait dans le cimetière. Elle fit une invocation et je sus pour de bon qu'il ne s'agissait pas d'un jeu.

— Grand Esprit aux nombreux noms, entonna-t-elle, nous demandons à être placés dans la Lumière. Nous demandons ta protection pour cette âme. Au nom du Un et, avec cette autorité, nous demandons que tout mal soit chassé de lui, scellé dans sa propre lumière et renvoyé à sa source. Nous demandons que, quoi qu'il puisse arriver, ce soit pour son plus grand bien. Que ta volonté soit faite.

Le goût métallique de la crainte me monta dans la gorge. Puis Mama Chia commença à exercer des pressions des doigts le long de mes clavicules, de ma poitrine et de mes bras, d'abord en douceur, puis de plus en plus fort. Je vis de nouveau des éclairs de lumière, puis entendis des bruits secs. Elle saisit ma tête, comme Socrate l'avait fait des années auparavant. Je me mis à claquer des dents, puis le rideau de l'obscurité tomba.

J'entendis le vent, sentis le souffle de la poussière sur mon visage et vis la tour juste devant moi. Cela ne donnait pas l'impression d'une vision désincarnée, avec une conscience de simple observateur. Je regardai vers le bas et vis mon corps. J'étais *là*.

Je me retrouvai debout à l'entrée. L'immense porte s'ouvrit, comme une bouche béante, et j'entrai, avançant dans l'air raréfié. Je tombai, roulai et finis en boule. Je me levai vite et regardai alentour, mais ne distinguai pratiquement rien dans l'obscurité.

— Ce doit être le premier étage, la cave, dis-je.

Ma voix semblait étouffée. Mes habits me collaient à la peau, l'air humide et l'odeur fétide de pourriture m'étaient d'une certaine manière familiers. « Trouve les lumières, me dis-je à moi-même. Sois désireux de voir. »

Auparavant, je n'avais fait que regarder depuis l'extérieur par les fenêtres de la tour. Voulais-je vraiment voir ce qu'il y avait en moi, dans ce monde inférieur ?

— Oui, répondis-je à haute voix. Oui, je veux voir !

J'avançai lentement, tendant les bras dans l'obscurité. Ma main sentit quelque chose – une grande poignée, un interrupteur ! Je le tirai, entendis un bourdonnement qui se transforma en un doux soufflement et s'estompa quand de faibles lumières commencèrent à illuminer le décor devant moi.

Pourquoi faisait-il encore si sombre ? Mes yeux s'adaptant, la réponse survint. J'étais entré dans la tour et tombé au premier étage, mais il contenait la nuit elle-même, et le même cimetière, celui des kahunas. Cette fois, je ne me sentais pas du tout le bienvenu. Je vis le trou béant de la tombe ouverte. Mon corps commença à trembler et mon esprit passa de la simple anxiété à la peur la plus aiguë, tandis que j'étais attiré vers la tombe ouverte par une force inconnue. Puis mon corps flottant sur le drap près de la tombe devint d'une rigidité cadavérique.

J'essayai de me lever, mais fus incapable de bouger. Mes poumons commencèrent à se gonfler, respirant plus profondément, plus vite, plus profondément, plus vite. Puis j'entendis la voix de Mama Chia dans le lointain :

— Votre Moi Supérieur est votre ange gardien. Quoi qu'il arrive, rappelez-vous qu'il sera toujours avec vous...

— *Alors pourquoi ne puis-je le sentir ?* criai-je.

Comme en réponse, j'entendis l'écho des paroles de Mama Chia :

— Avant de pouvoir voir la Lumière, il faut maîtriser l'obscurité.

Quelque chose me poussa. Paralysé, je n'avais aucun contrôle ; je ne pus résister. Je tombai à la renverse au ralenti, atterrissant sur le dos avec un bruit sourd dans la tombe ouverte. Je fus enveloppé dans un drap, comme s'il s'agissait d'un linceul. Puis, dans un moment de véritable terreur, je sentis des pelles déverser sur moi une pluie de boue. Dans ma poitrine, mon cœur se mit à battre la chamade.

J'entendis au loin le bruit du tonnerre. Des éclairs percèrent l'obscurité. Puis, tandis que la terre me recouvrait, j'entendis la voix de Jésus. Il ne s'adressait pas à moi, il n'était pas serein. Il hurla, empli d'une douleur intense sur la croix du Golgotha, au moment où l'éclair brilla :

— *Pourquoi m'as-tu abandonné ?*

Je compris immédiatement que c'était ma voix qui criait ces paroles. Mais cela n'avait pas d'importance. Personne ne m'entendait. La terre avait complètement recouvert mon visage, étouffant mes hurlements.

« Attendez ! criai-je intérieurement. Je ne suis pas prêt ! Arrêtez ! Je ne suis pas mort. *Je ne suis pas mort !* » hurlait toujours mon esprit.

La chute de terre cessa. Je sentis une immobilité et un silence comme je n'en avais encore jamais connu. Je n'entendais que ma respiration difficile et mon cœur, battant comme un tambour. Seul dans la terre froide. Le noir absolu. L'isolement. La peur glacée qui déchire le ventre. J'étais enterré.

Un instant de réflexion rationnelle : pourquoi laissais-je cela arriver ? Cette pensée fut étouffée aussi et je sombrai dans la folie. Mes mains, comme des griffes, désespérées, poussaient vers le haut contre ce poids impossible. Des cris muets. Alors que la terre commençait à comprimer l'air de mes poumons, le sol s'affaissa soudain et je tombai dans un tunnel souterrain. M'accrochant sauvagement, me révulsant et m'étouffant, crachant de la terre par la bouche et le nez, je me libérai de la terre humide.

Je commençai à ramper, ondulant comme un serpent sur le ventre, montant ou descendant – je ne saurais dire – dans un long tunnel. Il fallait que je sorte. Sortir ! Sortir... sortir... revenait comme un refrain de peur. Je ne pouvais que me faufiler. Pas moyen de revenir en arrière. Je remarquai bientôt avec terreur que le tunnel rétrécissait. Il se fit plus étroit jusqu'à ce que je puisse à peine bouger.

Dans mon enfance, des camarades m'avaient enfermé dans un sac de toile en menaçant de m'enterrer. Au lieu de cela, ils m'avaient mis dans une vieille malle. Prisonnier dans l'obscurité, j'étais devenu comme fou – bavant, me mouillant, faisant de l'hystérie. Effrayés par ma réaction, ils m'avaient laissé sortir.

Depuis lors, je rêvais régulièrement que j'étais piégé dans de petits espaces sombres. Mes pires cauchemars s'étaient maintenant réalisés. J'éprouvais une terreur totale, insupportable. J'étais si affolé que je ne demandais qu'à tomber dans l'inconscience, à mourir.

Les yeux irrités par la transpiration et la terre, je continuais de lutter, resserrant les épaules, mais en vain. Je ne pouvais aller plus loin. Les cris de désespoir, de frayeur, mêlés aux gémissements d'angoisse, ne tardèrent pas à s'éteindre. J'étais bloqué, suffoquant. Je recommençai à crier, à gémir.

Mais... mon imagination me jouait-elle des tours ? Je crus apercevoir une faible lumière quelque part en avant. Je parvins à me faufiler encore de quelques centimètres et vis une légère courbe dans le tunnel qui s'élargit quelque peu, juste assez. Transpirant et dégoulinant de terre qui coulait dans mes yeux, je me frayai un chemin, centimètre par centimètre, vers la lumière.

Désormais, c'était profondément imprimé dans la mémoire de mon corps. Chaque fois que je ne pourrais aller plus loin, je me souviendrais – plus que quelques centimètres, plus que quelques minutes, plus que quelques secondes...

Je levai mon regard brouillé et crus voir une ouverture. Oui, j'en étais sûr ! Je l'atteignis et tentai d'y passer la tête. J'étais bloqué ! Trop étroite ! Ma tête semblait écrasée par un millier de mains. Je poussai, désespérément. L'ouverture commença à céder, puis soudain, j'effectuai la percée. L'espace ! La liberté ! C'était comme une naissance.

Aveuglément, j'extirpai le reste de mon corps, puis tombai dans un abîme. En dessous de moi, cela semblait impossible, je vis la bouche béante et les crocs d'un gigantesque serpent, et je sombrai en criant.

Ensuite, je me souviens de m'être retrouvé assis dans une pièce que je n'avais jamais vue auparavant, recroquevillé dans un coin, sous l'emprise de la paranoïa. Au dehors, l'Ennemi m'attendait. Tous les ennemis. Personne ne comprenait. J'étais seul, mais je survivrais. Ils voulaient ce que j'avais – un congélateur plein de nourriture. Mais j'allais tuer ces vauriens d'abord ! Sur une petite table proche de moi se trouvaient des caisses de munitions. Entouré d'une variété de carabines et d'armes semi-automatiques, je portais aussi un étui de revolver avec un neuf millimètres Glock, dont le chargeur contenait dix-neuf cartouches et dont le cran de sécurité était défait. Un AK-47 dans les bras, je les attendais de pied ferme, le regard fixé sur la porte. Ils ne prendraient pas ce qui m'appartenait. Je les tuerais d'abord. Je les tuerais tous !

Une grenade explosa à travers la fenêtre et soudain la pièce prit feu. En un instant, une chaleur desséchante m'enveloppa. L'air fut aspiré de mes poumons, ma peau commença à fondre. À ce moment ressurgit une vie antérieure dans laquelle j'avais été une jeune fille se cachant dans un coffre pour échapper aux Huns et mourant brûlée dans une pièce dévastée par les flammes plutôt que d'être violée et prise comme esclave.

Les flammes montèrent et je vis le commencement de la terre : des volcans explosant de toutes parts, de la lave en fusion desséchant tout sur son passage.

Et dans la chaleur, la chaleur brûlante, je revécus chacun des cauchemars de mon enfance, chacune des peurs que j'avais connues.

J'ouvris les yeux. J'étais allongé sur le dos au fond de la tombe, sur un drap trempé de sueur. Mais je n'étais pas recouvert de terre. Comprenant où je me trouvais – et que je retenais mon souffle –, j'expirai profondément et commençai à me calmer. J'étais épuisé et désorienté, mais heureux d'être en vie. C'était un rêve. C'était fini. J'allais me lever et sortir du trou, mais mes jambes refusèrent de bouger, de même que mes bras.

J'entendis quelque chose au-dessus de moi.

— Mama Chia ? appelai-je faiblement. Est-ce vous ?

Il n'y eut pas de réponse. Seulement un faible bruit feutré. Quelqu'un, ou quelque chose, approchait.

J'entendis un petit grognement et vis apparaître la tête d'un tigre. Il n'y a pas de tigre dans les forêts humides d'Hawaï. Pourtant, c'était bien un tigre qui m'observait. Je le fixai à mon tour et ne pus détacher les yeux de lui. J'avais déjà vu, au zoo, des tigres tellement beaux, comme de gros chatons. Celui-ci était si proche que je sentais son souffle. « Mon Dieu, me dis-je, faites que ce soit un rêve. »

Totalement sans défense, je fis le mort, jusqu'à ce qu'il tende la patte et me donne un coup, m'infligeant quatre profondes entailles. Je haletai et poussai un bref cri étouffé.

Puis il se pencha et planta ses mâchoires dans mon bras, tira ma forme flasque hors de la tombe. Il se mit ensuite à me déchirer. J'avais connu la douleur – une douleur terrassante – mais je comprenais maintenant ce qu'était la torture.

J'essayais de tomber dans l'inconscience, de quitter mon corps, de me dissocier. Mais je restais suffisamment attaché pour sentir l'animal me déchirer le torse et l'abdomen, et mâcher mes organes.

Le flux d'adrénaline provoqué par le choc se répandit dans tout mon corps. Je tombai en criant dans un brasier de terreur quand l'énorme chat m'ouvrit la poitrine. Puis, resserrant les mâchoires sur mon visage et ma tête, en un mouvement de va-et-vient, il m'arracha une partie de la figure et commença à me détacher la tête des épaules. La peur est l'ultime douleur. Elle emplit mon univers, puis explosa.

Instantanément, la peur, la douleur, le tigre et l'univers disparurent tous. Il ne resta que la paix la plus profonde que j'aie jamais connue.

13

Au royaume des sens

*Dieu nous a donné des souvenirs pour que
nous puissions avoir des roses en décembre.*

James M. BARRIE

J'étais allongé sur le côté, près de la tombe, la tête sur les genoux de Mama Chia. Le drap, trempé de sueur, était froissé sous moi. Je m'assis, incapable de parler. Mes yeux grands ouverts regardant dans le vide, je me balançais d'avant en arrière, les bras autour de moi et frissonnant. Mama Chia m'étreignit d'un geste protecteur, caressant mes cheveux emmêlés.

—Là, là, dit-elle. C'est terminé. C'est vraiment terminé.

Quelques instants s'écoulèrent. Peu à peu, je me rendis compte que j'avais toujours des yeux, un visage et un corps. J'étais sauf, ici, dans les bras de Mama Chia. Je me détendis ; puis ma poitrine se souleva, ma respiration se fit haletante et je commençai à pleurer.

Sanglotant, je saisis sa main et bégayai :

—C'était comme un voyage en enfer.

—Seulement votre enfer, Dan. Nous créons chacun le nôtre. Vous avez juste visité le premier étage, le royaume de l'isolement et de la peur, de l'instinct inintelligent de survie à tout prix. Les guerriers affrontent leurs démons de face et, en affrontant les vôtres, vous les avez dissous, dit-elle doucement.

Mes larmes cessèrent. Ma respiration redevint calme et rythmée. Épuisé, je m'endormis.

À mon réveil, le ciel semblait s'éclaircir.

—Est-ce l'aube? demandai-je faiblement.

Mama Chia se leva, désigna ce qui nous entourait et dit :

—Regardez, Dan, que remarquez-vous?

Je me levai lentement, libéré de toute tension, et regardai alentour. Un oiseau se posa sur une tombe et se mit à gazouiller. Son chant portait, s'élevant haut dans le ciel d'azur. Du lichen et de la mousse couleur de citron vert décoraient les pierres. Il régnait une impression de paix et de vénération.

—C'est différent, dis-je.

—Non, répondit-elle. C'est vous qui l'êtes.

—Vous voulez dire que j'ai dissipé toutes mes peurs? demandai-je.

—Non, vous en aurez encore à affronter, m'assura-t-elle. Peut-être la peur d'exprimer vos sentiments, de montrer vos émotions… ou peut-être celle de parler en public, d'échouer, d'avoir l'air idiot ou de faire face à ceux que vous considérez d'une certaine manière comme supérieurs ou plus puissants. La peur apparaîtra tant que demeurera votre ego. Mais vous avez changé votre relation à elle. Elle ne vous dominera plus jamais. Quand elle surgira, vous saurez comment faire face.

—Ne serait-ce pas dangereux si je n'avais plus peur de rien?

Mama Chia marqua une pause avant d'expliquer :

—La peur peut vous paralyser au moment où vous avez besoin d'agir. *Cela* est dangereux. Elle contracte les énergies du corps et cette contraction attire ce que l'on craint le plus. L'absence de peur n'est pas de la bravade, c'est du courage, et le courage ouvre l'espace pour agir. Vous saurez toujours faire preuve de prudence quand ce sera nécessaire.

Encore incrédule, je dis :

— Je peux imaginer des situations ou des gens encore capables de m'effrayer.

— Ni les gens ni les situations ne sont porteurs de peur. Ils ne peuvent que l'attiser en vous si vous ne l'avez pas encore maîtrisée. La peur est un merveilleux serviteur, mais un terrible maître. Elle infiltre la vie quotidienne de la plupart des gens, heure après heure. Elle ne vous manquera pas, je peux vous l'assurer. Quand vous avez dominé vos craintes en agissant avec courage en dépit d'elles, la vie fleurit. Vous apercevez un monde différent par la fenêtre du second étage. Mais le premier étage ne se limite pas à la peur et à la survie. Il concerne le Moi contre l'univers, l'accumulation d'énergie autoprotectrice. Maintenant, ouvert et vulnérable, vous êtes prêt à faire vivre pleinement cette énergie, à la partager dans des relations.

— Vous voulez dire que je suis prêt à trouver la porte numéro deux ? demandai-je en souriant.

— Vous l'avez déjà trouvée, me répondit-elle en me rendant mon sourire. Ici, dans mes bras, quand vous pleuriez.

En disant cela, elle devint floue et s'évanouit dans l'air léger, devant mes yeux ébahis. Puis tout autour de moi disparut. Je vis une image furtive de la tour et me retrouvai debout dans une clairière sylvestre, au deuxième étage. J'en étais certain.

Je me demandai ce que cela signifiait en observant la riche prairie baignée par la douce lumière du soleil et une brise tiède.

Cela aurait pu être une forêt idyllique de la vieille Angleterre concupiscente.

— Étrange, me surpris-je à dire tout haut. Pourquoi ai-je pensé au mot concupiscent ?

Puis, progressivement, je devins plus conscient de l'énergie qui montait en moi – plus d'énergie que je n'en avais eu depuis des années. Je me sentais tellement éveillé, tellement vivant ! Il fallait que je bouge, que je fasse circuler mon énergie ! Courant dans la forêt, je me sentais capable de faire des kilomètres et des kilomètres. Je sautais, exécutais mille cabrioles et me remettais à courir.

Finalement, je me reposai dans les chauds rayons du soleil. D'une certaine manière, les saisons avaient changé. Le printemps, dit-on, est dans l'air quand les pensées d'un jeune homme se tournent vers...

L'énergie recommença à s'accumuler avec une pression inconfortable familière au niveau des reins. Mama Chia avait dit que le deuxième étage avait trait à « l'énergie dans la relation ». Cela voulait dire l'énergie créatrice, l'énergie sexuelle. Mais qu'allais-je en faire ?

J'entendis, venant de nulle part, des paroles de Socrate remontant à des années : « Chaque capacité humaine, avait-il dit, est amplifiée par l'énergie. L'esprit devient plus brillant, la guérison s'accélère, la force s'amplifie, l'imagination s'intensifie, le pouvoir émotionnel et le charisme s'étendent. L'énergie peut donc être une bénédiction... »

« Oui », me dis-je. Je ressentais tout cela.

« Mais l'énergie vitale doit s'écouler quelque part, continuait sa voix. Là où se trouvent des obstructions internes, l'énergie brûle, et si elle se développe au-delà de ce que le corps et l'esprit d'un individu peuvent tolérer, elle explose. La colère devient fureur, le chagrin se transforme en désespoir, l'inquiétude se fait obsession et les douleurs physiques deviennent torture. Ainsi, l'énergie peut être une malédiction. Comme une rivière, elle peut apporter la vie, mais indomptée, elle peut libérer un flot destructeur en furie. »

— Que puis-je faire maintenant ? demandai-je, parlant dans le vide.

Des souvenirs de la sagesse de Socrate résonnaient dans ma mémoire : « Le corps fera ce qu'il doit faire pour éliminer les excès d'énergie. Si elle n'est pas employée consciemment dans les tâches créatrices, une activité physique ou des relations sexuelles, le subconscient brûlera cette énergie dans des accès de colère ou de cruauté, des cauchemars, des actes de délinquance, des maladies, ou par l'abus d'alcool, de drogues, de nourriture ou de sexe. L'énergie indomptée, quand elle rencontre des obstacles internes, est la source de toutes les intoxications. N'essaie pas de gérer les intoxications – dégage les obstructions ! »

J'étais si distrait par la tension montant dans mon corps que j'avais du mal à me concentrer. L'énergie continua de croître, exigeant d'être libérée. Je pouvais courir encore un peu ou faire quelque chose… oui, quelque chose de créatif. « C'est cela, décidai-je. Je vais écrire une chanson. » Mais je ne pus trouver que : « Il était une fois une beauté de Killervy, dont le corps était nubile et gracieux ; un homme la trouva là, dans ses jupons en dentelle, et… »

Je ne pus imaginer de fin. Je ne pouvais plus du tout penser. Il me fallait une femme. N'importe quelle femme !

Devais-je me soulager moi-même ? Ce n'était pas compliqué. Simple et efficace. Puis je me rappelai que l'objet de ce niveau était d'amener l'énergie à la vie, à la *relation*. Comment allais-je y parvenir ?

L'instant d'après, je me retrouvai dans une caverne. Pas une caverne sombre et menaçante, mais ce qui apparaissait comme une chambre luxueuse. D'épais tapis recouvraient le sol ; des rayons de lumière baignaient la pièce. Un beau rideau d'arbres et de buissons dissimulait l'entrée, assurant totalement le caractère privé du lieu.

Au centre, à plusieurs dizaines de centimètres au-dessus du sol, se trouvait une sorte de lit estrade recouvert d'un tapis de feuilles épais et moelleux. J'entendis le filet réconfortant d'une ravissante chute d'eau s'écoulant délicatement dans un étang miniature et sentis le doux parfum des fleurs sauvages.

Puis une douce brise soufflant doucement sur mon corps tout entier fit naître en moi une surprenante excitation. Un vent sensuel, un beau fantôme me caressa de ses mains invisibles. Je sentis une unité avec la terre et tous mes sens physiques, maintenant amplifiés. J'étais si heureux d'avoir ce corps, de le sentir, d'être complètement ce corps.

Un pain et un pichet de vin, c'était tout ce qu'il me fallait et... je pouvais m'abstenir de pain et de vin, mais...

Qu'était-ce donc ? Est-ce que j'entendais des voix ? Des voix féminines ?

Je jetai un coup d'œil par la porte feuillue et vis un tableau tiré du rêve d'un artiste qui méritait de s'intituler « Demoiselles du Printemps ». Trois jeunes femmes, aussi voluptueuses l'une que l'autre, couraient et riaient sous des pommiers, leurs joues rosées reflétant le rougeoiement des fruits accrochés aux branches. Elles portaient des jupes sombres flottantes et des corsages courts à fanfreluches très féminins. En les épiant, je me sentis tout bête, comme un adolescent.

Deux d'entre elles s'éclipsèrent. La troisième, un ange aux cheveux blonds dont les yeux verts brillaient dans la lumière du soleil, s'arrêta, regarda à droite et à gauche puis, souriante, se mit à courir vers ma cachette !

« Zut », me dis-je intérieurement, craignant à moitié qu'elle me trouvât, et à moitié qu'elle ne me trouvât pas.

Elle se glissa dans la caverne et me vit debout là comme un fou affamé d'amour. Son regard rencontra le mien et elle ouvrit de grands yeux. Elle allait crier !

— Je... commençai-je, mais son appel m'interrompit.

— Dan ! s'exclama-t-elle.

Le souffle coupé, elle se jeta dans mes bras.

Mon esprit était vide, à l'exception de trois mots : merci, mon Dieu.

La passion m'habita totalement. Riant, pleurant, nous nous abandonnâmes l'un à l'autre. Je ne sais ce qui arriva à nos vêtements. Tout qui s'opposait à notre union fut mis de côté. Le temps passa. J'ignore combien de temps. Nous étions allongés là, enlacés, complètement épuisés, endormis dans les bras l'un de l'autre. Mais cela ne devait pas durer.

À mon réveil, elle se dressait au-dessus de moi, drapée dans une robe faite de fleurs. Son visage angélique entouré de cheveux de soie rayonnait dans la lumière tamisée. Elle fit glisser la robe de ses épaules, laissant apparaître sa peau lumineuse, brillante comme celle d'un bébé.

Il me vint des questions. Qui était-elle ? Pouvais-je me permettre mon comportement ?

Elle s'agenouilla et m'embrassa sur le front, sur les joues, le torse et les lèvres. L'énergie sexuelle me parcourut, m'enfiévra. Des images me traversèrent l'esprit – des rites de fertilité, terrestres et sensuels – et il me sembla presque entendre au plus profond de moi le rythme des tambours. Elle embrassa chaque partie de mon corps jusqu'à ce qu'il vibre au rythme des tambours et mes questions disparurent telles des feuilles sèches par un jour venteux d'automne.

Je l'attirai à moi, nous nous étreignîmes et je lui rendis, en nature, ce qu'elle m'avait donné. Il n'y eut bientôt plus d'elle ni de moi, mais juste nous, et le sentiment.

C'était un sentiment que j'avais déjà éprouvé, je m'en souvins, au cours de jeux sexuels sans retenue – alors que mon esprit était libre et mon cœur ouvert. Mais ce sentiment était maintenant décuplé, non seulement parce que c'était une femme désirable, mais parce que j'étais si… ouvert. Venant d'affronter la mort la plus noire, j'étais à présent pleinement capable de célébrer la vie et tout ce qu'elle comprenait. Le moine à l'intérieur avait succombé à Zorba le Grec. Rien ne se dressait entre moi et la vie !

Le sentiment s'intensifia encore plusieurs fois, tandis que des vagues de plaisir battaient non seulement dans mes reins, mais dans chacune des cellules de mon corps. Mais je fus légèrement décontenancé, l'espace d'un instant, en me rendant compte que j'étais en train de faire l'amour avec un homme. Et cet homme, c'était moi : Dan Millman !

Je m'assis, choqué. Je regardai mes mains, mes jambes, ma poitrine : j'étais une femme ! J'étais elle ! Je ressentais son monde intérieur, ses émotions, son énergie... douce mais forte. Le flot d'énergie était différent de celui auquel j'étais habitué et, dans mon état, je pouvais ressentir une aura émotionnelle plus sensible, plus large. C'était si bon... comme un accomplissement.

Nous nous étreignîmes à nouveau et je perdis tout sens de la séparation. J'étais elle, j'étais lui. J'étais elle et lui.

Je faisais un avec le corps. J'avais confiance en lui. Je devins comme un bébé nu, complètement libre, sans règles ni interdits. J'étais peau, nerfs et sang – palpitant, vibrant, me délectant dans le royaume des sens. Formes, toucher, moiteur, sucer, caresser, sentir, palpiter, doux, chaud, je vécus entièrement l'instant présent.

Nous étions pris dans une étreinte passionnée, sans une seule pensée parasite, montant comme une vague vers le rivage, quand elle disparut. Non ! cria mon corps qui la voulait. Assailli à la fois par le désir et le chagrin, je vécus les pièges du deuxième étage.

Je m'assis, haletant, prêt à exploser. L'énergie déferlait en moi comme un animal en cage, allant et venant follement, cherchant une issue. Me toucherais-je pour trouver la liberté ? Cela ne me posait aucun problème moral. J'avais connu un lieu au-delà du dogme longtemps affronté de la moralité sans vie.

Mais cette fois, quelque chose m'arrêta. Une intuition. Peut-être était-ce ma formation passée avec Socrate et la discipline que j'avais acquise. Le plaisir n'avait rien de mal, mais ce n'était pas le moment.

J'allais utiliser l'énergie, la faire circuler. Je ne luttai pas contre mon corps. Je ne le reniai pas. Au lieu de cela, je respirai lentement et profondément jusqu'à ce que la force du désir s'élève de mes organes génitaux le long de ma colonne vertébrale, de mon torse jusqu'au bout de mes doigts, de mes orteils et au centre de mon cerveau.

Mon esprit devint lumière. Une passerelle s'était ouverte. L'énergie s'éleva de la terre même le long de ma colonne vertébrale. L'énergie qui avait été bloquée en bas s'écoulait maintenant vers le haut. Je goûtai la pureté d'être, l'électricité du corps, le chant.

Mais je n'étais pas totalement préparé pour cela, ni entraîné, et en dépit des bonnes intentions de mon Moi Conscient, mon Moi Basique avait apparemment d'autres idées. Les vagues continuèrent, de plus en plus fortes, jusqu'à ce que je ne puisse plus les arrêter. Des images traversèrent mon esprit comme des fantasmes nocturnes, des parties de corps, la douceur d'un gémissement, et soudain, impossible à éviter, bien que ce ne fût pas de mon propre gré, la vague déferlante, pulsante, s'écrasa sur le rivage et s'apaisa.

Au bout d'un petit moment, je me levai. J'éprouvais un doux et inexplicable chagrin, un sentiment de perte – non dans mon esprit mais dans mon corps. Peut-être regrettais-je cette luminosité, cette énergie. Elle était partie. L'objet de mon désir avait disparu, comme le font tous les objets. Il ne restait que le vent soufflant à travers les arbres. Jusqu'à ce que Mama Chia apparaisse, me ramenant vivement dans le genre de réalité auquel je pouvais me tenir dans l'état où je me trouvais.

J'étais debout devant elle, nu. Elle voyait mon corps et mon esprit. Elle savait tout de moi, et tout ce que je venais de vivre. Et elle m'acceptait complètement, tel que j'étais. Toute gêne se dissipa. J'étais devant elle, nu et sans inquiétude, comme un nouveau-né. Il n'y avait pas de honte à être nu, pas de déshonneur à être humain.

Au premier étage, j'avais rompu le fil de la peur. À présent, je rompais celui de la honte. Pour le restant de mes jours, dussent-ils être nombreux, je laisserais l'énergie vitale me parcourir librement. J'apprendrais à l'utiliser avec sagesse, choisissant où la canaliser, célébrant la vie sans l'exploiter. Si je n'étais pas un maître de l'énergie, loin de là, j'étais un disciple de bonne volonté.

Puis deux choses se produisirent à peu d'intervalle. Je vis que j'étais complètement vêtu, puis mon environnement, la caverne et la prairie au-delà, vacillèrent et disparurent. Rien de cela ne me surprit.

Ensuite je repris conscience, debout quelque part en haute montagne. Le vent sifflait bruyamment le long des rochers et des fissures de granit, noyant presque la voix de Mama Chia derrière moi.

— Venez, dit-elle, il est temps d'y aller.

— Tout à l'heure, j'étais seul. Pourquoi êtes-vous avec moi maintenant? demandai-je.

Curieusement, les falaises faisant face à une profonde gorge renvoyèrent l'écho de ma voix.

— Avant, il fallait que vous soyez seul. Maintenant, vous êtes en relation avec le monde. De plus, nous sommes dans un rêve et je ne faisais rien. Bienvenue au troisième étage!

Tandis que nous montions, je puisais des forces dans le sol en dessous de moi, dans les pierres, les arbres, le vent – chair de ma chair. Ayant fait la paix avec mon corps, accepté mes imperfections physiques et pris confiance en ma nature humaine, je sentais une connexion plus étroite avec la terre.

Nous trouvâmes un petit lac, nageâmes dans ses eaux tièdes, puis nous étendîmes sur de chauds rochers pour nous sécher. Mon corps s'ouvrit au monde de la nature. Je sentis la sérénité du lac, la puissance de la rivière, la stabilité de la montagne et la légèreté de la brise.

Mama Chia me regarda.

— À cet endroit, je ressens ce que vous ressentez, je suis ce que vous êtes, dit-elle. Vous venez juste de pratiquer le changement de forme, ou tout au moins ses premiers stades.

—Ah oui ?

—Oui. Le changement de forme commence par un geste de l'imagination – un sens de la curiosité et de l'étonnement : quel effet cela ferait-il d'être une montagne, un lac, un oiseau, une pierre ? On arrive à se mettre en résonance avec les fréquences de ces éléments ou de ces êtres. Nous en avons le pouvoir car, après tout, nous sommes faits des mêmes substances. Et parlant de changement de forme, je crois que vous savez que j'étais sur la même longueur d'onde que vous dans cette caverne au deuxième étage. Quelle aventure ! Cela m'a rappelé ma jeunesse !

—Je crois que vous serez éternellement jeune, Mama Chia.

Elle me sourit.

—Vous avez raison... jusqu'au jour de ma mort...

L'interrompant, je lançai avec légèreté :

—À ce régime-là, vous vivrez sûrement plus longtemps que moi.

Elle plongea son regard dans le mien et sourit. Mais ce sourire était différent. Il me rendit triste, sans que je sache pourquoi. Je vis de l'amour dans ses yeux, mais quelque chose d'autre aussi. Je captai comme un sentiment d'inquiétude – une intuition – mais je ne pus sonder ce dont il s'agissait.

Mama Chia mit un terme à mes préoccupations en me guidant sur le chemin, me rappelant les leçons du deuxième étage.

—Vous avez créé votre propre expérience, Dan, comme au premier étage. Vous avez eu l'expérience précise dont vous aviez besoin. Les énergies sont les mêmes pour tous. L'expérience est différente. Chacun de nous choisit comment répondre à son énergie et la canaliser. Certains l'accumulent, d'autres la gaspillent. Le guerrier canalise le flux de l'énergie vitale comme un fermier irrigue ses récoltes. Au premier étage, vous êtes seul et luttez pour votre survie. Vous accumulez les énergies vitales comme un avare solitaire son argent.

Les énergies étant bloquées, elles provoquent la douleur. Au second étage, vous êtes en relation avec la vie, avec les autres. Les principes féminin et masculin sont tous deux actifs et en équilibre. Le second étage ne se limite pas au sexe. Il célèbre l'énergie de la vie. L'Énergie est Esprit, l'énergie est sacrée. Ceux qui ne connaissent pas son utilisation tendent à la considérer comme la monnaie du pays, et la vie devient un centre commercial ou un parc d'amusement. Vous avez choisi une autre voie – celle du guerrier pacifique – pour devenir véritablement humain en maîtrisant l'énergie. Le mythe de la boîte de Pandore ne raconte pas comment faire sortir d'une boîte des diablotins et des démons malfaisants, mais parle des manières de traiter l'énergie vitale. Celui qui dissipe son énergie au hasard a l'impression de perdre sa vie et éprouve un profond sentiment de chagrin. La peur est le côté ombre du premier étage. Le chagrin est le côté ombre du deuxième.

— Et le troisième ? dis-je. Qu'avez-vous prévu pour moi maintenant ?

14

Vol sur des ailes de pierre

> *Rien de réel ne peut être menacé.*
> *Rien d'irréel n'existe.*
> *Là réside la paix de Dieu.*

> Un cours sur les miracles

—Je n'ai rien prévu, déclara Mama Chia. C'est vous qui conduisez, je vous suis.

—Comme dans la danse?

—Oui, dit-elle en faisant une révérence.

—Alors quelle est la prochaine étape?

—Rien d'extraordinaire. Une expérience symbolique, en fait. Socrate vous a déjà aidé à vous préparer pour les étages inférieurs, cela ne devrait donc pas être très difficile.

Elle me conduisit à travers un canyon rocheux, par un court tunnel de pierre, puis le long d'une piste étroite au bord d'une crête en dos d'âne.

—Asseyons-nous d'abord ici un moment.

Elle ferma les yeux. Ne voulant pas la déranger avec des questions, je l'imitai. Il n'y avait guère autre chose à faire en cet endroit. C'est du moins ce que je pensais.

Quand je rouvris les yeux, le soleil se couchait à l'extrémité occidentale du lieu où nous nous trouvions. Mama Chia ouvrit les yeux et me tendit du maïs et des noix qu'elle sortit de son sac aux réserves inépuisables.

—Mangez cela; vous en aurez besoin.

—Pourquoi dois-je manger ? C'est un rêve, n'est-ce pas ? En fait, observai-je, ce sol semble plus réel que les autres. C'est bien une sorte de vision, n'est-ce pas ?

M'ignorant, elle dit :

—Le troisième niveau a trait au pouvoir – non au pouvoir sur les autres, qui est le côté négatif, mais au pouvoir personnel sur les impulsions du Moi Basique et les désirs de l'ego. Vous rencontrerez ici les défis de l'autodiscipline, la clarté des intentions, le devoir, l'intégrité, la responsabilité, la concentration, l'engagement, la volonté, toutes ces choses que la plupart des apprentis trouvent si difficiles. Maintenant que vous avez fait le ménage au deuxième niveau et avez le sens de la connexion avec les autres, votre attention est libérée pour les impulsions plus élevées. Il vous sera plus facile de prendre également en compte les besoins des autres, même si le véritable altruisme n'existe pas au troisième étage. Votre Moi Basique a toujours le contrôle, mais il est mieux discipliné. Ce que vous faites aux autres, vous le faites par devoir, par sens des responsabilités. L'amour vous dépasse encore.

—Voulez-vous dire que je suis incapable d'aimer vraiment ? demandai-je, perturbé par sa remarque.

—Il y a de nombreuses sortes d'amour, dit-elle. Tout comme il y a de nombreuses sortes de musiques, de films, de nourritures ou de boissons. Il y a un amour du premier étage, limité aux relations sexuelles les plus primitives, voire même abusives. L'amour du deuxième étage est plein de vie et orienté vers le plaisir. Il y est également tenu compte du partenaire. L'amour du troisième est une pratique artistique et consciente.

—Je vous ai posé une question sur l'amour et vous me parlez de sexe.

—Avant d'avoir atteint le quatrième étage, il en est ainsi.

—Continuez.

—Inutile. Vous avez compris.

—Et l'amour aux étages supérieurs ?

— Nous nous en occuperons quand vous serez prêt, dit-elle. Ce que je tiens à souligner maintenant, c'est que le monde réfléchit notre niveau de conscience. Les semblables s'attirent. Ainsi, les gens dont la base est le premier étage sont attirés par les musiques, les livres, les films, les boissons, les sports du premier étage. Il en est de même pour le deuxième et le troisième étage. Jusqu'à ce que votre conscience se stabilise au quatrième étage, dans le cœur, vos motifs sont en fin de compte égocentriques.

— C'est peut-être la raison pour laquelle Socrate n'a jamais possédé de station-service ! suggérai-je.

Mama Chia éclata de rire pendant que je posai une autre question.

— Vous voulez dire que quand j'atteindrai le quatrième étage, je ne serai plus aussi égocentrique ?

— Jusqu'au septième étage, où le Moi se dissout, nous sommes *tous* « égocentriques », Dan. La question est : *sur* quel « Moi » êtes-vous axé ? Vous êtes en train de passer consciemment de l'état de besoin puéril du Moi Basique à des mobiles plus élevés, en vous élevant du troisième au quatrième étage.

— Qu'est-ce que tout cela a à voir avec ce que nous sommes en train de faire ? demandai-je en désignant le sommet de la montagne où nous nous trouvions.

— Je suis heureuse que vous me posiez cette question, car cela concerne ce qu'il vous faut faire pour dépasser le troisième étage, dit-elle tandis que nous contournions un rocher.

Elle désigna un chemin étroit, plat mais rocailleux, qui s'étendait sur une cinquantaine de mètres.

— Alors que suis-je censé faire ? demandai-je.

— Pour commencer, marchez sur ce chemin aussi loin que vous le pouvez et voyez ce qu'il y a à voir.

— La porte numéro quatre ?

— Peut-être, répondit-elle.

J'avançai avec précaution sur l'étroit sentier, mais m'arrêtai en parvenant au bord d'un précipice – un gouffre tombant à pic à perte de vue dans le néant, peut-être sept cents mètres plus bas. Je fis un pas en arrière devant cette hauteur à donner le vertige et regardai de l'autre côté de l'abîme béant la falaise opposée, à une dizaine de mètres. J'avais l'impression que le sommet de la montagne avait été coupé en deux par un couteau gigantesque.

Soudain, derrière moi, Mama Chia dit :

— Vous avez appris un certain degré de contrôle de vous-même avec Socrate et par votre entraînement. Vous avez déjà une forte volonté et vous avez dégagé une grande partie des déchets. La porte est là. Elle désigna de l'autre côté de l'abîme une petite corniche, à peine plus grande qu'une dentelure sur la paroi de la falaise opposée. Il semblait bien y avoir là une porte.

— Il vous suffit de sauter, ajouta-t-elle.

J'estimai à nouveau la distance, de toute évidence trop grande pour pouvoir sauter. Je cherchai à voir si Mama Chia plaisantait. Elle n'en avait pas du tout l'air.

— C'est impossible, protestai-je. D'abord, il y a neuf ou dix mètres et je ne suis pas sauteur en longueur. Et à supposer que je réussisse le saut, si je manquais l'étroit rebord, je m'écraserais contre la face de la falaise et sombrerais dans l'oubli.

— Vous n'avez pas peur, n'est-ce pas ? demanda-t-elle.

— Non, pas vraiment, mais je ne suis pas non plus stupide. C'est suicidaire !

Pour toute réponse, elle me regarda, avec le sourire de celle qui sait tout.

— J'ai dit non.

Elle attendit.

— Ce n'est pas un rêve, criai-je. Et je ne suis pas un oiseau !

— On peut le faire, soutint-elle en indiquant l'autre côté.

Je repris derrière elle le chemin en sens inverse, en secouant la tête.

— Ce n'est pas une question de peur, Mama Chia – vous le savez. Mais ce serait absurde. Cela ne me dérange pas de tester mes limites, mais si je me surestime, là, je suis mort.

Je sentis sa main avant même qu'elle ne me touche. Mes cheveux se dressèrent sur ma nuque et j'eus la chair de poule. Puis je vis un éclair de lumière. Quelque chose changea ? Ou était-ce seulement une impression ? Tout *paraissait* identique mais pourtant différent. J'étais toujours là debout en train de lui parler.

— Est-ce un rêve ?

— Tout est rêve, répondit-elle.

— Je veux dire en ce moment…

— Il y a toujours un risque que vous échouiez, précisa-t-elle.

— Si j'échoue, mourrai-je vraiment ?

— Votre corps physique sera indemne, mais la douleur paraîtra bien réelle et, en effet, une partie de vous mourra certainement.

— Mais s'il s'agit d'une sorte de vision, je peux faire tout ce que je veux.

— Ce n'est pas aussi simple, répondit-elle. Vous ne pourrez accomplir que ce que vous vous croyez capable de faire. Il faudra aussi un saut dans la foi pour parvenir de l'autre côté. Il ne s'agit pas vraiment d'un test de votre corps, mais de votre esprit, votre concentration, votre discipline, vos intentions et, d'une certaine manière, votre intégrité ou intégration. Ce que vous avez déjà accompli est considérable, ce serait l'œuvre d'une vie pour beaucoup. N'acceptez ce défi que si vous désirez véritablement continuer. Demandez-vous si vous pouvez avoir la *volonté* d'être de l'autre côté. Là réside votre test de pouvoir personnel. Et là, dit-elle en indiquant à nouveau l'autre côté du précipice, se trouve la quatrième porte.

Je regardai encore au-delà du précipice. Je fis un saut et retombai avec une sensation physique d'atterrir, sans pourtant être allé très haut. J'essayai à nouveau, avec le même résultat.

« C'est fou », pensai-je. Peut-être s'agissait-il d'un piège, un moyen de tester mon jugement. Elle avait dit qu'« une partie de moi mourrait », seulement si je sautais et échouais. Peut-être n'étais-je pas censé accepter un défi absurde. Et si je refusais de sauter ?

— Oui, j'ai compris, dis-je à haute voix en me tournant vers Mama Chia.

Elle avait disparu.

Puis j'entendis quelqu'un m'appeler.

— Dan, aidez-moi, s'il vous plaît ! Aidez-moi !

Je regardai de l'autre côté du précipice, d'où venait la voix, et vis… Sachi. C'était impossible ! Un piège. Elle appela de nouveau en s'accrochant au replat sur lequel je devais atterrir. Elle glissait et luttait pour remonter.

— Ce n'est pas juste, Mama Chia ! dis-je. Ce n'est pas réel !

— Oooooh ! hurla Sachi désespérément.

Elle trouva un point d'appui qu'elle reperdit.

Soudain, je vis le tigre. Il progressait pas à pas vers Sachi, le long de l'étroit replat sur la paroi de la falaise. Elle ne le voyait pas.

— Je vous en prie ! appela-t-elle de nouveau.

Je n'avais pas le choix. Je devais essayer. Je reculai vite pour prendre mon élan sur une dizaine de mètres le long de l'étroit sentier, tournai et décollai.

Des doutes m'assaillirent tandis que je prenais de la vitesse : « Que suis-je en train de faire ? Je ne crois pas en être capable. » Puis une colère froide m'envahit. Non une colère contre quelque chose ou quelqu'un… juste une puissante énergie, comme une vague géante emportant tout sur son passage. Rien n'allait m'arrêter !

Accélérant, entièrement concentré sur mon but, je courus vers le précipice. Dans une montée de puissance, mon esprit oublia le passé et l'avenir, les tigres et les gouffres, et je me concentrai sur une chose : le point d'atterrissage. Je sautai.

Pendant un moment, flottant dans l'espace, j'eus l'impression que je n'allais peut-être pas réussir.

Encore en l'air, je m'élevai dans l'espace et le temps, comme au ralenti. Puis la forte attraction de la gravité prit le contrôle. Je me sentis tomber. Alors, il se passa quelque chose. Peut-être était-ce mon imagination, mais rassemblant tout ce qui était en moi, je voulus parvenir de l'autre côté. J'eus l'impression de voler.

Un instant plus tard, j'atterris avec un bruit sourd bien réel et roulai dans la caverne peu profonde, me cognant à la paroi. Le tigre se précipitait sur nous. Étourdi, j'avançai jusqu'au bord en trébuchant, me penchai en avant et hissai Sachi. Juste au moment où le tigre sauta, je lui faisais franchir l'entrée.

J'avais dû me cogner assez violemment car, dès que j'eus franchi la porte, je m'évanouis.

Je m'éveillai quelques instants plus tard, entouré d'une faible lumière. Mes bras étaient meurtris et ma tête endolorie. J'avais mal partout. Je regardai mon poignet. Il était tordu… cassé. Puis, pendant que je le regardais, il se redressa, les bleus disparurent et la douleur s'effaça. Je fermai les yeux un moment.

Quand je rouvris les yeux, j'étais assis sur un vieux drap près d'une tombe ouverte dans le cimetière sacré des kahunas.

Le soleil du matin éclairait le visage de Mama Chia, le baignant d'un rayonnement rosé. Malgré cela, elle paraissait pâle et fatiguée. Se rendant compte que je la regardais, elle sourit faiblement et dit :

— Ces derniers jours nous ont mis au défi vous et moi. Si vous trouvez que j'ai l'air fatigué, vous devriez vous regarder.

Elle me tendit une bouteille d'eau en plastique.

— Buvez cela.

— Merci.

J'étais déshydraté et pris la bouteille avec reconnaissance. Depuis mon aventure en mer, je supportais mal la soif. Cette crainte-là semblait persister dans les profondeurs de mon Moi Basique.

Quand j'eus fini de boire, Mama Chia se leva.

— Allons. Nous avons un long chemin à faire pour rentrer.

Après avoir fait de respectueux adieux à Lanikaula, et bien qu'il ne nous apparût pas dans la lumière du jour, je sentis sa présence et sa bénédiction.

Sur le chemin du retour, une pensée me frappa : bien qu'ayant dépassé le troisième étage et montré suffisamment de discipline, de concentration et de maîtrise de moi-même pour trouver et franchir la porte du quatrième étage, ma vision s'était arrêtée là. Je n'étais pas arrivé au quatrième étage. J'avais mon idée sur ce qui s'était passé, mais demandai à Mama Chia son point de vue.

Elle me donna une réponse claire et nette :

— Vous n'êtes pas encore prêt. Votre psyché a rejeté l'expérience. Vous êtes revenu.

— Alors j'ai raté ma chance, conclus-je.

— C'est dit de manière simplifiée, mais cela revient un peu au même.

— Que dois-je faire maintenant ?

— Dan, comme je vous l'ai dit, votre formation avec Socrate vous a aidé pour les trois premiers étages. Vous êtes prêt à passer au quatrième. Cela peut arriver n'importe quand. Mais, voyez-vous, le Grand Saut exige que le Moi Conscient, l'ego, relâche son emprise. C'est peut-être ce qui vous retient.

La nuit tomba rapidement. Nous campâmes dans la forêt tropicale. Le lendemain, pensai-je, notre chemin devrait être facile. Deux heures et nous serions rentrés.

Au matin, peu après nous être mis en route, nous parvînmes au pied d'une immense cascade s'écoulant dans un bruit de tonnerre depuis une corniche quelque quinze mètres plus haut.

— Vous savez, dis-je en regardant les chutes rugissantes, Socrate m'a bien prévenu de ne pas trop me laisser fasciner par les phénomènes intérieurs, les visions, ce genre de choses. Cela, a-t-il dit, peut conduire certaines personnes qui n'ont pas beaucoup de connaissances au départ à toutes sortes d'illusions. Il avait coutume de me dire, même après m'avoir fait faire un voyage intérieur, de conserver la leçon et de jeter l'expérience. Aussi ai-je pensé que toutes ces visions ne prouvent peut-être rien de concluant. Il est beaucoup plus facile d'être courageux, libéré ou discipliné dans un rêve que dans la réalité. Je ne me sens pas vraiment différent. Comment savoir si quelque chose a véritablement changé?

— Ce que vous avez traversé est beaucoup plus qu'un rêve, Dan. Et gardez l'esprit ouvert quant à ce que vous appelez la « réalité ».

— Mais j'ai encore besoin de me prouver quelque chose à moi-même.

Mama Chia sourit et secoua la tête, amusée. Elle me regarda attentivement pendant quelques instants, se tourna vers les chutes d'eau, puis de nouveau vers moi.

— D'accord, dit-elle. Vous avez besoin de prouver quelque chose? Allez méditer un moment sous cette cascade.

Je considérai la cascade d'un œil nouveau et l'observai. Il s'écrasait une énorme quantité d'eau. Cela n'aurait rien à voir avec une simple douche.

— Oui, je peux le faire, répondis-je avec désinvolture. J'avais déjà vu quelque chose de semblable dans un film sur les arts martiaux.

— J'accepte. Je vais le faire pendant vingt minutes.

— Cinq heures constitueraient une bien meilleure preuve, dit-elle aussitôt.

— Cinq heures? Je vais me noyer! Cela portera probablement atteinte à mon cerveau!

— Il est peut-être déjà atteint, suggéra-t-elle avec un sourire.

— D'accord. Une heure, mais c'est le maximum. Je ne sais même pas si c'est *possible* sans se noyer.

Je retirai ma chemise et commençai à enlever mes tennis, puis changeai d'avis et les gardai aux pieds. J'avançai avec précaution sur les rochers glissants couverts de mousse et grimpai pour m'installer sous la cascade.

Je fus presque assommé par la force de l'eau. Me frayant un chemin, glissant presque à deux reprises, je trouvai un rocher plat et m'assis, redressant ma colonne vertébrale sous la force du déluge. L'eau était froide, mais supportable sous ce climat. « Je suis content qu'il fasse beau », pensai-je avant que l'avalanche de liquide ne noie toutes mes pensées.

Par pure détermination et avec un mal de tête croissant, je tins pendant ce qui me sembla être une heure, et que j'évaluai donc à au moins vingt minutes. J'étais sur le point d'« arrêter le match en raison de la pluie », quand quelque chose m'en empêcha. Peut-être était-ce le courage, la détermination ou la discipline. Ou peut-être l'obstination d'une tête de cochon.

Des années auparavant, quand l'entraîneur me demandait de faire quinze pompes, j'en faisais systématiquement vingt. J'avais toujours été ainsi, aussi loin que je m'en souvenais. De ce fait, alors que j'avais envie de me lever, de sortir et d'arrêter… quelque chose m'en empêchait. Quelque part au fin fond de mon esprit (sa surface était déjà noyée…) résonnait le défi de Mama Chia, revenant comme un mantra : cinq heures, cinq heures, cinq heures…

Au cours de mes années de gymnastique, mon Moi Basique avait été formé à répondre au mot « défi » en dépassant toutes les limites. Je sentis une poussée d'énergie monter par mon abdomen et ma poitrine et pris conscience que j'étais vraiment parti pour le faire – cinq heures – j'étais engagé. Puis le monde disparut dans le déluge et mon esprit cessa d'être.

Quelque part dans le bouillonnement, dans le bruit qui se faisait de plus en plus faible et de plus en plus lointain, j'entendis le vent et vis par l'œil de mon esprit une tour blanche volant vers moi.

Je me retrouvai dans une petite pièce. Des odeurs âcres emplissaient l'air, des odeurs d'eau sale et de pourriture, en partie masquées par un fort encens. Je reconnus les vêtements – des saris colorés, même dans cette terrible pauvreté. On ne pouvait s'y tromper. Je me trouvais quelque part en Inde.

De l'autre côté de la pièce, une femme, portant un costume de nonne, soignait un lépreux cloué au lit, le visage couvert de plaies. Je remarquai avec dégoût qu'il avait une profonde crevasse suintante dans la joue et il lui manquait une oreille. Il était mourant. Ayant horreur de l'endroit, révolté par les odeurs et la maladie, je reculai, choqué, et me retirai.

Le vent souffla en bourrasques. J'étais appuyé contre un vieux mur de brique dans une ruelle, en France, à proximité de l'étroite rue Pigalle. Un agent ramassait un ivrogne malodorant, couvert de vomissures, et l'aidait à monter dans le car de police. Dégoûté, je reculai, et cette scène elle aussi s'estompa dans le lointain.

Le vent souffla de nouveau. J'étais assis comme un fantôme, invisible, sur le lit d'un adolescent, dans une maison de la classe supérieure de la banlieue de Los Angeles. Il sniffait de la poudre. « Petit idiot, pensai-je. Je ne vais pas rester ici. »

L'instant d'après, j'étais debout devant une hutte en Afrique, regardant par la porte d'entrée une très vieille femme. Se mouvant avec difficulté, elle essayait de verser un peu d'eau dans la bouche craquelée d'un bébé au ventre gonflé dont les côtes perçaient presque à travers la peau.

— Qu'est-ce que c'est ? criai-je tout haut, ayant l'impression de me retrouver en enfer. Qu'est-ce que ces gens ont à voir avec moi ? Éloignez-moi d'ici ! Je ne le supporte pas ; je ne veux plus !

Les yeux fermés, je secouais la tête d'avant en arrière

pour chasser ces gens et leurs souffrances. J'entendis une voix m'appeler de plus en plus fort.

— Dan ! Dan !

Je pris vaguement conscience de la présence de Mama Chia sous la cascade, elle me tirait par le bras en criant :

— Dan ! Allez, champion, vous avez prouvé ce que vous aviez besoin de prouver.

Complètement trempé, ressemblant à un chat noyé, je chancelai et m'extrayai en rampant de la chute d'eau. Je marmonnai :

— Joli endroit à visiter, mais je n'aimerais pas y vivre. Regardez, ajoutai-je en montrant mon cou, je crois qu'il m'est poussé des branchies. Brrrr !

Je secouai la tête, essayant de m'éclaircir les idées. Me sentant comme une éponge saturée, je trébuchai et tombai. Je me relevai et désignai la chute d'eau, imitant un cascadeur en m'adressant à une caméra imaginaire :

— N'essayez pas ça chez vous, les enfants. Je suis un expert.

Puis mes yeux se révulsèrent, je basculai en arrière et m'évanouis.

Quand je revins à moi, séché par le soleil, je m'assis et jurai de ne pas prendre de douche avant un an.

Je me tournai vers Mama Chia, assise non loin. Elle finissait une mangue juteuse en me regardant.

— Eh bien, cela prouve quelque chose, n'est-ce pas ? demandai-je.

— Oui, répondit-elle en souriant. Pendant que vous étiez assis ici comme un âne presque battu à mort et noyé sous une chute d'eau, je suis rentrée chez moi, j'ai fait un somme, rendu visite à un ami, suis revenue ici et ai dégusté cette mangue.

Elle lança le noyau dans les buissons.

— Cela prouve bien quelque chose – que l'un de nous est un sot.

Puis elle rit avec une telle douceur que sa voix semblait une musique, et il ne me resta plus qu'à rire aussi.

— Vous avez de l'humour, Dan. Je le sais depuis le début. Socrate vous a vraiment aidé à mettre de l'ordre dans vos actes – à allumer les lumières du troisième étage. Maintenant, lorsque votre Moi Conscient décide de faire quelque chose, votre Moi Basique connaît votre niveau d'engagement et vous donne l'énergie pour l'accomplir. Je vous accorde cela, dit-elle solennellement. Vous êtes devenu un être humain.

— Je suis devenu un être humain ? C'est tout ?

— Un véritable accomplissement. Cela signifie que vous avez fait un excellent ménage aux trois premiers étages. Vous êtes entré en contact avec votre corps, avec le monde, avec votre nature humaine.

— Mais il s'est passé quelque chose sous la cascade, lui dis-je. J'ai vu tous ces pauvres gens – le malade, le mourant. D'une certaine manière, je crois que j'ai visité le...

— Quatrième étage, finit-elle à ma place. Oui, j'ai senti cela, en bas, à la cabane, dans mon sommeil.

Elle secoua la tête, mais ses yeux montraient un peu de tristesse.

— Eh bien, qu'est-ce que cela signifiait ? Est-ce que j'ai réussi ?

— La chute d'eau, oui. Le quatrième étage, non.

— Que voulez-vous dire ? Que s'est-il passé ?

— Venez. Marchons d'abord, nous parlerons ensuite.

15

Au service de l'Esprit

Je dormis et rêvai que la vie n'était que joie.
Je m'éveillai et vis que la vie n'était que
service. Je servis et découvris que le
service était joie.

Rabindranath Tagore

Tandis que nous redescendions le sentier, je demandai :
— Que m'est-il exactement arrivé là-bas – quand j'ai sauté par-dessus le gouffre, puis sous la cascade ?

En claudiquant, Mama Chia me répondit avec compassion et compréhension :
— Dan, le troisième étage demeure, pour vous comme pour beaucoup d'autres, un champ de bataille. C'est la classe terminale pour le Moi Basique, agité par les questions de discipline, d'engagement, de volonté et de retenue. Jusqu'à ce que nous défrichions ces domaines et que nous nous maîtrisions, nos vies sont le reflet d'une lutte constante pour combler le gouffre qui existe entre savoir ce qu'il faut faire et le faire véritablement. Le guerrier a maîtrisé le Moi Basique, l'a formé, si bien que ce qu'il veut et ce dont il a besoin se confondent et ne sont plus en opposition. En sautant par-dessus le gouffre, vous avez fait preuve d'une forte volonté ; sinon, vous seriez tombé dans l'abîme.
— Que se serait-il passé alors ?
— Une longue remontée ! dit-elle en riant.

— Sachi était-elle vraiment là ?

— Dans votre esprit, oui, certainement, répondit-elle avant d'ajouter : peut-être représente-t-elle la fillette que vous avez laissée là-bas, dans l'Ohio.

J'éprouvai des sentiments de regret, de responsabilité et d'amour tandis qu'apparaissait dans mon esprit le petit visage de Holly.

— Je devrais rentrer à la maison pour la voir.

— Bien sûr, accorda Mama Chia, mais lui ramènerez-vous un père entier – ou un homme très inachevé ?

De nouveau, les paroles de Soc résonnèrent en moi : « Quand on a commencé, mieux vaut terminer. »

— En avez-vous déjà terminé ici ? demanda Mama Chia, comme si elle avait lu dans mes pensées.

— Je ne sais pas. Je ne comprends toujours pas ce qui m'est arrivé sous la chute d'eau…

Elle m'interrompit :

— Vous avez fait un saut impressionnant pour franchir ce gouffre. Mais un saut encore plus grand vous attend.

— Vers le quatrième étage ?

— Oui… dans le cœur.

— Dans le cœur, répétai-je, cela fait plutôt sentimental.

— Le sentiment n'a rien à voir, dit-elle. C'est une question de physique, de métaphysique. Et vous pouvez accomplir ce saut, Dan. Mais il vous faudra un courage et un amour immenses. Ces qualités demeurent latentes – ou partiellement développées – chez la plupart des gens. Elles prennent vie chez vous. Cela commence par un désir ardent, tel que vous l'avez décrit.

Mama Chia fit une pause, puis révéla :

— Je vous connais mieux que vous ne vous connaissez, Dan. Toutes vos aventures ne sont rien de plus et rien de moins que l'Esprit qui Se cherche. Votre Moi Supérieur vous attend, empli d'amour. Cette rencontre est si proche. J'espère seulement que je vivrai assez longtemps pour y assister…

Elle s'arrêta au milieu de sa phrase.

— Que voulez-vous dire par là ? demandai-je. Cela va-t-il me prendre si longtemps… ou y a-t-il quelque chose que je ne sais pas ?

Elle s'immobilisa et sembla vouloir me répondre. Finalement, elle reprit sa démarche claudicante, et la conversation là où elle l'avait laissée.

— Vous rencontrerez votre Moi Supérieur au moment où votre conscience s'élèvera au-dessus de l'océan des intérêts personnels pour entrer dans le cœur. Vous voyez, il n'est nul besoin d'escalader les montagnes du Tibet. Car le royaume du ciel est intérieur, me rappela-t-elle. À l'intérieur et vers le haut – le cœur et au-dessus – tout est là.

— Et les étages supérieurs ?

— Je vous l'ai dit – une chose à la fois ! Trouvez d'abord le cœur et les étages supérieurs prendront soin d'eux-mêmes, mais vous serez trop occupé à aimer et à servir pour vous en préoccuper.

— Je ne sais pas si j'ai vraiment l'étoffe pour jouer les « saint Dan », dis-je avec un sourire. D'abord, j'aime trop les gâteaux.

— Mais, répondit Mama Chia en souriant, quand vous sauterez dans le cœur, vous aimerez vraiment les gâteaux. Je le sais parce que je les aime !

Elle rit, mais ne dit rien d'autre pendant un moment, semblant vouloir laisser s'écouler tout ce qu'elle avait dit, tout comme un jardinier laisse l'eau pénétrer profondément vers les racines.

Je regardai au-dessus et autour de moi. Des nuages passaient sous le soleil de midi. Les paroles de Mama Chia m'avaient profondément touché. Nous continuâmes à marcher en silence jusqu'à ce que d'autres questions naissent dans mon esprit.

— Mama Chia, j'ai vu des gens qui ont des capacités ou des pouvoirs inhabituels. Cela signifie-t-il qu'ils se trouvent aux étages supérieurs ?

— Les gens montrent parfois des dons en raison du travail accompli dans des incarnations passées. Mais le plus souvent, à moins d'avoir déblayé tous les décombres des étages du dessous, ils ne possèdent qu'un laissez-passer temporaire vers les étages supérieurs pour entrer en contact avec les points d'énergie et regarder par ces fenêtres.

— Et les maîtres spirituels ?

— La conscience d'un véritable maître est présente à la naissance, mais demeure latente – même pendant les périodes de confusion et de trouble intérieurs – jusqu'à ce qu'elle fleurisse soudain, déclenchée par un événement ou un maître. Les grands maîtres peuvent accéder aux étages supérieurs. Ils font preuve, en vérité, de beaucoup d'amour, d'énergie, de clarté, de sagesse, de charisme, de compassion, de sensibilité et de puissance. Mais s'ils n'ont pas aussi maîtrisé les étages inférieurs, ils finissent en levant le pied avec l'argent ou en couchant avec leurs disciples.

— J'aimerais vraiment accéder aux étages supérieurs.

— Certaines techniques et substances mystiques sont suffisamment connues depuis des siècles pour qu'on puisse en donner des aperçus. Elles doivent être traitées comme des activités sacrées, plutôt que des divertissements, et peuvent servir utilement d'« avant-première des plaisirs qui nous attendent ». Beaucoup de gens bien intentionnés, seuls, dans l'ennui ou désespérés, provoquent des expériences spirituelles par un ensemble de techniques, continua-t-elle. Et alors ? Qu'y gagnent-ils ? Ils retournent à leur état normal plus déprimés que jamais. L'Esprit est toujours présent, avec nous, autour de nous, en nous. Mais il n'existe pas de raccourci pour parvenir à sa réalisation. Les pratiques mystiques amènent une élévation de la conscience, mais si les expériences ne reposent pas sur une vie responsable dans *cette* dimension, elles ne conduisent nulle part, dit-elle en abordant un tournant du chemin. Ceux qui cherchent à échapper aux problèmes de la vie quotidienne par des expériences spirituelles prennent la mauvaise route car leur quête ne fait qu'intensifier le malaise qui les a motivés au départ. Le désir de s'élever au-dessus de l'ennui, des désirs charnels et de la mortalité de ce monde est naturel et compréhensible. Mais ceux qui pratiquent des techniques personnelles pour se distraire des dilemmes de la vie quotidienne ne vont monter les degrés de l'échelle que pour découvrir qu'elle est appuyée contre le mauvais mur. Ce n'est pas en imaginant des lumières colorées ou en faisant de charmantes visualisations que l'on rencontre le Moi Supérieur, mais en acceptant sa volonté… en *devenant* le Moi Supérieur. Et on ne peut pas forcer ce processus. Il survient de son propre gré. La vie quotidienne constitue le terrain d'entraînement du guerrier pacifique. L'esprit nous donne tout ce dont nous avons besoin ici et maintenant. Nous évoluons non en cherchant à partir ailleurs, mais en faisant attention et en percevant tout ce qui est là, devant nous. Ce n'est qu'alors que nous pouvons franchir le pas suivant et passer à tel ou tel étage supérieur. Alors, dit-elle, en s'arrêtant et en me faisant face, quand les étages inférieurs sont dégagés, il se passe quelque chose de très subtil et d'enthousiasmant : nos mobiles subissent un rare et remarquable changement, passant de la *recherche* du bonheur à sa *création*. Finalement, cela ramène au service. Jésus a dit : « Le plus grand parmi vous est le serviteur de tous. » C'est là, Dan, le chemin du cœur, le sentier vers la montagne intérieure. Et notez bien mes paroles : un jour, vous servirez les autres non par intérêt personnel, culpabilité ou conscience sociale, *mais parce qu'il n'est rien d'autre qui plaise mieux*. Cela vous semblera aussi simple et agréable que de regarder un merveilleux film qui vous rend heureux et désireux de le partager avec les autres.

— Je ne sais pas si je suis capable de faire du service le centre de ma vie. Cela m'apparaît encore comme un fardeau.

— *Naturellement*, répondit-elle, parce que vous le voyez depuis le troisième étage. Mais de la fenêtre du quatrième, avec les yeux du cœur, la commodité, le confort personnel et la satisfaction ne seront plus au centre de votre existence. Chaque matin, vous serez heureux de vous lever pour aider une nouvelle âme, une autre partie de votre Être.

Mama Chia se tut au moment où notre marche était rendue dangereuse par une violente averse. Devant avancer par-dessus des racines entrelacées, il nous était difficile d'avancer et de parler en même temps. Je me concentrai sur mes tennis couverts de boue, battant une cadence détrempée sur la terre mouillée, et pensai à ce qu'elle m'avait dit. Nous pataugeâmes sous la pluie qui saturait la forêt, laissant plusieurs chutes d'eau, petites mais spectaculaires, le long de cet étroit sentier glissant.

Plus tard, lorsque le sentier s'élargit, Mama Chia se retourna, vit mon air préoccupé et dit :

— Ne soyez pas trop dur avec vous-même, Dan. Acceptez d'être là où vous en êtes. Ayez confiance en votre Moi Supérieur. Il vous appelle depuis votre enfance. Il vous a conduit à Socrate, et à moi. Acceptez-vous et servez, simplement. Servez par devoir, jusqu'à ce que vous le fassiez par amour, sans vous attacher aux résultats. Et quand vous serez satisfait de passer une centaine de vies – ou une éternité – à servir les autres, vous n'aurez plus besoin de pratiquer une voie, car vous serez devenu la Voie. Par le service, « vous », le Moi Conscient, évoluez en un Moi Supérieur, même pendant que vous êtes sous la forme humaine.

— Comment saurai-je quand le moment viendra ? demandai-je.

— Vous ne le saurez pas. Vous serez trop en extase pour vous en apercevoir ! répondit-elle, le visage rayonnant. Quand l'ego se dissout dans les bras de Dieu, l'Esprit se dissout dans la volonté de Dieu. N'essayant plus de contrôler votre vie et de lui faire prendre une certaine tournure, vous cessez de vivre et commencez à être vécu. Vous fusionnez avec un dessein plus large, un « contexte plus global ». C'est en cessant de se mettre en travers du chemin que l'on devient le chemin ! ajouta-t-elle.

— Je ne sais pas, soupirai-je. Cela me semble impossible.

— Quand vous êtes-vous déjà arrêté en route ? me demanda-t-elle.

— Vous marquez un point, dis-je en souriant.

— Si l'on avait dit à Joseph de Veuster quand il était petit garçon, ajouta-t-elle, qu'il consacrerait toute sa vie d'adulte à s'occuper des lépreux sur l'île de Molokai, lui aussi aurait peut-être pensé cela impossible. Mais Joseph est devenu le Père Damien et quand les lépreux furent abandonnés ici pour y languir et mourir, il entendit un appel, son appel, et les servit pendant le restant de ses jours. Et regardez Mère Teresa, le Mahatma Gandhi et...

— Et regardez-vous, lançai-je.

Nous descendîmes en traversant la forêt, nous dirigeant vers ma cabane et un repos bien mérité. Les racines des arbres et les roches firent place à l'herbe, aux feuilles et à la terre rouge humide. Nous étions tous deux fatigués et cheminions en silence. Je me concentrais pour respirer lentement et profondément, gardant la langue contre mon palais pour laisser circuler et équilibrer les énergies dans mon Moi Basique. J'inspirais non seulement l'air, mais la lumière, l'énergie et l'esprit.

Je pris conscience des chants d'oiseaux et l'écoulement ininterrompu des ruisseaux et des chutes d'eau – résultant des pluies d'orage – m'entraîna une fois de plus dans la beauté et le mystère de Molokai. Mais, pressante, harcelante, la question du service – sans doute un faible maillon de la chaîne de ma vie – remontait sans cesse à la surface de mon esprit.

— Mama Chia, dis-je, brisant notre silence, quand vous mentionnez le Père Damien ou Mère Teresa, je me rends compte à quel point je suis loin de leur ressembler. L'idée de travailler avec les lépreux et de servir les pauvres ne m'attire pas à ce stade de ma vie, même si je sais que ce serait bien de le faire.

Sans se retourner, elle me répondit :

— La plupart des êtres humains partagent vos sentiments. Les bonnes actions répondent à différents mobiles : au premier étage, vous ne trouvez que le service de soi ; au deuxième, le service est toujours lié à quelque chose ; au troisième, il est motivé par le devoir et la responsabilité. Je le répète, le véritable service ne commence qu'au quatrième niveau, lorsque la conscience réside dans le cœur.

Nous marchâmes jusque dans l'après-midi, nous arrêtant une fois pour cueillir quelques mangues. Ma faim n'étant que légèrement apaisée, je fus reconnaissant pour le restant de noix extrait du sac de Mama Chia. Elle grignota à peine, se satisfaisant de sa maigre part.

— Continuez comme cela, dis-je, et vous serez bientôt aussi mince qu'un modèle.

— Un modèle de *quoi* ? demanda-t-elle en souriant.

— Un modèle de sainte.

— Je ne suis pas une sainte, dit-elle. Il faut me voir dans les réceptions.

— Mais je vous y ai vue. Vous vous souvenez ? À Oahu.

En y repensant, était-il possible qu'il ne se fût écoulé que quelques semaines ? Il me semblait être là depuis des années. Je me sentais beaucoup plus vieux, et un peu plus sage aussi peut-être.

Nous entamâmes le dernier tronçon de notre retour et je demandai à Mama Chia :

— Comment vais-je faire ce saut dont vous parlez ? Après tout j'ai un travail, une famille à entretenir et d'autres engagements. Je ne peux pas simplement me promener en distribuant des choses et passer tout mon temps à assister les autres.

— Qui a dit que vous devriez le faire ? D'où tirez-vous cette idée ? fit-elle, puis elle sourit. Peut-être de la même source que moi, conclut-elle.

Ralentissant le pas, elle expliqua :

— En entrant à l'université, mes idéaux n'auraient pu être plus élevés. Je partais en quête du Saint-Graal, ni plus ni moins. Il ne s'écoulait pas un jour sans que je ne me sente coupable de fréquenter une si bonne université – lisant des livres et étudiant, voyant des films – alors que des enfants mouraient de faim dans d'autres parties du monde. Je me promis que mes études me prépareraient pour aider les moins chanceux que moi. Cet été-là, je fus envoyée en Inde avec une bourse d'études et mes idéaux en prirent un sacré coup. J'avais économisé un peu d'argent pour donner aux pauvres et dès que je descendis du train, une petite fille s'approcha de moi. Elle était belle – nette et propre, avec des dents blanches et brillantes malgré sa pauvreté. Elle mendiait poliment et je fus heureuse de lui donner une pièce. Ses yeux s'illuminèrent ! Et cela me fit chaud au cœur. Puis trois autres enfants accoururent et, en souriant gracieusement, je donnai aussi une pièce à chacun. Puis je fus entourée d'une quinzaine d'enfants, et ce ne fut que le début. Partout, des enfants mendiaient. Je n'eus bientôt plus de pièces. Je donnai mon sac et mon parapluie. Je donnai presque tout à l'exception des vêtements que je portais et de mon billet d'avion. Si cela devait continuer, je n'allais pas tarder à mendier moi aussi. Il fallait que cela s'arrête quelque part. Je devais apprendre à dire non sans durcir mon cœur. Ce fut douloureux mais nécessaire. Je n'avais pas fait vœu de pauvreté – et vous non plus. Certes, ce monde a besoin de plus de compassion. Mais nous avons tous des appels différents. Certains travaillent à la bourse, d'autres dans les prisons. Certains vivent dans le luxe, tandis que d'autres sont sans domicile. Certains délibèrent sur le type de marbre importé qu'ils vont mettre dans leurs piscines privées, tandis que d'autres meurent de faim dans les rues. Les riches sont-ils pour autant des bandits et les pauvres des saints ? Je ne pense pas. Des karmas complexes sont en jeu. Chacun de nous joue son rôle. Chacun de nous est né dans des circonstances destinées à nous mettre au défi et à nous faire évoluer. Un mendiant peut avoir été riche dans une autre vie. L'inégalité a toujours existé, et elle continuera jusqu'à ce que la conscience de l'humanité s'élève *au moins* jusqu'au troisième étage. Avec le temps, j'ai fini par accepter ma culpabilité de vivre dans le confort et d'avoir suffisamment à manger. Sinon, comment pourrait-on avaler une bouchée tandis que les autres meurent de faim ?

— Comment réagissez-vous à ces sentiments ? demandai-je.

— Cette question elle-même révèle l'éveil de votre cœur, dit-elle. Je réagis en faisant preuve de bonté dans mon entourage immédiat. J'accepte le rôle qui m'a été attribué et vous suggère de faire de même. Il n'y a rien de mal, pour un guerrier pacifique, à gagner de l'argent en faisant ce qu'il ou elle aime et en servant les autres. Ces trois éléments sont importants. *Il n'y a rien de mal* à souffrir, à aimer, à être heureux en dépit des difficultés de ce monde. Trouvez votre propre équilibre. Faites ce que vous pouvez, mais prenez le temps de rire et de profiter de la vie. Tout en sachant, toutefois, que votre style de vie change naturellement à mesure que votre conscience s'élève dans la tour de la vie. Vos besoins se simplifient. Vos priorités – la façon de dépenser votre temps, votre argent et votre énergie – changent toutes.

— J'ai de hauts idéaux, moi aussi, Mama Chia. Je veux m'en approcher. Je veux changer.

— Pour changer, la première étape consiste à accepter où vous vous trouvez maintenant. Acceptez *complètement* votre processus. Vos jugements négatifs sur vous-même ne font que maintenir en place les schémas existants, car le Moi Basique peut devenir très obstiné et défensif. S'accepter donne à l'enfant subconscient qui est en vous l'espace dont il a besoin pour croître. Le moment où cela se produit dépend entièrement de Dieu, non de nous.

16

De sombres nuages par une
journée ensoleillée

Là sont les larmes des choses ;
la mortalité touche le cœur.

Virgile

J'étais saturé, Mama Chia le sentit parfaitement. Je passai les derniers kilomètres à laisser mon esprit et mon cœur se reposer, mais hélas pas mes pieds. Presque à bout de forces, j'étais plus entraîné par l'élan de la pente que par des réserves d'énergie. Il me parut à nouveau incroyable que cette femme d'un certain âge ait pu parcourir tous ces kilomètres en boitillant à chaque pas.

À un peu plus d'un kilomètre de la cabane, Mama Chia s'engagea sur un chemin autre que celui dont j'avais le souvenir. Quelques minutes plus tard, nous parvînmes à une maisonnette proche d'un ruisseau en cascade. En approchant par le haut, j'aperçus en contre-bas un jardin japonais avec un grand rocher – une île dans un océan de gravillon ratissé – et un bonsaï s'arquant vers le haut en parfait équilibre avec l'ensemble. Au-dessus de lui s'étendait un autre jardin en terrasse offrant fleurs et légumes.

La maisonnette était elle-même surélevée sur pilotis.

— Nous avons parfois beaucoup d'eau ici, expliqua Mama Chia, prévenant ma question.

Nous montâmes trois marches en rondins pour entrer. Le décor était la parfaite image de Mama Chia : un long futon bas, une moquette verte comme les feuillages de la forêt, au mur quelques peintures, et des poufs de méditation avec des coussins assortis.

— Désirez-vous du thé glacé ? demanda-t-elle.

— Volontiers, dis-je. Avez-vous besoin d'aide ?

Elle sourit.

— Même si ce thé est pour deux, il n'est pas besoin d'être deux pour le préparer. La salle de bains est là, précisa-t-elle en indiquant la gauche, et elle se dirigea vers la cuisine. Mettez-vous à l'aise. Passez un disque si vous voulez.

En sortant de la salle de bains, je cherchai l'électrophone et découvris un ancien modèle qui se remonte, une antiquité.

Quand elle apporta le thé, accompagné de quelques tranches de papaye fraîche, Mama Chia semblait aussi paisible, chez elle dans son environnement, que si elle ne l'avait jamais quitté, alors qu'elle m'avait entraîné dans une expédition éreintante à travers la montagne.

Quand nous eûmes terminé, je débarrassai la table et fis la vaisselle. Mama Chia me dit :

— Nous sommes à un kilomètre et demi de votre cabane. J'imagine qu'un peu de repos ne vous ferait pas de mal.

— En effet, acquiesçai-je. À vous non plus.

Elle s'agenouilla à la japonaise sur un coussin face à moi et me regarda droit dans les yeux.

— J'ai l'impression d'avoir appris à bien vous connaître ces derniers jours.

— C'est réciproque, répondis-je. Vous me stupéfiez ! Socrate sait vraiment choisir ses amis !

Je lui souriais.

— Oui, c'est vrai, approuva-t-elle.

Je supposais qu'elle voulait parler de moi.

—C'est étrange, vous savez. Nous ne nous connaissons que depuis quelques semaines, mais il me semble que cela fait beaucoup plus longtemps.

—C'est comme une déformation du temps, dit-elle.

—Oui, exactement – et il va me falloir du temps pour assimiler tout ce que j'ai appris, lui dis-je.

Il y eut un silence, puis elle déclara :

—Peut-être est-ce tout l'objet de la vie, nous donner le temps d'assimiler ce que nous apprenons.

Nous restâmes assis un moment, appréciant la sérénité de sa maison et le plaisir de notre compagnie réciproque. Soudain, quelque chose me poussa à lui dire :

—Je vous suis si reconnaissant, Mama Chia.

—Reconnaissant, à *moi* ?

Elle rit, trouvant apparemment cela drôle ou même absurde.

—J'en suis heureuse pour vous, la gratitude est un sentiment bon et sain. Mais quand vous avez soif et que quelqu'un vous donne à boire, êtes-vous reconnaissant au verre ou à la personne qui vous a donné l'eau ?

—À la personne, répondis-je.

—Je ne suis que le verre, expliqua-t-elle. Envoyez vos remerciements à la Source.

—Je le ferai, Mama Chia, mais j'apprécie également le verre !

Nous rîmes ensemble, puis son sourire pâlit un peu.

—Je dois vous dire quelque chose, Dan, juste au cas où…

Elle hésita un instant.

—J'ai des problèmes de santé, je risque une attaque. La dernière m'a laissé cette claudication, ce tremblement de la main et une perte de vision à un œil. La prochaine, si j'en ai une, sera fatale.

Elle s'était exprimée sur un ton anodin. Une onde de choc me parcourut.

—Le docteur qui a établi le premier diagnostic et le spécialiste qui l'a confirmé ont dit que je pouvais vivre normalement, avec les précautions habituelles, mais que mon espérance de vie était très faible. Ils ne peuvent pas faire grand-chose. Ils me donnent des médicaments, mais...

Assise immobile, elle attendit que je me ressaisisse. Je la regardai dans les yeux, puis regardai le sol, puis la regardai de nouveau dans les yeux.

— Ne pas vous surmener dans de longues randonnées fait-il partie de ces précautions d'usage auxquelles ces docteurs ont fait allusion ?

Mama Chia me regarda avec compassion.

— Vous comprenez maintenant pourquoi je ne vous ai rien dit plus tôt.

— Oui... parce que je n'y serais jamais allé !

Des sentiments de colère, d'inquiétude, de chagrin, de crainte, de tendresse, de trahison et de culpabilité m'envahirent.

Un lourd silence tomba dans la pièce.

— Vous avez dit que la prochaine attaque serait fatale. Ne voulez-vous pas dire « pourrait être » fatale ?

Elle hésita avant de déclarer :

— Je pressens que je vais bientôt mourir. Je le sens. Je ne sais pas quand exactement.

— Y a-t-il quoi que ce soit que je puisse faire ? finis-je par demander.

— Je vous le ferai savoir, dit-elle avec un sourire réconfortant.

— Avec tout ce que vous savez, avec le rapport que vous avez avec votre Moi Basique, ne pouvez-vous pas vous guérir toute seule ?

— Je me suis posé maintes fois cette question, Dan. Je fais ce que je peux. Le reste dépend de l'Esprit. Il est des choses que l'on doit accepter. Toute la pensée positive du monde ne fera pas repousser une jambe coupée. Mon problème est du même ordre.

— Cet ami dont je vous ai parlé, celui qui est mort, lui rappelai-je, en apprenant qu'il était malade, il a ressenti tout ce qu'on peut ressentir dans une telle situation – le choc, le refus, la colère et, finalement, l'acceptation. Il me semble qu'il avait la possibilité soit de vaincre la maladie – de consacrer tout son temps, son énergie et sa volonté à la combattre – soit d'accepter au plus profond de lui qu'il allait mourir, de renoncer, de faire la paix avec le monde, régler ses affaires, et utiliser cela d'une certaine manière pour son évolution. Mais il n'a fait ni l'un ni l'autre, dis-je tristement. Il a fait ce que la plupart des gens feraient, j'imagine. Il a hésité, faisant des efforts mitigés, sans jamais vraiment lutter contre la mort ni l'accepter, jusqu'à la fin. Il m'a déçu.

C'était la première fois que je confiais ce sentiment à quelqu'un. Les yeux de Mama Chia brillaient.

— Socrate serait fier de vous, Dan. C'était très sage de votre part de voir cela. J'ai vu des gens céder complètement devant la mort et, dans cette renonciation, ils trouvèrent la guérison. Dans mon cas, je me bats pour la vie, tout en acceptant la mort. Je vais vivre, vraiment vivre, jusqu'à ce que je meure, que ce soit aujourd'hui, demain, le mois prochain ou l'année prochaine. C'est tout ce que l'on peut faire.

Elle me regarda et je pense qu'elle sentit ma frustration et à quel point je voulais l'aider.

— Il n'y a pas de garanties dans cette vie, dit-elle. Nous vivons tous de la meilleure manière que nous connaissons. J'écoute les messages de mon Moi Basique et leur fais confiance. Mais parfois, malgré tout…

Elle finit sa phrase par un haussement d'épaules.

— Et comment faites-vous face, sachant qu'à tout moment…

— Je n'ai pas peur de la mort. Je la comprends beaucoup trop bien. Mais j'aime la vie ! Et plus je ris et je m'amuse, plus mon Moi Basique me donne d'énergie pour continuer à danser.

Elle serra mes deux mains.

— Vous m'avez amusé et fait rire ces derniers jours !

Mes yeux commencèrent à piquer. Des larmes coulèrent et je la serrai dans mes bras.

— Allez, proposa-t-elle, je vous raccompagne.

— Non! dis-je vivement. Enfin… je trouverai mon chemin. Vous devez vous reposer.

— C'est tentant, accorda-t-elle en s'étirant et en bâillant.

Alors que j'allais partir, elle me rappela et dit :

— Maintenant que vous m'en parlez, il y a quelque chose que vous pouvez faire pour moi.

— Vous n'avez qu'à dire.

— J'ai quelques courses à faire, des gens à voir. Vous pouvez m'aider, si vous le voulez, en portant mon sac et d'autres choses du genre. Vous êtes pris demain?

— Je vais vérifier mon carnet de rendez-vous! dis-je, heureux de cette invitation.

— D'accord! répondit-elle. À demain donc. Et Dan, s'il vous plaît, que cela ne vous perturbe pas.

Puis, sur un petit signe de la main, elle se retourna. Je descendis lentement les marches devant la maison pour reprendre le chemin vers ma cabane. Me dirigeant à travers les arbres, je me demandai si j'éprouverais jamais ce qu'elle ressentait – aider les autres pour l'amour de la chose, sans penser à moi. Puis une idée me vint. Était-il possible que Socrate m'ait envoyé là non seulement pour recevoir son aide, mais pour l'aider elle aussi d'une certaine manière? Cela me frappa de nouveau : il travaillait dans une station-service.

Quand je parvins à la cabane, deux choses étaient claires dans mon esprit : Socrate m'avait bien envoyé là pour apprendre à servir, et j'avais beaucoup à payer en retour.

Le lendemain, de bon matin, j'entendis le chant sonore d'un oiseau là, dans mon oreille, et sentis un léger poids sur ma poitrine. J'ouvris les yeux avec précaution et vis Redbird, l'ami de Mama Chia, l'apapane.

— Bonjour, Redbird, dis-je doucement sans bouger.

Il pencha simplement la tête, poussa un autre gazouillis et s'envola par la fenêtre.

— Je vois que l'oiseau matinal est arrivé avant moi, dit Mama Chia en entrant, désignant un arbre juste au dehors où il s'était perché et chantait maintenant.

— Je suis prêt à partir, dis-je en nouant les lacets de mes chaussures, me rappelant que je m'étais promis de ne pas être triste et larmoyant. Par quoi commençons-nous ?

— Par le petit déjeuner.

Elle me tendit du pain frais, encore chaud.

— Merci ! dis-je en m'asseyant sur le lit pour manger. Au fait, je voulais vous demander. Est-ce que cette cabane vous appartient ?

— C'est un cadeau. Le père de Sachi l'a construite il y a quelques années.

— Chouette cadeau, dis-je, la bouche pleine.

— C'est un chouette type.

— Quand le rencontrerai-je ?

— Il est parti travailler sur un chantier. On ne construit pas beaucoup à Molokai en ce moment, alors quand une occasion se présente…

Elle haussa les épaules.

— Et où est Sachi ?

— Elle devrait arriver d'une minute à l'autre. J'ai dit qu'elle pourrait nous accompagner.

— Tant mieux, je l'aime bien.

Sachi entra juste à cet instant et rougit en entendant mes paroles.

Mama Chia prit un sac à dos et me montra celui que je devais porter. Je le soulevai.

— C'est lourd. Il est plein de pierres ou quoi ?

— En vérité, oui, dit-elle. Je voulais apporter à Fuji et Mitsu quelques pierres de choix pour leur rocaille. Et l'exercice vous fera du bien.

— S'il devient trop lourd pour vous, je pourrai le porter, proposa Sachi avec un sourire creusé de fossettes.

— S'il devient trop lourd, c'est *moi* que tu porteras, lançai-je en retour dans un rire.

Me tournant vers Mama Chia, je demandai :

— Fuji n'est-il pas le photographe dont vous m'avez parlé ? Sa femme et lui ne viennent-ils pas d'avoir un bébé ?

— Oui. Maintenant, il s'occupe de jardinage paysager et travaille à Molokai Ranch. Il manie les outils avec une grande habileté.

Fuji et Mitsu nous accueillirent avec chaleur et courtoisie et nous présentèrent leur bébé, Toby, qui était profondément endormi et nullement impressionné.

— Il n'est arrivé qu'il y a quelques semaines, avec l'aide de Mama Chia, annonça Fuji.

— Cela vaut pour moi aussi. J'espère que son voyage a été plus facile que le mien, dis-je, souriant à Mama Chia et faisant glisser le sac plein de pierres de mes épaules. Je le laissai tomber sur la véranda avec un bruit sourd.

— Des pierres pour votre jardin, expliqua Mama Chia à Fuji tandis que j'étirai mes bras et mes épaules.

Puis elle proposa, principalement à mon intention :

— Si elles ne correspondent pas exactement à ce que vous voulez, nous les remporterons sans problème.

À la vue de mon expression, tout le monde éclata de rire.

La cabane était pleine de bibelots et de souvenirs disposés avec soin sur de nombreuses étagères. Je remarquai également de belles photos de vagues, d'arbres et de ciel – probablement prises par Fuji. Entourée d'arbres de toutes parts, avec des plantes pendantes décorant les murs, c'était une belle maison, une maison heureuse. Nous entendîmes les cris du bébé, réveillé par la faim.

Tandis que Mama Chia s'occupait de Mitsu et de son nouveau-né, Fuji proposa de me faire visiter le jardin.

— Mitsu et Fuji ont un beau jardin ! dit Sachi avec enthousiasme.

Et c'était vrai : des choux, des pieds de maïs, des rangées de haricots et de courges. Je vis des tubercules de taro percer hors de terre. Au bord du jardin se trouvait d'un côté un avocatier et, en sentinelle à l'opposé, un figuier.

—Nous avons aussi de bonnes pommes de terre! dit fièrement Fuji.

Je sentais partout les esprits de la nature. Je remarquai que mon Moi Basique me parlait plus clairement depuis peu, ou peut-être écoutais-je mieux.

Après notre visite, nous nous assîmes sur la véranda et parlâmes de jardinage paysager, de photographie et d'autres choses, jusqu'à la réapparition de Mama Chia.

Quand nous nous séparâmes, Fuji tint à me serrer la main.

—S'il y a quoi que ce soit que je puisse faire pour vous, Dan, n'hésitez pas à demander.

—Merci, dis-je, animé d'une authentique sympathie pour cet homme, mais ne m'attendant pas à le revoir. Saluez encore votre famille pour moi.

Mitsu nous adressa des signes depuis la maison, son bébé contre sa poitrine, et nous nous engageâmes sur la route.

—Nous allons en ville, me dit Mama Chia. J'emprunte la voiture de Fuji quand il n'en a pas besoin.

Elle se serra derrière le volant du petit camion et recula le siège pour pouvoir respirer. Je me glissai du côté du passager. Sachi sauta à l'arrière.

—Accroche-toi à la vie! cria Mama Chia à la fillette qui gloussait de plaisir tandis que nous avancions en cahotant sur le chemin de terre et de gravier avant d'atteindre la route principale à deux voies.

—Aller en ville, pensai-je. Quelle expression! Je n'avais pas vu beaucoup de civilisation depuis que j'avais marché sur cette plage près de Makapuu Point, il y avait des semaines. Je me sentais un peu bête, mais réellement excité.

La ville de Kaunakakai, sur la côte sud de l'île, me rappela un décor d'Hollywood – une rue commerçante de trois pâtés de maisons, avec des immeubles en bois, en brique, aux peintures pâlies. À l'entrée de la ville, un panneau annonçait : Pop. 2.200.

Un quai s'étendait sur un kilomètre et demi jusqu'au port de la petite station balnéaire.

Mama Chia entra dans une boutique pour faire des courses. J'attendis dehors avec Sachi, que fascinait la vitrine d'une boutique de cadeaux voisine. Je vis quatre grands adolescents hawaïens approcher et s'arrêter près de nous. Ignorant l'impression de mon Moi Basique que « quelque chose n'allait pas », je ne leur prêtai aucune attention, jusqu'à ce que l'un d'eux se retourne soudain et arrache la fleur des cheveux de Sachi.

Elle s'indigna :

— Rendez-la-moi !

L'ignorant, ils commencèrent à effeuiller les pétales un à un.

— Elle m'aime, elle ne m'aime pas, elle m'aime, elle ne m'aime pas...

L'un des garçons dit :

— Qu'est ça peut faire, elle est pas assez grande pour...

— Allez, donnez-moi la fleur, dis-je dans un accès de bravade, ou de stupidité.

Ils se tournèrent vers moi et me jetèrent un regard furieux. Je l'avais dit.

— Vous v'lez cet'fleur ? lança le plus grand.

Il me dépassait de quinze centimètres, pesait cinquante kilos de plus et avait un ventre de buveur de bière et, soupçonnai-je, du muscle sous sa masse avachie.

— Pourquoi tu la prends pas ? me défia-t-il avec un grand sourire à l'intention de ses amis.

Tandis que les autres jeunes durs venaient m'encercler, Buveur-de-Bière suggéra :

— T'as p't'être envie d'la porter ?

— Nan, dit un autre punk. C'est pas un pédé ; j'crois qu'c'est sa copine.

Il désignait Sachi, maintenant gênée et un peu effrayée.

—Donnez-moi simplement la fleur! commandai-je.

C'était une grosse erreur.

Buveur-de-Bière me donna une bourrade qui me fit basculer en arrière.

—Viens la prendre toi-même, *haole*, lança-t-il.

Saisissant son poignet, je tentai de m'emparer de la fleur. Il la jeta et m'envoya un coup de poing qui effleura ma tête et que j'évitai vivement. Je ne voulais pas frapper ce type. Je voulais juste sortir Sachi de ce mauvais pas. Mais les choses étaient allées trop loin. Je repoussai mon attaquant de toutes mes forces et il partit en arrière, trébucha sur une boîte de bière et tomba lourdement. L'un de ses amis éclata de rire. Il se releva furieux, suffisamment hors de lui pour tuer, et il en était capable. C'est alors que le patron du magasin se précipita à temps pour me sauver la vie.

—Hé, les garçons! hurla-t-il comme s'il les connaissait. Pas de bataille ici si vous voulez revenir, compris?

Buveur-de-Bière s'arrêta, regarda l'homme, puis me jeta un regard noir en me désignant d'un doigt fendant l'air comme un couteau.

—La prochaine fois, j'te crève!

Et ils s'éloignèrent d'un pas désinvolte.

—Vous venez de vous faire un dangereux ennemi, me dit le patron du magasin. À propos de quoi donc vous battiez-vous?

—De ça, répondis-je en ramassant la fleur et en lissant ce qu'il en restait.

—Merci de les avoir découragés.

Secouant la tête, l'homme rentra dans sa boutique en marmonnant :

—Ces fous de touristes.

Quand Sachi s'approcha de moi et posa sa main sur mon bras, je me rendis compte que je tremblais.

—Ça va? s'inquiéta-t-elle.

—Oui, répondis-je, tout en sachant que ce n'était qu'à moitié vrai.

Mon Moi Conscient avait conservé son calme, mais mon Moi Basique était secoué. Ma mère, idéaliste dans un monde pas-si-idéaliste, m'avait toujours dit depuis mon plus jeune âge : « Ne te bats jamais ! Ne te bats jamais ! » Je n'avais pas de frère et ne savais pas comment gérer les confrontations physiques. Je regrettais que Socrate ne m'ait pas un peu appris ses arts martiaux.

—Ça va, répétai-je. Et toi ?

—Ça va aussi, dit-elle.

Je lui tendis la fleur.

—La voici… presque comme neuve.

—Merci.

Elle sourit, puis son sourire s'évanouit tandis qu'elle regardait s'éloigner le gang de voyous.

—Je les ai déjà vus. Ce ne sont que des fanfarons. Entrons dans le magasin, je crois que Mama Chia a fini.

En portant les sacs d'épicerie jusqu'à la camionnette, je vérifiai qu'ils n'étaient pas là et décidai d'apprendre à me défendre et à protéger les autres, si nécessaire. Le monde pouvait présenter des dangers et les gens n'étaient pas toujours bons, qu'il s'agisse d'un punk des rues ou de quelqu'un d'autre. Je ne pouvais ignorer cette partie de ma vie. Si ce commerçant n'était pas sorti… Je me promis de ne jamais laisser une telle situation se reproduire.

—Vous vous êtes bien amusés tous les deux ? demanda Mama Chia en montant dans la camionnette.

—Bien sûr, affirmai-je en regardant Sachi. Je me suis même fait de nouveaux amis.

—C'est une bonne chose, dit-elle en souriant. Quand nous aurons rangé ces courses, je vous présenterai des gens pas comme les autres.

—C'est gentil, dis-je machinalement, sans avoir la moindre idée de qui il pouvait s'agir.

En fin d'après-midi, nos commissions terminées, nous rendîmes le véhicule à Fuji. Sachi sauta de l'arrière et, lançant un « À plus tard ! », détala sur le chemin de terre battue.

— Les clés sont dans la camionnette, cria Mama Chia à Fuji avec un salut de la main.

Puis nous nous engageâmes sur le chemin menant à son logis. J'insistai pour porter la plus grande partie des courses – trois gros sacs – mais laissai un petit sac à Mama Chia.

— Je ne vois pas pourquoi je dois porter ce sac, gémit-elle. Après tout, je suis une grande shaman kahuna et votre aînée – et vous pourriez bien le prendre entre les dents.

— Je suis fainéant, confessai-je, mais je sais que vous allez me délivrer de mes tendances à la paresse.

— Le guerrier paresseux, dit-elle. Cela me plaît. Cela sonne bien.

Je l'aidai à ranger les achats et me dirigeai vers la porte. Je l'entendis annoncer derrière moi :

— Rendez-vous dans une heure environ, dans votre cabane.

17

Le courage du banni

> *Si je ne suis pas pour moi,*
> *Qui le sera ?*
> *Si je ne suis que pour moi,*
> *Que suis-je ?*
> *Si pas maintenant, alors quand ?*

HILLEL, *Maximes des Pères*

Cette randonnée s'avéra presque aussi lointaine que la précédente, mais dans la direction opposée. Après quoi, un propriétaire de ranch de Molokai nous prit en stop pour une partie du chemin sur une longue route de terre, presque jusqu'à la chaîne de montagnes. À partir de là, nous restâmes sur la piste qui descendit abruptement puis remonta de nouveau.

Chaque fois que Mama Chia commençait à respirer difficilement, je lui demandais comment elle se sentait. À la quatrième ou cinquième fois, elle se tourna vers moi et, proche de la colère comme je ne l'avais encore jamais vue, lança :

— Si vous me posez encore une fois la question, je vous renvoie à la maison avec un bon coup de pied ! Compris ?

En fin d'après-midi, nous atteignîmes le haut d'une montée et Mama Chia s'arrêta brusquement, tendant le bras pour me retenir. Si elle ne l'avait pas fait, on aurait peut-être assisté l'instant suivant à mon éphémère carrière d'oiseau. Nous nous tenions au bord d'une falaise tombant à pic trois cents mètres avec une vue magnifique : des nuages flottaient sur une mer bleu-vert et un albatros glissait sur les vagues loin en bas. Mes yeux suivirent l'oiseau qui prenait son envol jusqu'à ce que je remarque une sorte de localité entourée de hauts palmiers.

— Kalaupapa, désigna Mama Chia.

— Qu'y trouve-t-on ? demandai-je.

— Une clé pour l'ascenseur.

Sans me laisser le temps de méditer ses paroles, Mama Chia se retourna et entra dans un trou dans la terre. En la rattrapant, je me retrouvai dans une sorte d'escalier, raide et sombre, taillé dans la falaise. Pas un mot ne fut prononcé ; j'avais déjà assez de mal à ne pas tomber.

Tandis qu'elle me guidait dans cette descente, un jeu mouvant de lumières et d'ombres s'offrait à nous, les rayons du soleil pénétrant par les orifices de l'escalier en colimaçon. Nous émergeâmes finalement de la falaise, nous retrouvant au grand jour et poursuivant la descente, en nous assurant par les prises de nos mains contre une chute fatale sur les rochers en contrebas.

— Peu de gens utilisent ce passage, déclara Mama Chia.

— Cela ne m'étonne pas ; vous êtes sûre que ça va...

Elle m'arrêta en me fusillant du regard.

— Il y a un chemin muletier, mais qui fait trente-six détours. Celui-ci est plus rapide.

La conversation cessa jusqu'à ce que nous abordions une pente abrupte et descendions dans une large vallée entre les hautes crêtes, les falaises et la mer. Une végétation luxuriante et des rangées d'arbres bordaient une petite localité. Au-delà, le sable et la mer. Des alignements d'immeubles évoquant des baraquements, simples et clairsemés, et quelques petites villas se dressaient près de la mer au milieu des palmiers. Même dans cette baie abritée, la localité était plus spartiate que luxueuse et ressemblait plus à un avant-poste militaire qu'à un lieu de vacances et d'évasion.

En approchant, je vis des gens. Quelques femmes âgées travaillaient dans ce qui ressemblait à une zone de jardins. Un homme seul, âgé lui aussi, utilisait une sorte de meule… J'étais trop loin pour bien voir.

Lorsque nous traversâmes la localité, les gens nous regardèrent amicalement, mais leurs visages portaient souvent des cicatrices. La plupart d'entre eux se tournèrent vers nous et firent signe de la tête en souriant à Mama Chia – qu'ils semblaient bien connaître – tandis que les autres restaient absorbés par leur tâche.

—Ce sont les lépreux de Molokai, me chuchota Mama Chia tandis qu'une douce brise nous enveloppait. Ils ont été abandonnés ici pour la première fois en 1866, par peur et par ignorance, et mis en quarantaine pour le restant de leurs jours. Le Père Damien est venu en 1873 et a servi cette communauté jusqu'à ce qu'il contracte la maladie et en meure seize ans plus tard.

—Il est mort de la maladie ? C'est contagieux ?

—Oui, mais difficile à attraper. Il n'y a pas de quoi s'inquiéter.

En dépit de la belle assurance de Mama Chia, j'étais inquiet. Des lépreux ! Je n'en avais vu que dans des films bibliques, quand Jésus accomplissait des guérisons miraculeuses. Lui n'avait pas peur d'attraper quoi que ce soit, mais c'était *Jésus. Et moi, j'avais peur*.

—Des médecins classiques s'occupent de ces gens, m'expliqua Mama Chia tandis que nous avancions dans le village. Bien que les lépreux soient pour la plupart des Hawaïens de pure souche, beaucoup sont chrétiens et ne croient pas en la médecine *huna*. Mais j'en conseille quelques-uns. Ce sont des gens qui ont fait des expériences ou des rêves inhabituels – des choses que leurs docteurs ne comprennent pas.

Tout en m'appliquant à rester discret, je vis chez certaines personnes des anomalies criantes. Une femme en train de lire, assise sur une chaise, n'avait pour jambe qu'un petit moignon. Un homme avait perdu les deux mains, ce qui ne l'empêchait pas de meuler quelque chose avec un outil électrique.

— Il fait de beaux bijoux, des dauphins en argent, glissa Mama Chia.

D'autres personnes sortirent de leurs bungalows à mesure que la nouvelle de notre arrivée se répandait. La plus jeune avait la quarantaine et la tête bandée. Une femme plus âgée aux cheveux clairsemés vint à nous en souriant. Son visage portait des plaies et il lui manquait plusieurs dents.

— *Aloha*, dit-elle à Mama Chia, puis à moi.

Son sourire était lumineux, amical et curieux. Elle fit un geste de la tête dans ma direction et demanda à Mama Chia :

— Qui est ce *kane* (homme) ?

— Il est venu pour *kokua* (aider), répondit Mama Chia dans son meilleur petit-nègre. C'est mon porteur, ajouta-t-elle fièrement en me désignant, amenant un sourire rayonnant, bien que fragmenté, de la part de la vieille femme. Il va peut-être rester quelques jours pour aider. C'est le seul moyen que j'aie d'éloigner de moi ces beaux garçons, conclut-elle pour faire bonne mesure.

La vieille rit et dit quelque chose en hawaïen. Mama Chia haussa les sourcils et rit de bon cœur.

Déconcerté, je me tournai vers Mama Chia.

— Avez-vous dit que nous restions quelques jours ?

Elle ne m'avait pas prévenu.

— Pas nous, vous.

— Vous voulez que je reste quelques jours ? Est-ce vraiment nécessaire ?

Elle me regarda un peu tristement, sans rien dire. J'avais honte, mais n'éprouvais aucune envie de rester.

— Je sais que vous voulez bien faire et que cela serait peut-être bon pour moi. Mais il y a des gens qui sont faits pour ce genre de choses, comme le Père Damien. La vérité, c'est que je n'ai jamais été du genre à fréquenter les hôpitaux ou les soupes populaires. Je respecte les gens qui le font, mais ce n'est pas ma vocation, vous comprenez ?

Elle me regarda de nouveau de la même manière, avec le même silence.

— Mama Chia, essayai-je d'expliquer, je recule si quelqu'un *éternue* dans ma direction. Je n'aime pas être dans l'entourage de malades. Et vous me proposez de rester ici et de me mêler aux lépreux ?

— Absolument, dit-elle en se dirigeant vers une construction en bas sur la plage.

Je la suivis jusqu'à une sorte d'immeuble central, une cantine.

Juste avant que nous n'entrions, elle m'expliqua :

— À l'exception des docteurs et des prêtres, les visiteurs sont rares ici. Vos yeux seront un miroir pour ces gens. Ils seront sensibles à vos réactions. Si vous les regardez avec peur ou révulsion, c'est ainsi qu'ils se verront. Vous comprenez ?

Avant même que je puisse répondre, nous fûmes entourés par plusieurs hommes et femmes qui se levèrent, de toute évidence heureux de voir Mama Chia qui me prit son sac à dos et en sortit un paquet de noix et ce qui ressemblait à une sorte de cake de sa fabrication.

— C'est pour Tia, dit-elle. Où est Tia ?

Les gens venaient également vers moi.

— *Aloha*, dit une femme en m'effleurant l'épaule.

J'essayai de ne pas avoir de mouvement de recul et observai que ses deux mains semblaient normales.

— *Aloha*, répondis-je avec un sourire de façade.

À ce moment, je remarquai que des gens se poussaient pour laisser passer une femme, la plus jeune que j'aie vue et qui paraissait avoir un peu moins de quarante ans. Elle semblait enceinte d'environ six mois. C'était tout un spectacle de les voir, Mama Chia et elle, tenter de s'étreindre. En souriant, elles s'approchèrent l'une de l'autre prudemment, en se mettant de côté, comme deux dirigeables essayant de s'accoster.

Tia était à vrai dire très jolie, même avec une main estropiée et un bras bandé. Mama Chia lui donna le cake.

— C'est pour toi... et le bébé, dit-elle.

— *Mahalo*! lança Tia en riant, puis elle se tourna vers moi. C'est votre nouveau fiancé? demanda-t-elle à Mama Chia.

— Non! répliqua cette dernière. Tu sais bien que mes fiancés sont plus beaux... et plus jeunes.

Elles rirent de nouveau.

— Il a insisté pour venir donner un coup de main dans le jardin pendant quelques jours. C'est un garçon solide qui a appris avec plaisir le règlement selon lequel les volontaires travaillent jusqu'à la tombée de la nuit.

Mama Chia se tourna vers moi et annonça avec un ample geste de la main :

— Tia, ce garçon s'appelle Dan.

Tia m'accueillit avec chaleur, puis elle se tourna vers Mama Chia.

— Je suis si heureuse de vous voir! Elles s'étreignirent de nouveau et Tia s'en fut montrer le cake aux autres.

Nous nous assîmes pour manger. Une femme m'offrit un plateau de fruits frais. Elle était très gracieuse, mais je ne pus m'empêcher de remarquer qu'elle n'avait qu'un œil dans un visage marqué de cicatrices. Je n'avais pas très faim et allais le lui dire, lorsque je regardai son œil. Nous établîmes une sorte de contact. Son œil était si clair et brillant que je crus un instant y voir son âme, qui ressemblait exactement à la mienne. J'acceptai ce qu'elle m'offrait.

— *Mahalo*, dis-je.

Plus tard, Mama Chia et moi étions assis seuls sur deux vieilles chaises en bois quand je lui demandai :

— Pourquoi Tia était-elle si reconnaissante pour un cake ?

Elle éclata de rire.

—Ce n'était pas pour le cake... bien que les miens soient délicieux! Elle était reconnaissante parce que j'ai trouvé une famille pour son bébé.

—Quoi?

Elle me regarda comme si j'étais très bête et qu'elle allait devoir articuler très lentement.

—Avez-vous remarqué qu'il n'y a pas d'enfants ici? Leur présence n'est pas autorisée à cause de la maladie. Les enfants nés de lépreux n'ont généralement pas la maladie, mais ils sont plus prédisposés et ne peuvent donc pas vivre ici. C'est peut-être le plus triste de tout, car ces gens ont une affection toute particulière pour les enfants. Deux mois avant la naissance de son enfant, la femme doit partir, le mettre au monde ailleurs et lui dire au revoir.

—Cela signifie que Tia ne verra pas son enfant... elle doit l'abandonner?

—Oui, mais j'ai trouvé une famille pas très loin. Elle pourra lui rendre visite. C'est pourquoi elle est si heureuse.

Sur ces mots, Mama Chia se leva brusquement.

—J'ai des gens à voir et des choses à faire. Alors à bientôt, lança-t-elle.

—Attendez une minute. Je n'ai pas dit que je restais.

—Eh bien, restez-vous?

Je ne répondis pas immédiatement. Nous marchâmes en silence en descendant vers un groupe de bungalows et la plage, quelques centaines de mètres plus loin. Puis je demandai:

—Venez-vous ici pour leur délivrer un enseignement?

—Non, pour apprendre d'eux.

Elle fit une pause, cherchant ses mots.

—Ce sont des gens ordinaires, Dan. Sans leur maladie, ils travailleraient dans des champs de canne à sucre, vendraient des assurances, pratiqueraient la médecine, travailleraient dans des banques... tout ce que les autres font. Je ne veux pas les idéaliser. Ils ont les mêmes problèmes et les mêmes peurs que n'importe qui. Mais le courage est comme un muscle. Il se renforce avec l'entraînement. Les gens ne testent pas leur esprit tant qu'ils ne sont pas confrontés à l'adversité. Ceux-ci ont mené l'une des batailles physiques et émotionnelles les plus difficiles. Frappés d'ostracisme par un monde peureux, ils vivent dans un village sans rires d'enfants. Le mot « lépreux » est devenu synonyme de « quelqu'un dont on se détourne », un paria, abandonné du monde. Peu de gens ont subi une telle épreuve et peu ont manifesté un tel courage. Le courage m'attire, partout où il se trouve. C'est pourquoi je me suis particulièrement intéressée à ces gens, non comme guérisseuse mais comme amie.

— N'est-ce pas la même chose ?

— Oui, je suppose, accorda-t-elle avec un sourire.

— Alors je crois que je peux être un ami moi aussi. Je resterai, mais juste quelques jours.

— Si vous serrez les dents et attendez simplement que le temps passe, vous aurez perdu le vôtre. Le but de cette semaine est d'ouvrir votre cœur autant que vous le pouvez.

— Une semaine, je croyais que vous aviez dit quelques jours !

— *Aloha*, dit-elle en me tendant une bouteille d'écran solaire et en se mettant en route pour visiter une autre localité.

Je me retournai en secouant la tête et repartis vers la rangée de bungalows, en réfléchissant à l'adversité et au courage.

Je parvins au hall principal et entrai. C'était l'infirmerie, pleine d'étranges odeurs et de gens couchés derrière des rideaux. Un homme filiforme, émacié, environ de l'âge de Mama Chia, me prit par le bras.

— Venez, dit-il en ne me lâchant que lorsque nous quittâmes l'infirmerie et en m'invitant à le suivre.

Puis il m'indiqua un immeuble plus grand, style baraquement.

— Vous mangerez là. Plus tard, dit-il.

Puis se désignant, il ajouta :

— Mon nom… Manoa.

— *Aloha*, dis-je. Heureux de faire votre connaissance, Manoa.

N'étant pas certain qu'il me comprenne, je me désignai :

— Dan.

Il tendit un moignon avec trois doigts pour me serrer la main. Je n'hésitai qu'un instant. Il sourit chaleureusement, faisant un geste de la tête comme s'il comprenait, puis me fit signe de le suivre.

Nous marchâmes jusqu'à un grand terrain qui venait d'être dégagé. Quelqu'un d'autre m'accueillit, me tendit un sarcloir et m'indiqua une parcelle. Ce fut tout.

Je passai le restant de la journée, jusqu'à la tombée de la nuit, à travailler dans le jardin. Désorienté que j'étais, je me félicitais d'avoir une tâche bien définie à accomplir – aider – donner quelque chose pour une fois.

Manoa me montra où j'allais dormir. Au moins, j'avais ma propre chambre. Je dormis bien et me réveillai avec de l'appétit.

Dans la salle à manger principale, je m'assis en face de gens qui me sourirent, mais parlaient pour la plupart entre eux en hawaïen avec un peu de petit-nègre. Tous, à ma table, étaient amicaux, me tendant des plats régulièrement, tandis que j'essayais d'ignorer leurs lésions.

Ce jour-là, les employés au jardinage et moi fîmes du bon travail, retournant et creusant le sol entre deux rafales de pluie. Je veillais à protéger mon visage avec la crème solaire et un chapeau à large bord que l'on m'avait prêté.

Les premiers jours furent les plus difficiles – avec la nouveauté de me trouver seul dans ce monde différent. Les habitants du lieu semblèrent le comprendre. Tout comme les membres de cette colonie en étaient venus à accepter leur vie, j'en vins à les accepter moi aussi, non comme des lépreux mais comme des gens, tout simplement. Je cessai d'être un observateur et commençai à ressentir une impression de communauté.

Après cela, je fus capable de me mettre au diapason d'une certaine camaraderie, née ici de l'isolement. Leur souffrance personnelle donnait naissance à une compassion plus profonde pour la douleur du monde.

Le lendemain matin, après ma toilette, je vis un homme âgé aux pieds tordus et déformés, avançant en tremblant, appuyé sur une paire de béquilles. À ce moment précis, l'une des béquilles se brisa et il tomba. Je courus vers lui pour l'aider. Il me repoussa en murmurant quelque chose avec un sourire édenté, puis se releva tout seul. Tenant la béquille brisée d'une main et, s'appuyant sur l'autre, il clopina jusqu'à l'infirmerie.

Il n'y avait plus rien à faire dans le jardin jusqu'à ce que les semences arrivent, mais je fus à même de m'occuper pleinement, en fait du matin au soir, à porter de l'eau ou aider à changer les bandages. Quelqu'un me demanda même de lui couper les cheveux, ce que je fis très mal, mais il n'en sembla pas le moins du monde contrarié.

Nous ne cessâmes de bavarder et de rire, bien que ne nous comprenant qu'à moitié. Les larmes me viennent aux yeux en écrivant ces lignes, car aussi étonnant que cela puisse paraître, ces journées furent parmi les plus gratifiantes de ma vie. C'était tout simple et très humain. Juste de l'aide. Pendant ces quelques jours, je fus simplement l'un d'entre eux.

C'est le cinquième jour que j'éprouvai une compassion que je n'avais encore jamais ressentie. Jamais. Et je compris le but de Mama Chia. À partir de ce jour-là, je n'eus plus peur d'attraper la maladie, mais commençai à vraiment vouloir servir, dans toute la mesure de mes possibilités.

Mon cœur s'ouvrait. Je recherchais comment étendre ma contribution. Je ne pouvais leur enseigner la gymnastique. La plupart d'entre eux étaient trop âgés. Et je ne me connaissais pas d'autre talent particulier.

Puis l'idée me vint, en passant près d'une zone paisible juste à côté du bâtiment central : j'allais creuser une pièce d'eau. C'était cela ! Quelque chose de beau que je leur laisserais.

J'avais travaillé un été pour un jardinier paysagiste et avais appris les principes de base. La communauté possédait quelques sacs de ciment stockés dans un abri et tous les outils nécessaires. Une image naquit dans mon esprit : une belle pièce d'eau sereine, un endroit où s'asseoir et méditer, ou simplement se reposer quelques minutes. L'océan n'était qu'à quelques centaines de mètres, mais cette pièce d'eau serait spéciale.

Je montrai une esquisse à Manoa. Il la montra à d'autres. Ils convinrent que c'était une bonne idée. Avec quelques hommes, je commençai alors à creuser.

Le lendemain, alors que nous étions prêts à mélanger le ciment, Mama Chia arriva :

— Dan, la semaine est finie, j'espère que vous ne vous êtes pas ennuyé.

— Non ! Cela ne fait pas une semaine !

Elle sourit.

— Oh si ! Cela fait bel et bien une semaine.

— C'est que, vous voyez, nous sommes en plein milieu d'un projet. Pouvez-vous revenir dans quelques jours ?

— Je ne sais pas, dit-elle en secouant la tête. Nous avons d'autres choses à faire... votre formation...

— Je sais, mais je voudrais vraiment terminer ce projet.

Mama Chia soupira et haussa les épaules.

— Alors nous n'aurons peut-être pas le temps pour une technique spéciale permettant d'entrer en contact avec...

— Encore quelques jours !

— Faites comme vous voulez, dit-elle en se tournant vers l'un des bungalows.

Je lus sur son visage une expression d'immense satisfaction. Je n'hésitai qu'un instant avant de soulever un autre sac de ciment.

Mama Chia revint quelques jours plus tard pour voir l'évolution du gros œuvre. Quand il fut terminé, je sus qu'il était temps de partir. Plusieurs hommes vinrent me serrer la main. Nous avions, en travaillant dans un but commun et en transpirant ensemble, créé un lien, un lien tel que les hommes doivent en avoir forgé depuis des milliers d'années. Et cela faisait du bien.

Ils allaient me manquer. Je me sentais plus proche de ces bannis de la société que de mes collègues de travail, là-bas dans l'Ohio. Peut-être parce que je m'étais toujours senti exclu moi aussi, ou que j'avais partagé avec eux une même tâche, ou leur ouverture, leur droiture et leur honnêteté. Ces hommes n'avaient rien à cacher. Ils n'essayaient pas d'être beaux ni de sauver la face. Ils avaient laissé tomber leur masque social, me permettant ainsi de laisser tomber le mien.

J'allais partir avec Mama Chia quand Tia arriva et nous salua. Je l'étreignis tendrement, sentant son chagrin et son courage, puisqu'elle allait bientôt devoir abandonner son bébé.

Tandis que Mama Chia me guidait vers la plage, d'autres sentiments firent surface : toute la gratitude, le chagrin et l'amour pour Mama Chia, que j'avais laissés de côté ces dix derniers jours, me submergèrent à nouveau. Je me mis devant elle et, posant les mains sur ses épaules, la regardai dans les yeux.

— Vous avez été si bonne pour moi, lui dis-je. Je voudrais faire quelque chose pour vous…

Je dus respirer lentement et profondément pour retenir mon chagrin.

—Mama Chia, vous êtes si bonne... cela semble injuste. Et je ne pense pas mériter tout cela : le temps, l'énergie, la vie que vous m'avez consacrés. Comment puis-je vous remercier ? Comment puis-je vous récompenser ?

En guise de réponse, elle me serra dans ses bras un long moment. J'étreignis cette vieille dame comme je n'avais jamais pu étreindre Socrate et pleurai.

Puis, reculant, elle me lança un sourire lumineux :

—*J'aime* ce que je fais. Un jour, vous comprendrez. Et je ne le fais pas pour vous ni pour Socrate. Les remerciements ne sont donc ni nécessaires ni justifiés. J'agis pour une cause plus large, une mission plus vaste. En vous aidant, j'aiderai beaucoup d'autres à travers vous. Venez. Allons faire une promenade sur la plage.

J'observai le village, qui avait maintenant repris sa routine, et me sentis inspiré par l'esprit *aloha* de ces gens. Je les voyais avec des yeux différents. Même si d'autres souvenirs viendraient à s'effacer, cela resterait pour moi l'un des plus vivaces, plus réels et durables que n'importe quelle vision.

18

Illuminations au plus noir de la nuit

La graine de Dieu est en nous :
Les graines de poirier deviennent poiriers ;
Les graines de noisetier deviennent noisetiers
Les graines de Dieu deviennent Dieu.

Maître ECKHART

Nous parlâmes peu en marchant le long de l'étendue de sable blanc. Nous écoutâmes seulement la course des vagues et les cris aigus des albatros survolant la côte. Mama Chia scruta l'horizon, observant les longues ombres projetées par le soleil de fin d'après-midi, à l'image d'un chat voyant des choses invisibles pour la plupart d'entre nous. J'examinais le bois flotté déposé loin en avant sur la plage par une marée d'une rare hauteur, générée par la tempête de la nuit précédente. Je ratissais la plage à la recherche de coquillages. Sachi ne serait pas impressionnée, mais Holly les aimerait. Ma petite fille, pensai-je en imaginant le doux visage de Holly qui me manquait. Je pensais aussi à Linda et me demandais si peut-être nos vies devaient suivre des chemins différents.

En me retournant, je vis les ombres découpées dans le chemin sinueux laissé par nos pas sur le sable mouillé. Je baissai les yeux à la recherche de souvenirs de la mer et Mama Chia continua de scruter l'horizon et l'étendue de plage devant nous.

Nous pataugeâmes jusqu'à mi-genoux dans le ressac pour contourner une pointe rocheuse. Elle respira profondément et je pensai qu'elle allait me dire quelque chose. Mais Mama Chia réagissait en fait à l'une des plus tristes et des plus étranges visions que j'aie jamais contemplées : des millions d'étoiles de mer, rejetées par la récente tempête, recouvraient la plage. De belles étoiles à cinq branches, rose et or, gisaient sous le chaud soleil, séchant et mourant.

Je m'arrêtai net, pris d'horreur devant ce gigantesque cimetière marin. J'avais lu des choses sur les baleines et les dauphins échoués, mais n'en avais jamais vu. Maintenant, face à des milliers de créatures en train de mourir, je me sentais paralysé et impuissant.

Mama Chia, pourtant, n'épargnant pas le moindre de ses pas claudicants, avança jusqu'à une étoile de mer toute proche, se pencha, la prit, alla jusqu'au bord du rivage et la remit dans l'eau. Elle revint ensuite, prit une autre petite étoile de mer et la rendit à son élément.

Accablé par le nombre incalculable d'étoiles de mer, je dis :

— Mama Chia, il y en a tant. Quelle différence cela peut-il faire ?

Elle me regarda en se baissant pour replacer une autre étoile dans la mer.

— Cela fait une différence pour celle-ci, répondit-elle.

Bien sûr, elle avait raison. Je pris une étoile de mer dans chaque main et suivis son exemple. J'en remis deux autres dans la mer. Nous continuâmes tout l'après-midi et dans la soirée, jusqu'au clair de lune. Beaucoup d'étoiles moururent néanmoins. Mais nous fîmes de notre mieux.

Mama Chia se penchait inlassablement. Il n'était rien que je pusse dire pour l'en dissuader. Elle vivrait jusqu'au bout. Et aussi longtemps que je serais là, sur l'île, je l'aiderais. Nous travaillâmes tard dans la nuit. Finalement, fatigués mais nous sentant bien, nous nous étendîmes sur le sable doux et le sommeil nous prit.

Je m'éveillai et m'assis brutalement, pensant que c'était l'aube. Mais la lumière qui vacillait devant moi était celle d'un feu crépitant.

— Vous ne pouviez pas dormir ? dis-je en approchant afin de ne pas la faire sursauter.

— J'ai assez dormi, répliqua-t-elle, sans quitter le feu des yeux.

Debout derrière elle, je lui massai les épaules.

— Que voyez-vous dans le feu ? demandai-je.

Je n'attendais pas vraiment de réponse, mais elle répliqua :

— Si je vous disais que je ne suis pas de cette planète ?

— *Quoi ?*

— Imaginez que je vous dise que Socrate non plus ? Ni vous ?

Je ne savais que répondre – ni si je devais ou non la prendre au sérieux.

— Est-ce là ce que vous avez vu dans les flammes ? fut la seule question qui me vint à l'esprit.

— Asseyez-vous, dit-elle. Voyez par vous-même.

Je m'assis et contemplai la danse des flammes.

Mama Chia se leva lentement et commença à masser mon dos de ses mains puissantes.

— Vous m'avez demandé pourquoi je me suis trouvée là pour vous. C'est parce que nous sommes de la même famille, révéla-t-elle. De la même famille spirituelle.

— Que voulez-vous dire par...

Je ne parvins pas à finir ma phrase. Mama Chia me donna un solide coup derrière la tête et je vis des étoiles, puis rien que le feu... de plus en plus profond... profond...

Je vis le commencement du temps et de l'espace, quand l'Esprit devint les « dix mille choses » : les étoiles,

les planètes et les montagnes, les océans et les créatures, grandes et petites, qui s'y reproduisaient.

Mais il n'y avait pas d'humains. Avant l'histoire, en un temps magique, quand l'Esprit l'autorisait, naquirent les légendes. Les animaux évoluaient sur terre, se développant à partir de tout ce qui les avait précédés. Mais sur la planète n'existait aucune âme humaine.

J'eus une vision de l'ancien univers où, dans les courbes de l'espace, des âmes angéliques jouaient dans des royaumes de liberté et de félicité. Ce souvenir, rangé dans les plus anciennes archives de la psyché, devint l'archétype de ce lieu que nous appelons le paradis.

Une vague de ces âmes descendit sur terre parce qu'elles étaient curieuses de connaître le royaume matériel – les formes animales et l'énergie créatrice et sexuelle – l'effet que cela ferait d'habiter un corps.

Elles éclipsèrent donc les formes animales primitives qui erraient sur terre, pénétrèrent en elles, virent avec leurs yeux, sentirent avec leur peau et connurent le règne matériel et la vie sur terre.

Je les vis, les sentis, au moment où elles s'apprêtaient à quitter leurs hôtes animaux pour retourner à leur source. Mais ces âmes avaient mal évalué l'attraction magnétique du règne matériel ; elles restèrent piégées et identifiées à la conscience animale. Ainsi commença sur cette planète une grande aventure.

Ces âmes-énergies et leur conscience supérieure de type humain dans les animaux influencèrent la structure de l'ADN, provoquant des évolutions radicales immédiates. Cela me fut révélé dans des visions au sein des spirales génétiques elles-mêmes.

La génération suivante fournit la base des mythes grecs – les centaures, sirènes, satyres et nymphes. Mi-animaux, mi-hommes, ils furent à l'origine de légendes, les dieux de l'Olympe cohabitant avec les animaux et les humains.

Ceux de la première vague avaient oublié qu'ils étaient Esprit, non chair. Ils s'étaient identifiés à leurs hôtes. Une vague d'âmes missionnaires vint ainsi sur terre pour secourir la première vague, pour les sortir de là. Mais elles aussi furent piégées.

Le temps passa comme un éclair, les siècles semblant ne durer qu'un instant. Une seconde mission de secours fut envoyée. Cette fois-ci, seules les âmes les plus fortes furent du voyage – et très peu en réchappèrent. Elles aussi restèrent prisonnières, piégées par leur propre désir de pouvoir. Ce furent les rois, les reines, les pharaons et les chefs – les souverains des régions de la Terre. Certaines furent comme le roi Arthur, d'autres comme Attila le Hun.

Une troisième et dernière mission de secours fut envoyée. Ces âmes très particulières étaient les plus courageuses – les âmes des guerriers pacifiques – car elles savaient qu'elles ne reviendraient pas. Elles savaient qu'elles étaient destinées à vivre dans un corps mortel pendant des éternités, souffrant, perdant des êtres chers, dans la peine et la crainte de la mort, jusqu'à ce que toutes les âmes soient libérées.

C'était une mission de volontaires. Et elles rappelèrent aux autres qui elles étaient. Ce sont les charpentiers, les étudiants, les docteurs, les artistes, les athlètes, les musiciens et bons à rien – les génies et les fous, les criminels et les saints. La plupart ont oublié leur mission, mais un tison brûle toujours dans les cœurs et les mémoires de ceux qui sont destinés à prendre conscience de leur héritage comme serviteurs de l'humanité et à faire prendre conscience aux autres.

Ces sauveteurs ne sont pas des âmes « meilleures », à moins que l'amour ne les rende ainsi. Elles peuvent se perdre, ou se trouver. Mais elles sont en train de s'éveiller, maintenant. Des centaines de milliers d'âmes sur la planète, qui deviennent une famille spirituelle.

Un choc me ramena soudain à mon état de conscience normal. Je détournai mon regard des flammes et vis Mama Chia assise près de moi.

Fixant toujours le feu, elle dit :

— Mon âme est l'une de la dernière mission de secours. Celle de Socrate et la vôtre également. De même que les âmes de centaines de milliers d'autres – tous ceux qui se sentent une vocation pour servir. Pensez-y ! Des centaines de milliers d'âmes, et d'autres encore qui viendront, dans nos enfants, prenant conscience de qui elles sont et de la raison de leur présence ici. Nous avons en commun un sentiment pratiquement inné d'être d'une certaine manière *différents*, d'être étrangers dans un monde étrange, jamais vraiment à notre place. Nous avons parfois l'envie de « rentrer à la maison », mais sans être tout à fait sûrs d'où se trouve cette maison. Nous sommes souvent de nature généreuse mais plutôt inquiète. Nous sommes ici pour enseigner, guider, guérir, rappeler aux autres, ne serait-ce que par notre exemple. La Terre a été l'école de la plupart des âmes humaines, mais nos âmes ne sont pas encore tout à fait de cette terre. Nous avons reçu notre enseignement ailleurs. Il y a des choses que nous savons sans savoir comment, des choses que nous reconnaissons comme s'il s'agissait d'un cours de perfectionnement. Et il ne fait pas de doute que nous sommes là en mission pour servir. Votre quête, Dan, est celle des moyens de faire la différence – d'abord éveiller votre conscience, puis trouver l'action appropriée, la meilleure façon de vous préparer à trouver la vocation la plus naturelle et la plus efficace pour aller vers les autres. Il en est ainsi pour tous les guerriers pacifiques qui partagent cette mission. L'un de nous peut devenir coiffeur, un autre professeur, un troisième agent de change, dresseur d'animaux familiers ou conseiller. Certains d'entre nous deviennent célèbres, d'autres restent dans l'anonymat. Mais chacun de nous joue un rôle.

Nous restâmes assis là à regarder fixement la mer pendant un moment – je ne sais combien de temps – avant de parler à nouveau.

— Alors vous voilà, une âme parmi beaucoup d'autres à l'esprit semblable dans un « emballage » très différent, nageant debout dans l'océan du karma, mais il y a un bateau à rames à proximité – beaucoup plus près de vous que de beaucoup d'autres. Avant que vous puissiez aider les autres à monter dans le bateau, il faut y monter vous-même. Et c'est le but de votre préparation. C'est pourquoi vous avez rencontré Socrate, et pourquoi je suis ici à travailler avec vous. Non parce que vous êtes dans un sens très différent ou plus méritant, mais parce que vous avez en vous cette impulsion invincible de partager avec les autres.

Mama Chia marqua une pause.

— Un jour, vous écrirez, enseignerez et ferez d'autres choses aussi, pour tendre la main à votre famille spirituelle, pour lui rappeler sa mission, pour lancer l'appel au clairon.

Le poids de la responsabilité me frappa comme si un coffre-fort m'était tombé dessus.

— Enseigner toutes ces choses ? Je ne me souviens même pas de la moitié de ce que vous dites. Et je n'ai aucun talent d'écrivain, protestai-je. Je n'avais pas de très bonnes notes en littérature.

Elle sourit.

— Je vois ce que je vois.

Dans quelques heures, ce serait l'aube. Le feu s'était réduit en cendres lorsque je parlai à nouveau.

— Vous dites qu'il y a beaucoup d'âmes comme moi...

— Oui, mais vous réunissez un ensemble de talents et de qualités particuliers qui font de vous un bon émetteur. C'est ainsi que Socrate et vous, vous vous êtes trouvés, et qu'il vous a envoyé à moi.

Mama Chia s'étendit alors, recroquevillée, et dormit. Je regardai la mer jusqu'à ce que le premier rayon de soleil éclaire le ciel à la pointe ouest de l'île, et finis par m'endormir.

Le matin. Étrange de se réveiller sur une plage avec la chaleur tropicale pour seule couverture. Ici, la température était douce, même à l'aurore, comme un matin d'été dans le Middle West.

Dormir au grand air m'avait ouvert l'appétit. Le petit déjeuner, gracieusement offert par le sac sans fond de Mama Chia, fut à la fois simple et mémorable : une poignée de figues, quelques macadamia, une orange et une banane. Une nuit d'illumination venait de s'écouler. Je me demandai ce que ce nouveau jour apporterait.

En vérité, il n'apporta aucun événement marquant. Nous en passâmes la plus grande partie sur le chemin du retour, et le soir à boire du thé et écouter de la musique sur le vieux tourne-disque de Mama Chia. Elle se retira de bonne heure et je dormis sur le sol de son salon.

Le lendemain, j'allais rencontrer un fantôme. J'allais aussi déclencher une série d'événements qui devait changer le cours de ma vie.

19

La révélation et la voie du guerrier

Prenez le temps de délibérer. Quand vient le
moment d'agir, cessez de penser et foncez.

Andrew JACKSON

Cela surgit de nulle part, par une journée ordinaire, comme la plupart des surprises. Cela vint de graines plantées par le passé.

— J'ai pensé que vous aimeriez voir la famille de Sachi, dit Mama Chia tandis que nous avancions dans la forêt sur un sentier qui ne m'était pas familier.

Pourquoi souriait-elle ainsi ?

Huit cents mètres plus loin, nous entrâmes dans une clairière où se dressait une ravissante maison, plus grande que celle de Mama Chia mais conçue de la même manière, avec un jardin sur le côté.

Un petit garçon d'environ cinq ans surgit, sauta les deux marches et courut droit vers moi le long du chemin. Avec un grand « Salut, Dan ! », il sauta dans mes bras en riant, comme s'il m'avait connu toute sa vie.

— Bonjour…

— Je m'appelle Socrate, annonça-t-il fièrement.

— Vraiment ? dis-je, étonné. C'est un nom très important.

Je levai les yeux et vis, suivant son fils, une petite femme mince, ravissante, enroulée dans un sarong à fleurs d'un bleu profond. Mais elle n'avait aucune intention de me sauter dans les bras.

Avec un gracieux sourire, elle me tendit la main.

— Bonjour, Dan, je m'appelle Sarah.

— Bonjour, Sarah. Je suis heureux de faire votre connaissance.

Je regardai Mama Chia d'un air interrogateur.

— Tout le monde ici me connaît-il ? demandai-je.

Mama Chia, Sarah, Sachi et le petit Socrate se mirent tous à rire de bon cœur. Je ne comprenais pas ce qu'il y avait de si drôle, mais quelque chose les amusait à coup sûr.

— Sachi et le père de Soc leur ont beaucoup parlé de vous, expliqua Mama Chia en regardant derrière moi.

Je me retournai.

— Mais qui est-ce ?

— Bonjour, Dan, interrompit une voix.

J'ouvris de grands yeux et restai bouche bée. Je n'avais encore jamais vu de fantôme. Mais il était bien là – grand et mince, avec une douce barbe blonde, des yeux profonds et un sourire chaleureux.

— Joseph, est-ce bien toi ?

En guise de réponse, il me prit dans ses bras et me donna une accolade comme je n'en avais pas reçu depuis des années. Je fis ensuite un pas en arrière.

— Mais, mais… Socrate m'avait dit que tu étais mort… de leucémie !

— Je n'ai pas dit cela ! cria le petit garçon.

Tout le monde se remit à rire.

— Ce n'est pas toi, Socrate… mais un homme âgé, il y a des années, dis-je.

— Mort ? dit-il, souriant encore. Eh bien, je suis un peu fatigué et tu connais la tendance de Socrate à exagérer !

— Que s'est-il passé ? demandai-je. Comment…

— Pourquoi n'allez-vous pas faire une promenade tous les deux ? suggéra Sarah. Vous avez des tas de choses à vous raconter !

— Bonne idée, répondit Joseph.

Tandis que nous marchions lentement dans la forêt, Joseph éclaircit le mystère de sa mort apparente.

— J'étais atteint de leucémie, confirma-t-il. C'est toujours le cas, mais avec l'aide de Mama Chia, mon corps fait face. Mais d'une certaine manière, Socrate avait raison. Je suis mort pour le monde pendant plusieurs mois. Pendant plusieurs mois, je suis devenu un renonçant, un ermite. Je lui ai dit que j'allais disparaître dans la forêt, jeûner et prier jusqu'à ce que je guérisse ou que je meure. En y pensant, dit-il, il vaut mieux que je remonte quelques années en arrière pour que tu comprennes. J'ai été élevé dans le Middle West par une famille d'étrangers. Je leur serai toujours reconnaissant de m'avoir guéri de toutes les maladies d'enfance – en veillant tant de nuits – et de m'avoir nourri et logé. Mais je n'ai jamais eu l'impression d'être à ma place. Je me sentais différent, tu sais ?

— Oui, dis-je. Je sais.

— Aussi, à la première occasion je suis parti, j'ai traversé le pays en direction de la côte ouest, vivant essentiellement de petits boulots. Une fois à Los Angeles, j'ai continué et ai atterri ici, à Molokai. L'un de mes amis y habitait et m'a encouragé à m'y installer. C'est ainsi que je suis devenu un jeune « entrepreneur agricole » et que j'ai cultivé le cannabis...

— Tu as cultivé de la marijuana ?

— Oui. C'était en 1960, c'était dans le vent. Je ne le fais plus, parce que... ce n'est plus une chose à faire, tout simplement. Maintenant, je construis des armoires, des commodes... Je fais des travaux de menuiserie. Cela paie les factures et me préserve de l'oisiveté.

Il sourit.

— Quoi qu'il en soit, je gagnais alors beaucoup d'argent. C'est à peu près à ce moment-là que j'ai épousé Sarah. Sachi est née en 1964 et...

Ici, Joseph s'arrêta – je crois qu'il lui en coûtait de se rappeler...

—Je suis parti. Je...

Il chercha les mots exacts.

—Dan, tu as compris le concept des trois Moi, n'est-ce pas ?

—Je connais mon Moi Basique, mais j'ai comme perdu le contact avec mon Moi Supérieur, répondis-je.

—Exactement le contraire de moi, dit Joseph. J'ai rejeté mon Moi Basique. Tout ce que je voulais, c'était être là-haut et hors d'ici. Je ne pouvais supporter le rythme infernal de la vie quotidienne sur la planète Terre. Je me suis dit que j'étais un être spirituel, un artiste créatif qui n'avait pas à faire face à la réalité. Je passais le plus clair de mon temps à méditer, à communier avec la nature, à lire – espérant à tout moment aller « quelque part ailleurs » – n'importe où, où je n'aurais pas à faire face à l'esclavage, aux détails, à la *physicalité* du monde matériel. Puis Sachi est arrivée. Je n'étais pas prêt à avoir des enfants, à travailler sur une relation ou des responsabilités. Je ne savais pas comment me comporter. Alors j'ai pris la moitié de notre argent et je suis parti. Ne sachant pas où aller, je me suis retrouvé à Berkeley, en Californie. Et au bout de quelques semaines, j'ai rencontré ce vieil homme...

—Dans une station-service, complétai-je pour lui en riant.

—Tu peux imaginer le reste. Socrate a insisté pour que je prenne un travail de responsabilité avant qu'il m'enseigne quelque chose, alors j'ai ouvert le café. Nous avons conclu un marché, dit-il. Je l'ai bien nourri et il a bouleversé ma vie.

—Cela me semble équitable, fis-je avec un sourire.

—Plus qu'équitable, convint Joseph. J'en ai eu pour mon argent. Il m'a vraiment secoué. Je ne l'ai pas vu depuis cinq ans. Je suis allé lui rendre visite il y a deux ans, mais il était parti. Un jour, il m'avait parlé de se retirer dans les montagnes, peut-être quelque part dans les Sierras, je ne sais pas. Je crois que nous ne le reverrons pas de si tôt.

— Et comment as-tu retourné la situation ? Tu es revenu, tu as fait un succès de ta relation, tu construis des armoires, tu gères une affaire…

Joseph me sourit tandis que j'énumérais en comptant sur mes doigts toutes les choses responsables qu'il assumait.

— Ce n'est pas encore facile, dit-il. Mais te souviens-tu de ce que Soc nous répétait ? Tu te rappelles, qu'une chaîne se brise à son maillon le plus faible – et nous aussi ? Eh bien, j'ai décidé que j'avais intérêt à travailler sur les maillons faibles.

— Moi, j'ai encore tout à faire, dis-je. Mais je ne suis pas vraiment certain de la manière dont il faut que je « travaille » pour parvenir dans mon cœur. Mama Chia a dit que cela devait venir de son plein gré.

Joseph réfléchit un instant et déclara :

— Je pense que c'est juste une question de prise de conscience de plus en plus grande. Cette conscience seule peut déclencher tout naturellement n'importe quelle sorte de guérison – physique, mentale ou émotionnelle.

Nous nous assîmes en silence un moment, puis je lui rappelai :

— Tu as dit que tu étais malade.

Sorti brusquement de sa rêverie, il répondit :

— Oui… et j'avais l'intention, comme je te l'ai dit, de me rendre dans les montagnes pour jeûner et prier. Mais je me suis souvenu de Socrate disant que la vie est difficile d'une manière ou d'une autre, que l'on abandonne et disparaisse, ou que l'on décide de faire face. Cela a fait couler mon projet. J'ai pris conscience que le fait de jouer les ermites dans la montagne ne serait qu'une autre manière de sortir du corps, de m'échapper. Je serais probablement mort. Alors j'ai décidé de revenir à Molokai, quoi qu'il advienne, pour reprendre les choses là où je les avais laissées – mais en faisant de mon mieux – dans le temps qui me restait, si Sarah m'acceptait. Elle m'a accueilli à bras ouverts. Tout a marché d'une manière si incroyable ! Dès que je me suis engagé à revenir, à creuser et à y aller vraiment, tout s'est parfaitement mis en place.

— Que veux-tu dire ?

— C'est à ce moment-là que j'ai commencé à travailler avec Mama Chia. Elle m'a enseigné et m'a aidé à guérir.

— Le résultat est concluant, dis-je. J'ai vu ta famille.

Joseph eut un regard pleinement heureux – un regard que j'enviai. Je songeai avec tristesse à la pagaille dans laquelle j'avais laissé mon mariage et ma famille. Je me promis que cela allait changer.

Joseph se leva lentement.

— Je suis content de te revoir, Dan.

— C'est la meilleure chose qui me soit arrivée depuis longtemps, répondis-je. Et il m'est arrivé beaucoup de très bonnes choses.

— Je te crois, dit-il en souriant.

— La vie est étonnante, n'est-ce pas ? lançai-je en revenant avec lui vers la maison. Cette manière dont nous sommes tous les deux parvenus jusqu'à Mama Chia.

— C'est vrai, c'est étonnant, confirma-t-il. Et elle aussi est étonnante.

— Dans le même ordre d'idées, ta fille est une vraie merveille.

Puis je me souvins de ce qui s'était passé en ville et ajoutai :

— Mais elle vient d'avoir eu une sacrée peur.

— Oui, elle m'a dit. Et d'après ce que je sais, ce n'est pas *elle* qui a eu les ennuis, fit-il avec un sourire forcé.

— C'est exact, affirmai-je. Mais cet incident m'a montré quelque chose. Je dois apprendre les arts martiaux.

— Je suis étonné que Socrate ne te les ait jamais enseignés. Il était assez fort, tu sais.

— Oui, souris-je. Je sais. Mais j'étais axé sur la gymnastique, tu te souviens ?

— Oh, c'est vrai.

Joseph prit un air pensif et ajouta :

— Fuji apprenait une sorte de karaté. C'est un brave homme. Peut-être pourrait-il t'aider. Mais en fait, Dan, je ne crois pas que dans cette situation, apprendre à te battre soit vraiment la réponse. Je connais ces garçons. Ce ne sont pas de mauvais gosses. Une fois, ils m'ont aidé à pousser ma voiture sur huit cents mètres jusqu'à une station-service. Ils s'ennuient et se sentent frustrés, c'est tout. Il n'y a pas beaucoup de travail. Ils ne sont sûrement pas très bien dans leur peau. C'est toujours la même histoire.

Il soupira.

— Oui, je sais, répondis-je.

Je regardai Joseph et conclus :

— Je suis heureux de te trouver là et en vie.

— Moi aussi, acquiesça-t-il.

Lorsque nous sortîmes de la forêt pour nous diriger vers les marches de la maison, le petit Socrate courut vers nous, sauta dans les bras de Joseph et amena son visage vers le sien, nez contre nez. Il était clair qu'il voulait toute l'attention de son père.

Joseph embrassa Soc sur le nez et se tourna vers moi.

— Je repars à Oahu demain pour terminer un travail et… il faut donc que je passe un peu de temps avec ma famille.

— Bien sûr, dis-je. Peut-être te reverrai-je à ton retour ?

— Certainement, sourit-il.

Sarah sortit, elle aussi, et passa un bras autour de la taille de son mari. Ils m'adressèrent un au revoir de la main tandis que je me détournais et commençais à m'éloigner sur le chemin. J'entendis la voix de Sachiko crier :

— Le dîner est prêt !

En regagnant ma cabane, j'éprouvais un regret poignant en pensant à Linda et à Holly. Je me demandais si j'aurais jamais une famille heureuse.

Cet après-midi-là, en me promenant sur les chemins forestiers, je me dirigeai jusqu'à la maison de Sei Fujimoto. C'est Mitsu qui m'ouvrit.

—Je viens de coucher le bébé, murmura-t-elle. Fuji n'est pas là, mais il va arriver d'un instant à l'autre. Voulez-vous l'attendre à l'intérieur ?

—Merci, madame Fujimoto...

—Appelez-moi Mitsu !

—Merci, Mitsu, mais je préfère attendre dans le jardin si cela ne vous dérange pas, répondis-je.

—Jouer avec les esprits du jardin, hein ? dit-elle en souriant.

—C'est un peu ça, avouai-je.

J'éprouvais depuis toujours une attirance particulière pour les jardins, où je m'asseyais à même la terre, entouré de plantes. Je m'allongeai sur le côté et sentis la terre chaude et riche irradier une agréable chaleur dans ma poitrine et mon estomac. J'observai de tout près un bouton de courge, à la fleur jaune si délicate et au parfum tellement subtil, qui se balançait dans la douce brise.

Et je sentis les esprits du jardin – une énergie distincte, si différente du béton froid et fonctionnel des villes et des trottoirs, des débauches d'immeubles gris et rectilignes ne montrant que raideur et rigidité. Ici, je me sentais en paix...

Le klaxon de la camionnette de Fuji me ramena au but de ma visite. Je me dirigeai vers lui, le saluai de la main et l'aidai à décharger quelques sacs d'engrais destinés à compléter son tas de compost.

—Content de vous voir, Dan... et de votre aide.

—En fait, Fuji, je suis venu vous demander *votre* aide, dis-je.

Il s'arrêta et me regarda, intrigué.

—En quoi puis-je vous aider ?

—Joseph m'a dit que vous aviez fait du karaté.

Un sourire éclaira son visage.

—Oh, je vois. Oui, j'ai étudié des bribes ici et là. Je ne suis plus aussi rapide... je suis obligé de frapper les mauvais garçons avec mes sacs d'engrais ou avec ma voiture, plaisanta-t-il. Qu'attendez-vous du karaté ? Voulez-vous que je donne une raclée à quelqu'un ?

Son sourire s'élargit et il prit une pose avantageuse, bombant le torse pour simuler la bravoure.

— Non, ris-je. Ce n'est pas cela. Je pense simplement que je pourrais apprendre à me défendre.

— Ce n'est pas une mauvaise idée. On ne sait jamais, cela peut servir, approuva-t-il. Il y a une assez bonne école en ville. J'y suis allé plusieurs fois pour regarder.

— Oh, je ne crois pas pouvoir prendre des leçons en ville pour le moment. Je n'ai pas le temps.

— Que voulez-vous faire alors ? Prendre une pilule d'autodéfense ? demanda-t-il

— Non, répondis-je, riant à nouveau. Je me demandais si vous pourriez m'apprendre des rudiments.

— Moi ?

Il secoua la tête.

— Cela fait trop longtemps, Dan. J'ai presque tout oublié.

Il prit une position, donna un coup en l'air, puis se tint le dos d'une manière comique.

— Vous voyez ce que je veux dire ?

— Fuji, je suis sérieux. C'est important pour moi.

Il hésita.

— J'aimerais vous aider, Dan, mais il vaut mieux que vous appreniez avec un vrai professeur. De plus, je dois courir au ranch réparer une clôture.

— Et si je vous aidais à réparer la clôture ? Je n'ai rien d'autre à faire.

— D'accord. Au moins, je pourrais vous apprendre le bel art de clôturer ! plaisanta-t-il. Je vais prévenir Mitsu que nous y allons.

— Et pensez aussi aux autres leçons, d'accord ? glissai-je.

Il me lança :

— Je n'aime pas trop penser à quoi que ce soit.

Nous passâmes le restant de la journée à réparer des clôtures. C'était un travail difficile – il fallait creuser des trous pour les piquets, les planter bien droits, scier et couper. Fuji me prêta des gants, faute de quoi mes mains auraient été couvertes d'ampoules. Cela me rappela la bonne époque de la gymnastique. Mitsu m'invita à partager leur dîner végétarien composé de riz, de légumes et de tofu. Quand le bébé se mit à crier, elle nous souhaita une bonne nuit.

—Vous avez bien travaillé aujourd'hui, Dan, dit Fuji en me tendant un billet de dix dollars... mon premier gain depuis longtemps.

—Je ne peux accepter votre argent, Fuji.

—Pas mon argent, le vôtre. Je ne travaille pas pour rien, et vous non plus, insista-t-il en me le mettant d'autorité dans la main.

—Peut-être me servira-t-il à vous payer pour une leçon d'art martial.

Fuji fronça pensivement les sourcils avant de répondre :

—Je pourrais vous donner des leçons de peinture, mais cela ne ferait pas de vous un peintre.

—Bien sûr que si ! répliquai-je en souriant. Pas un très bon, voilà tout !

—Laissez-moi y réfléchir, dit-il alors en se grattant la tête comme si l'idée le contrariait.

—D'accord, et bonne nuit.

Fuji me réveilla le lendemain matin avec ces mots :

—D'accord. Je peux vous montrer une ou deux choses.

J'ouvris les yeux et le vis debout devant moi.

—Je vous attends dehors, dit-il.

Sautant hors du lit, je me préparai en un éclair et sortis de la cabine en short, chemise à la main.

Je le suivis jusqu'à un endroit plat à quelques mètres de la maison. Il se tourna vers moi et lança :

—Tenez-vous là. Face à moi.

— Ne devrions-nous pas nous échauffer un peu ? demandai-je, n'ayant pas perdu mes vieilles habitudes de gymnaste.

— Pas besoin d'échauffement à Hawaï. De plus, ce n'est pas nécessaire pour ce que nous allons faire. Nous nous échaufferons au fur et à mesure. D'accord ?

— D'accord.

— Maintenant, je vais vous montrer un excellent mouvement d'art martial.

Prenant un bon équilibre, il ajouta :

— Faites comme moi.

Il laissa tomber les deux bras, puis commença à plier le bras droit au coude, en levant la main. Je fis de même. Puis il étendit le bras en avant, dans ma direction. Je reproduisais chaque mouvement le plus précisément possible. Ce faisant, il tendit cette main et commença à serrer la mienne !

— Comment allez-vous ? dit-il en riant. Heureux de faire votre connaissance, soyons amis, voulez-vous ?

— *Fuji*, dis-je en lâchant sa main, cessez de plaisanter. Je suis sérieux !

— Moi aussi, assura-t-il. C'est une de mes techniques préférées. Elle s'appelle « devenir amis ». Je l'enseigne toujours pour commencer.

— Il y en a d'autres ? demandai-je avec espoir.

— Bien sûr, mais si la première technique marche, vous n'avez besoin d'aucune autre. J'ai aussi un autre mouvement appelé « tendre le portefeuille au voleur ». Il évite parfois des ennuis.

— Fuji, si ces voyous en ville me retrouvent, je ne pourrai peut-être pas leur serrer la main, et ils ne veulent pas mon portefeuille. Ils veulent ma tête.

— D'accord, dit-il, sérieusement cette fois. Il vaut mieux que je vous montre certaines choses.

— Des coups de pied et des coups de poing ?

— Non, ils font mal.

Frustré, je demandai :

— Quelle sorte de pratiquant d'arts martiaux êtes-vous donc ?

— Du genre pacifique, répondit-il. On fait déjà bien suffisamment de mal, il y en a assez de voir du sang. Je peux vous aider à être *défensif*, pas offensif.

Au cours des heures suivantes, il me montra une série de manœuvres d'évitement, des tours, des torsions et des manières de me protéger par des mouvements circulaires du bras – simples et élégants.

— J'aime que cela reste simple, dit-il. C'est plus facile à pratiquer.

Il me dit de visualiser les attaquants les plus grands et mauvais qu'il puisse m'être donné de rencontrer. Les éléments défensifs acquièrent bientôt une vie propre.

Je sortis les dix dollars de ma poche et les lui rendis.

— Non, fit-il avec un geste de refus. Il ne s'agissait pas d'une leçon mais d'un jeu. Cela m'a rappelé de bons souvenirs. Gardez votre argent. Il pourra vous être utile.

— Merci, Fuji.

— Merci à vous, Dan.

Nous nous serrâmes la main.

— Celui-là reste mon geste favori, dit-il.

— Fuji, demandai-je en le raccompagnant chez lui, un vieil homme alerte aux cheveux blancs, un ami de Mama Chia, est-il déjà venu ici ? Il s'appelle Socrate.

Fuji fronça les sourcils, puis un sourire éclaira son visage.

— Oui, je crois, il y a quelques années. Il avait des cheveux blancs coupés court et portait la chemise hawaïenne la plus lumineuse que j'aie jamais vue. Il devait venir de Californie, ajouta-t-il avec un grand sourire. Un homme très intéressant.

J'imaginais très bien Socrate avec une chemise hawaïenne. Je me demandais si je reverrais jamais mon vieux maître et ami.

Livre trois

Le grand saut

On peut tout faire par petits pas mesurés.
Mais il faut parfois avoir le courage
de faire un grand saut ;
Un abîme ne se franchit pas
en deux petits bonds.

David Lloyd GEORGE

20

L'odyssée

Le secret du succès dans la vie : se préparer à saisir l'occasion quand elle se présentera.

Benjamin DISRAELI

Tandis que nous approchions de la maison de Fuji, les étoiles commencèrent à percer dans le ciel où la lune était presque pleine. À l'exception des grillons et du vent si doux qui soufflait, la forêt silencieuse était endormie.

— Vous êtes sûr de ne pas vouloir rester dîner ? demanda-t-il. Mitsu est toujours heureuse de dresser un couvert de plus.

— Non, vraiment. J'ai à faire, dis-je.

En vérité, à cause du bébé et de tout le reste, je ne voulais pas m'imposer.

Fuji s'engagea en souriant sur le chemin, puis s'arrêta et regarda en l'air. Son sourire disparut.

À cet instant précis, j'eus une sorte de prémonition – pas vraiment mauvaise, mais troublante.

— Qu'y a-t-il, Fuji ? Sentez-vous quelque chose, vous aussi ?

— Oui, dit-il.

— De quoi peut-il s'agir…

Mes pensées allèrent aussitôt vers Mama Chia.

— Mama Chia ? dis-je. Croyez-vous que…

Fuji me regarda.

— Je vais passer chez elle… au cas où.

—Je vous accompagne, décidai-je.

—Non, répondit-il. Ce n'est peut-être rien.

—J'y tiens.

Il hésita, puis acquiesça :

—D'accord.

Nous montâmes rapidement le chemin qui menait à sa maison.

Le mauvais pressentiment se fit plus fort en chacun de nous à mesure que nous approchions.

—Ce n'est sûrement rien, dis-je en essayant de me convaincre que tout allait bien.

Nous étions sur le point d'entrer quand Fuji la vit, effondrée contre un arbre près du jardin. Elle semblait si paisible, si immobile, le clair de lune brillant sur ses yeux clos. Fuji courut vers elle et contrôla son pouls.

Ébranlé, je m'agenouillai lentement près de lui et caressai les cheveux argentés de Mama Chia. Mes yeux s'emplirent de larmes.

—Je voulais vous remercier, Mama Chia, dis-je. Je voulais vous dire au…

Nous nous relevâmes avec un sursaut quand elle se redressa d'un coup en criant :

—Une femme ne peut-elle plus faire un somme sous les étoiles ?

Fuji et moi échangeâmes un regard heureux.

—Nous pensions que vous… vous… balbutiai-je.

—Je contrôlais votre pouls… ajouta Fuji, tout aussi troublé.

Elle comprit alors ce que nous avions imaginé.

—Vous avez cru que j'avais passé l'arme à gauche, n'est-ce pas ? Ne vous inquiétez pas, je me contentais de m'entraîner. Je veux faire les choses bien. Nous allons peut-être devoir répéter tous les jours jusqu'à ce que vous cessiez de vous comporter comme des idiots ! dit-elle en riant.

Fuji, très heureux, s'excusa. Le dîner l'attendait. Juste avant de partir, il s'arrêta pour me donner un bon conseil.

—Dan, ces garçons, en ville…

—Oui ? demandai-je.

—La meilleure façon de gagner consiste parfois à perdre.

—Que voulez-vous dire ?

—Réfléchissez, me conseilla-t-il avant de tourner les talons, prenant le chemin de sa maison où l'attendait le dîner végétarien à l'étouffée préparé par Mitsu.

Ce soir-là, dans le salon de Mama Chia, nous portâmes un toast à nos santés respectives avec plusieurs verres de saké. Mon corps était tellement purifié par l'exercice et le régime alimentaire simple que l'effet du saké fut dévastateur, et je devins encore plus larmoyant que d'habitude. Les yeux humides, je jurai une dévotion éternelle à Mama Chia et lui dis au revoir « pour toujours, au cas où ».

Elle me tapota la main avec indulgence, sourit et demeura silencieuse.

Je dus m'endormir par terre, car c'est là que je me retrouvai le lendemain matin, les oreilles résonnant comme les cloches de Notre-Dame. Je voulais désespérément fuir ma tête bourdonnante, mais il n'y avait nulle part où aller.

Mama Chia se leva, l'air guilleret, et me prépara l'un de ses « remèdes spéciaux… pires que la mort elle-même ».

—En parlant de mort, dis-je, chaque mot déclenchant des douleurs lancinantes, je ne crois pas que ce soit vous qui allez mourir bientôt, mais moi. Je le sens, et j'espère que ce sera très bientôt, ajoutai-je en roulant les yeux. Oh, je me sens mal.

—Cessez de rouler les yeux, suggéra-t-elle. Cela vous fera du bien.

—Merci. Je ne savais pas que je les roulais.

Une heure plus tard, je me sentais beaucoup mieux, l'esprit beaucoup plus clair, ce qui fit naître en moi une vague d'inquiétude.

—Vous savez, vous m'avez vraiment fait peur hier soir. J'étais là debout, désemparé, avec l'impression d'être impuissant.

Mama Chia s'assit par terre sur un coussin et me regarda.

—Que ce soit clair une fois pour toutes, Dan. Vous n'êtes pas censé faire quoi que ce soit. Si vous voulez avoir l'esprit en paix, je vous suggère de quitter le poste de président-directeur général de l'univers. Je vous le dis, Dan, pour moi c'est tout tracé – quoi que vous fassiez. Peut-être demain, peut-être dans quelques mois... mais bientôt. Je suis prête à partir, affirma-t-elle en posant les pieds au bord du canapé et en regardant le plafond.

—Mama Chia, confessai-je, quand je suis arrivé ici, je croyais avoir besoin de vous seulement pour connaître la prochaine étape.

Cela la fit sourire.

—Mais maintenant, je me demande ce que je pourrais encore apprendre que vous et Socrate ne m'ayez enseigné.

Elle me regarda.

—Il y a toujours des choses à apprendre. Chacune vous prépare pour la suivante.

—Ma prochaine étape est-elle cette école au Japon où vous avez rencontré Socrate ?

Elle ne répondit pas.

—Qu'y a-t-il ? Vous n'avez pas assez confiance en moi ?

—Toutes vos questions sont justes, Dan, et je comprends ce que vous ressentez. Mais je ne puis vous tendre simplement un papier avec un nom et une adresse.

—Pourquoi pas ?

Mama Chia prit une profonde inspiration en préparant sa réponse :

—Appelez cela le Règlement Intérieur, dit-elle. Ou bien un dispositif de sécurité, une initiation. Seuls ceux qui sont suffisamment sensibles et ouverts sont destinés à trouver.

—Socrate m'a pratiquement aidé autant que vous pour ce qui est des précisions. Il m'avait dit que si je ne pouvais parvenir jusqu'à vous, c'est que je n'étais pas prêt.

—Alors vous comprenez.

—Oui, mais je n'apprécie pas pour autant.

—Que cela vous plaise ou non, il y a le contexte global, me rappela-t-elle. Et cela ne concerne pas que Socrate, vous et moi. Nous ne sommes que quelques-uns des fils entrant dans le tissage d'une plus grande étoffe. Et il y a des mystères que je n'essaie même pas de pénétrer. Je me contente de les savourer.

—Un jour, Socrate m'a donné une carte de visite, lui racontai-je. Je la garde précieusement chez moi. Sous son nom il y a écrit : « Paradoxe, humour et changement ».

Mama Chia approuva en souriant :

—C'est bien cela la vie. Socrate avait toujours le don d'aller droit au cœur des choses.

Posant la main sur mon bras, elle ajouta :

—Vous voyez bien, la question n'est pas que j'aie ou non confiance en vous, mais plutôt, Dan, que vous ayez confiance en vous.

—Je ne suis pas sûr de vous comprendre.

—Alors fiez-vous à cela aussi !

—Mais je me rappelle que Socrate m'avait dit que vous me montreriez la voie.

—Vous montrer la voie, oui. Vous envoyer un télégramme, non. Pour trouver les écoles cachées, vous devez découvrir les Archives Intérieures. Le Règlement Intérieur ne m'autorise pas à dire les choses directement. Je ne peux que vous entraîner à voir, vous aider à vous préparer. La carte est à l'intérieur.

—À l'intérieur ? Où ?

—Les écoles cachées se trouvent souvent au cœur d'une ville ou d'un petit village – peut-être juste à côté de chez vous – mais totalement invisibles. La plupart des gens passent devant sans les voir – trop occupés qu'ils sont à visiter des grottes au Népal et au Tibet, explorant les endroits où ils s'attendent à trouver la sainteté. Tant que nous, les guerriers, nous n'avons pas exploré les grottes et endroits obscurs de nos propres esprits, nous ne voyons que nos propres reflets... et les maîtres ne donnent l'impression d'être des idiots que parce qu'ils sont écoutés par des idiots. Le moment est venu, poursuivit-elle, pour l'invisible de redevenir visible, et pour les anges de prendre leur envol. Vous êtes l'un d'eux. Il a été de mon devoir, mon heureux devoir, de vous aider. Tout comme Socrate, je suis un guide de l'âme. Nous sommes ici pour vous soutenir, non pour vous faciliter les choses. À vous de trouver le chemin à suivre, tout comme vous m'avez trouvée. Tout ce que je puis faire, c'est vous indiquer la bonne direction, vous pousser en avant et vous souhaiter bonne chance.

Voyant mon expression, elle ajouta :

— Cessez de froncer les sourcils, Dan. Et cessez de vouloir tout comprendre. Il n'est nul besoin de tout savoir sur l'océan pour y nager.

— Croyez-vous que je sois prêt pour avancer ?

— Non, pas encore. Si vous vous lanciez maintenant...

Elle laissa sa phrase inachevée et reprit :

— Vous y êtes presque... peut-être dans une heure ou dans quelques années. J'espère être là assez longtemps pour vous voir...

— Faire le saut, terminai-je pour elle.

— Oui. Car comme je l'ai dit, après le quatrième étage, c'est l'ascenseur express.

— Je ferais le saut aujourd'hui, tout de suite, si je savais comment, dis-je, frustré. Je ferais n'importe quoi pour vous, Mama Chia. Dites-moi seulement quoi faire !

— J'aimerais que ce soit aussi simple, Dan. Mais cela doit venir de l'intérieur de vous – comme une fleur de sa graine. On ne peut rien précipiter. Nous ne contrôlons pas le calendrier. D'ici là, agissez selon ce qui vous semble juste. Faites face à ce qui se présente. Utilisez tout pour croître, pour vous élever. Achevez tout ce qui doit l'être dans les étages inférieurs. Affrontez vos peurs. Faites ce que vous pouvez pour optimiser votre santé et votre énergie. Canalisez et disciplinez cette énergie. Il vous faut maîtriser votre être avant de pouvoir vous dépasser.

Après un silence, elle prit une autre inspiration et déclara :

— Je vous ai montré ce que vous avez besoin de savoir. Cela vous aidera, ou non, selon ce que vous en ferez.

Le cœur lourd, je baissai les yeux et dis à voix basse, me parlant presque à moi-même :

— Je perds mes maîtres les uns après les autres. D'abord Socrate m'envoie au loin, et maintenant vous me dites que vous partirez bientôt.

— Il ne faut pas s'attacher à un maître, répliqua-t-elle. Ne confondez pas l'emballage avec le cadeau. Vous comprenez ?

— Je crois que oui, répondis-je. Cela veut dire que je dois encore me lancer sur une nouvelle piste, à la recherche de quelqu'un sans visage, dans un endroit sans nom.

Elle sourit.

— Quand le disciple est prêt, le maître arrive.

— J'ai déjà entendu cela, dis-je.

— Mais comprenez-vous vraiment ce que cela veut dire ? Quand le disciple est prêt, le maître apparaît... *partout* : dans le ciel, les arbres, les taxis et les banques, dans les cabinets médicaux et les stations-service, dans vos amis et vos ennemis. Nous sommes tous des maîtres les uns pour les autres. Il existe des maîtres dans chaque quartier, chaque ville, chaque pays, des maîtres pour tous les niveaux de conscience. Et comme dans tous les domaines, certains sont plus habiles ou conscients que d'autres. *Mais cela n'a pas d'importance*. Car *tout* est oracle. Tout est lié. Chaque partie reflète le Tout, dès lors que vous avez les yeux pour voir et les oreilles pour entendre. Cela peut vous paraître abstrait, mais un jour, qui n'est peut-être pas très éloigné, vous comprendrez parfaitement. Alors, dit-elle en ramassant une pierre brillante, vous serez capable de regarder cette pierre, d'examiner les nervures de cette feuille, ou de regarder un gobelet en papier emporté par le vent, et vous comprendrez les principes cachés de l'univers.

Après un instant de réflexion, je lui demandai :

— Y a-t-il un problème avec les maîtres humains ?

— Naturellement ! Parce que chaque maître doté d'un corps humain présente une sorte de fragilité, d'excentricité ou de faiblesse. Il a des problèmes, grands ou petits, liés au sexe, à la nourriture, au pouvoir... ou pis encore, il peut mourir dans vos bras.

Elle s'arrêta là, sûre de son effet.

— Mais pour la plupart des gens, poursuivit-elle, un maître humain est la meilleure affaire qui soit, un exemple vivant, un miroir. Il est plus facile de comprendre l'écriture ou le discours de quelqu'un que le langage des nuages ou des chats, ou le trait d'un éclair dans un ciel empourpré. Les humains ont aussi leur sagesse à partager, mais les maîtres humains vont et viennent. Une fois que vous avez ouvert les Archives Intérieures, vous voyez tout *directement* de l'intérieur, et le Maître Universel apparaît partout.

— Que puis-je faire pour me préparer ? demandai-je.

Silencieuse, Mama Chia regardait dans le vide. Puis elle se tourna vers moi.

— J'ai fait mon possible pour vous préparer.

— Me préparer à quoi ?

— À ce qui doit arriver.

— Je n'ai jamais aimé les devinettes.

— Peut-être est-ce la raison pour laquelle la vie vous en propose autant, nota-t-elle en souriant.

—Comment saurai-je quand je serai prêt ?

—Vous le pourriez par votre foi, dit-elle. Mais votre foi en vous n'est pas suffisamment forte. Il vous faut un défi – un test – pour réfléchir et prouver ce que vous avez ou n'avez pas encore appris.

Mama Chia se leva et commença à arpenter la pièce, regarda par la fenêtre, puis se remit à aller et venir. Elle finit par s'arrêter et me dit :

—Il y a un trésor sur cette île... un trésor bien caché des yeux non préparés. Je veux que vous le trouviez. Si vous y parvenez, vous serez prêt à repartir, et à poursuivre avec ma bénédiction. Sinon...

Elle ne termina pas sa phrase, mais dit :

—Retrouvez-moi ce soir dans la forêt au coucher du soleil. Je vous expliquerai à ce moment-là.

Redbird se posa dehors sur le rebord de la fenêtre. Je répondis en le regardant :

—J'y serai. À quel endroit nous retrouverons-nous exactement ?

Quand je levai les yeux, elle avait disparu.

—Mama Chia ? appelai-je. Mama Chia ?

Pas de réponse. J'explorai la maison de fond en comble, en sachant que je ne la retrouverais pas avant le coucher du soleil. Mais où ? Et comment ? Je compris que là était ma première tâche.

Je me reposai la plus grande partie de l'après-midi – ne sachant pas ce que j'aurais à faire une fois le soleil couché. Je restai allongé sur mon lit, trop énervé pour dormir. Une partie de moi ne cessait de trier tout ce que j'avais appris sur les trois Moi et les sept portes de la tour de la vie. Des images défilaient.

Je ne me souvenais même pas de quoi le monde avait l'air avant que je rencontre Mama Chia. Je me demandais si je voyais vraiment les choses. Il y avait une différence entre les visions et les tests dans la réalité. Que m'avait-elle préparé ?

Je pensais à tous les endroits où elle était susceptible ou non de m'attendre, mais arrivai vite à la conclusion qu'il était vain d'essayer de deviner.

Soudain je pensai que les Moi Basiques sont en contact. Mon Moi Basique devait donc savoir où se trouvait le sien. Il me suffisait de faire attention à ses messages par mon intuition, par mes tripes. Je pourrais la localiser comme un compteur Geiger ! Maintenant, je savais comment – mais serais-je vraiment capable de le faire ?

Je savais qu'il me fallait détendre mon corps et faire le vide dans mon Moi Conscient pour percevoir les messages de mon Moi Basique. À la fin de l'après-midi, je trouvai donc un monticule de terre à l'orée de la forêt et je m'assis pour méditer. Tandis que mon souffle allait et venait à son rythme, je laissais mes pensées, sensations et émotions s'élever et retomber comme des vagues sur la mer. Imperturbable aux courants de l'esprit, je les voyais venir et les laissais repartir, sans m'accrocher ni m'attacher.

Juste avant le coucher du soleil, je me levai, m'étirai, fis quelques respirations profondes, éliminant toute tension, inquiétude ou anxiété pouvant interférer, et avançai à grands pas jusqu'au milieu de la prairie. Je me rappelai de rester confiant, de me fier au Moi Basique. Lui sait.

J'essayai d'abord de visualiser où elle se trouvait. Je me détendis et attendis une image. Son visage apparut, mais il ressemblait à une image que j'avais bâtie de mémoire, et je ne pus voir son environnement. Puis j'écoutai avec mes oreilles intérieures, espérant capter quelque indice, peut-être même sa voix. Mais cela ne marcha pas non plus.

Athlète entraîné, j'avais développé un sens kinesthésique affiné, avec une conscience aiguë de mon corps. J'employai donc ce sens, tournant lentement en rond, cherchant à détecter une direction. Puis mon esprit intervint. Elle était probablement assise devant sa maison. Non, elle était à l'étang aux grenouilles. Peut-être était-elle dans la forêt près de chez Joseph et Sarah, ou de chez Fuji et Mitsu. Ou elle se glissera dans ma cabane en attendant que j'abandonne. Prenant soudain conscience de tout ce que j'étais en train de faire, je le balayai d'un coup. Ce n'était pas le moment de raisonner ni de chercher une logique.

« Sens ! » me dis-je. Je demandai en silence à mon Moi Basique de me dire. J'attendis, en tournant toujours doucement. Rien, et puis :

— Oui !

Dans mon enthousiasme, j'avais crié tout haut. Je tendis le bras, ou plutôt il se tendit de lui-même – je ne saurais dire exactement – et je sentis une confirmation intérieure. Comme les impressions que j'avais eues par le passé, mais en plus fort. Mon Moi Conscient intervint avec toutes sortes de doutes : « C'est idiot, juste ton imagination. Tu ne peux pas savoir, tu inventes. »

Ignorant mes pensées, je suivis mon bras, levé à un certain angle, vers la gauche, sur le chemin en direction de la crête. Je commençai à marcher et l'impression demeura forte. J'avançai plus profondément dans la forêt, en dehors du sentier, et m'arrêtai. Je tournai, me sentant comme aveugle, me fiant à mes sens intérieurs. Je la sentis plus proche, puis les doutes m'assaillirent de nouveau.

Mais l'impression était plus forte que mes doutes et me disait qu'elle était proche. Je tournai de nouveau en rond, m'arrêtai et avançai. Droit vers un arbre. Au moment où je le touchai, je l'entendis dire :

— C'était trop facile. Je vous mettrai un bandeau la prochaine fois.

— Mama Chia ! criai-je, contournant l'arbre et la découvrant assise là. J'ai réussi ! Ça a marché !

Je faisais des bonds.

— Je ne savais pas où vous étiez. Je ne pouvais pas le savoir. Mais je vous ai trouvée !

Cela me prouva que ce monde et les êtres humains, moi y compris, ne se limitent pas à ce que l'on voit. Le fait de faire confiance à mon Moi Basique et de voir comment le Moi Conscient pouvait s'interposer mit en lumière et fit devenir réalité tous les concepts que j'avais appris.

— C'est incroyable ! dis-je. Quel monde magique !

Avec un effort considérable mais galant, je l'aidai à se lever et lui donnai une chaleureuse accolade.

— Merci ! C'était vraiment amusant !

— Le Moi Basique aime s'amuser, dit-elle. C'est pourquoi vous ressentez tant d'énergie.

Je me calmai bientôt et déclarai :

— Je trouverai ce trésor, quel qu'il soit, si tel est le défi que je dois relever. Mais je n'ai pas vraiment besoin de chercher ailleurs, c'est vous le trésor. Je veux rester ici, avec vous, aussi longtemps que possible.

— Dan, dit-elle en me prenant doucement par les épaules, cela veut dire que vous êtes près, si près de faire le saut. Mais ce n'est pas pour me servir moi que vous êtes ici. Je ne suis qu'un point de passage. Souvenez-vous de moi avec reconnaissance, si vous voulez. Mais pas pour moi, pour vous, car la gratitude ouvre le cœur.

Dans les derniers rayons de lumière rosée du soleil couchant, son visage semblait extatique tandis qu'elle me souriait, réfléchissant tout l'amour que j'éprouvais pour elle.

— Et maintenant, dit-elle, le temps est venu pour vous de commencer.

Elle s'assit de nouveau, sortit son carnet et un crayon de son sac, et ferma les yeux. Je l'observai : elle restait simplement assise là, et attendait. Soudain elle se mit à écrire de sa main tremblante, lentement d'abord, puis plus vite. Quand elle eut fini, elle me tendit la note :

Au-dessus de l'eau, sous la mer,
Haut dans la forêt tu seras.
Aie confiance en ton instinct et en la mer ;

Rapporte-moi le trésor.
Pour le trouver
tu voyageras, jour et nuit.
En le voyant tu sauras que
ce qui est en haut est comme ce qui est en bas.
Une fois que tu auras compris,
Tu seras prêt à traverser la mer.

Je relus la note.

— Qu'est-ce que cela signifie ? demandai-je en levant les yeux.

Elle avait de nouveau disparu.

— Bon sang ! Comment faites-vous ? criai-je dans la forêt.

Puis, avec un soupir, je m'assis, me demandant que faire.

Je devais donc me lancer dans une chasse au trésor. Une sorte d'odyssée. Eh bien, j'allais commencer le lendemain matin. C'était logique. Mais l'énigme disait que je voyagerais « jour et nuit ». Cependant, il était inutile de partir avant de savoir où j'allais. Je relus l'énigme. Il était clair que je devais passer par plusieurs endroits : sur l'eau, sous l'eau – cette partie me déroutait – ainsi que dans la forêt. Le plus déroutant était la fin : « En le voyant, tu sauras que ce qui est en haut est comme ce qui est en bas. »

Sur une impulsion, espérant peut-être un signe ou un indice, je décidai de monter dans la forêt pour avoir un meilleur point de vue. La pleine lune se levait à l'est, bas à l'horizon, mais suffisamment pour éclairer mon chemin.

— Je marche seul dans une forêt la nuit, jouant à cache-cache avec la lune, chantais-je tout haut, au rythme de mes pas, tandis que j'avançais d'un pas régulier sur le sentier humide baigné par le clair de lune.

Je me sentais frais, alerte et plein de vie. La forêt ne changeait pas vraiment la nuit, mais moi oui. L'activité mystérieuse et inhabituelle amena mon Moi Basique à la surface. Je pris plaisir à cette excitation.

Je commençais à ressentir dans l'abdomen une chaleur qui, comme une énergie en expansion, remonta jusqu'à ma poitrine. Si bien que je lançai, d'une voix aiguë, un cri comparable à celui d'un oiseau. Je me sentis comme un oiseau, puis comme un lion des montagnes, cheminant silencieusement dans la nuit. Je n'avais jamais eu de défi comme celui-ci.

Comme je grimpais toujours plus haut, un léger film de transpiration se forma sur mon visage et ma poitrine dans la nuit chaude. Et je me posais des questions sur le mystère de cette vie. La nuit magique semblait irréelle, ou plutôt aussi réelle qu'un rêve. Peut-être étais-je en train de rêver. Peut-être étais-je tombé de cette planche de surf. Peut-être délirais-je dans un autre corps, une autre incarnation, ou dans mon lit, dans l'Ohio.

Je m'arrêtai et observai la forêt en contrebas. Des touches argentées de clair de lune faisaient ressortir les arbres obscurs. Non, ce n'était pas un rêve. C'était de la vraie transpiration, c'était la vraie lune et j'étais vraiment fatigué. Ce serait bientôt l'aube. La chaîne de montagnes était juste au-dessus – à environ une demi-heure. Alors je continuai, faisant la course avec l'aube jusqu'en haut.

J'y parvins, haletant, et trouvai un endroit abrité. Je dormis jusqu'à ce que le soleil s'élève au-dessus des rochers et vienne frapper mon visage. Je regardai la vue sur Molokai. Et maintenant ?

La voix de Soc résonna à cet instant dans ma mémoire. Il m'avait parlé du koan, une énigme insoluble destinée à frustrer l'esprit conscient. La « solution », ou réponse, ne résidait pas dans les mots eux-mêmes mais dans une compréhension au-delà d'eux.

Je me demandai si l'énigme de Mama Chia était elle aussi un koan. Une partie de mon esprit commença à réfléchir à cette question et continua des heures durant, dans la veille comme dans le sommeil.

Puis je pensai au changement de forme. Mama Chia l'avait qualifié de profonde empathie. Quand j'étais enfant, je jouais à «Et si j'étais...» : si j'étais un tigre, comment serait-ce? Si j'étais un gorille? Et à ma manière d'enfant, j'imitais ces animaux, sans habileté, mais avec un sentiment de vérité. Peut-être cela m'aiderait-il maintenant.

Tandis que cette idée me venait, je vis un albatros volant bas, prenant son essor, et venant se positionner presque immobile au-dessus de moi. J'eus le choc de prendre conscience que l'espace d'un instant j'étais devenu l'albatros, voyant à travers ses yeux et baissant le regard vers moi. Avec un cri sonore, l'oiseau s'envola en ligne droite, en une glissade sans fin en direction de la ville. Et je sus l'endroit suivant où me rendre. Oui, ce serait la ville de Kaunakakai. Quelle nuit miraculeuse!

Avant de commencer la descente, j'observai l'île entière, baignée par le clair de lune. C'était parfait que je sois venu là, ne serait-ce que pour avoir une vue générale, pensai-je. J'allais partir quand je remarquai une plume de l'albatros à mes pieds. Je la ramassai et sentis un vieil appel monter en moi. J'entamais une quête. Pourquoi ne pas commencer par une cérémonie?

Je levai la plume au-dessus de ma tête avec le bras gauche et pointai le bras droit vers le sol, reliant ainsi le ciel et la terre. Je m'assimilais et ressemblais à la carte du bateleur d'un jeu de tarot que j'avais vu. Puis je saluai le nord, le sud, l'est et l'ouest, et demandai l'aide des esprits de l'île.

Mon Moi Basique me donna une force renouvelée tandis que je descendais aussi vite que mes jambes me le permettaient. Je ne m'arrêtai que pour un bref repos, en fin de matinée, cueillant quelques papayes en chemin. Je les ouvris, les mangeai goulûment, sans égard pour les bonnes manières, et jetai les peaux pour enrichir le sol. Je marchais avec détermination, avec un but, même s'il m'était encore inconnu. «Bien, me dis-je, je vais en ville.»

Une averse vint fort à propos rincer le jus de papaye sur mon visage, mes mains et mon torse. Puis le soleil me sécha et le vent gonfla mes cheveux et ma barbe.

Je fis une partie du chemin à l'arrière d'un camion aux portières marquées « Molokai Ranch » et terminai le parcours à pied jusqu'à Kaunakakai. Je me sentais tout à fait la rusticité d'un homme des montagnes en débarquant en ville… droit dans les bras, si je puis dire, de ma nouvelle connaissance, Buveur-de-Bière, et ses compagnons.

Je n'étais alors pas tout à fait sur terre, c'est un euphémisme. N'ayant presque pas dormi et nourri seulement de quelques papayes, je me sentais plus que fatigué, presque désaxé. Le visage poupin de Buveur-de-Bière se colora lentement quand il me reconnut et il commença à serrer les poings. C'est alors que je m'entendis dire avec ma plus belle voix de John Wayne – Gary Cooper – et autres durs d'Hollywood :

— J'ai entendu dire que vous me cherchiez, vermines.

Cela freina un moment leur progression.

— Vermine, répéta Buveur-de-Bière. C'gars nous a appelés « vermines ».

— Ça sent mauvais, intervint l'un de ses amis parmi les plus grands.

— J'te paie pas pour penser ! lança leur chef sans peur.

— Tu m'paies pas du tout ! rétorqua Grand Gars dans un accès de génie.

Je remarquai que le plus petit de ces jeunes gens me dépassait d'une quinzaine de centimètres et pesait quelque vingt-cinq kilos de plus que moi.

Leur discussion se poursuivant, Buveur-de-Bière se souvint de son intention et de son inspiration initiales : me réduire en purée. C'est généralement la racine de taro que l'on écrase en une pâte blanche, mais je ferais l'affaire, semblait-il penser en s'avançant pour me briser les côtes.

Son poing partit et je réussis à appliquer suffisamment ma récente formation, me balançant pour esquiver ce coup, puis le suivant et le suivant encore. Il se comportait comme un lanceur de ligue professionnelle de base-ball. Mon Moi Basique devait avoir appris ses leçons, lui aussi. Quand la force arrive, écartons-nous, pensais-je, évitant chaque coup.

Après une leçon, je n'étais pas un maître en arts martiaux. Mais la leçon avait été très bonne. Et pour tout dire, Buveur-de-Bière avait sans doute déjà bu quelques verres de trop et n'était pas au mieux de sa forme.

Je devais lui laisser une chose : il était obstiné. Le visage écarlate, soufflant, il essayait de cogner ce *haole* hippie, probablement originaire de Californie. Et il échouait, devant ses amis.

Je continuais à glisser, à osciller et à me défiler, je commençais à me prendre pour Bruce Lee. J'eus même le temps d'adresser des remerciements silencieux à Fuji.

Puis un autre de mes enseignements me revint en mémoire. Parfois, la meilleure façon de gagner un combat est de le perdre.

À l'instant même, je me mis en harmonie avec ce garçon, ressentis ce qu'il éprouvait et devins triste. J'envahissais son domaine. Se battre était l'une des choses dont il tirait fierté et il perdait la face devant ses seuls amis. Comme de coutume, je n'avais pensé qu'à moi. Fuji avait raison. Une importante partie de l'autodéfense consiste à savoir quand ne pas se défendre.

Je cessai de me défendre et roulai avec le coup quand Buveur-de-Bière, dans un dernier effort héroïque, tenta un crochet du droit qui me pulvérisa la joue. J'eus l'impression d'avoir été frappé par un marteau volant. J'entendis un grand bruit lorsque ma tête bascula brusquement sur le côté. Je vis trente-six chandelles et me retrouvai étendu sur un tas d'ordures éparpillées.

Me redressant en me frottant la tête, je dis :

— Quel sacré coup ! Vous avez des poings en marbre !

Il avait sauvé la face. J'étais l'ennemi vaincu. Je vis son expression changer quand il montra son poing.

— Ils sont en acier, rétorqua-t-il.

— Aidez-moi à me relever, s'il vous plaît, dis-je en tendant les bras. Et laissez-moi vous offrir une bière.

21

Le soleil sous la mer

*Dans les cavernes marines, il y a une soif,
un amour, une extase, aussi durs que des
coquillages, que l'on peut tenir dans la main.*

George SEFERIS

Il hésita, puis me tendit la main et m'aida à me relever.

— J'peux boire beaucoup de bière.

Il sourit, révélant deux dents manquantes. Tandis que nous marchions vers le magasin – le panneau au-dessus de la porte indiquait « Boissons alcoolisées » – je massai ma joue tuméfiée, heureux des dix dollars que Fuji m'avait donnés, car je n'avais pratiquement aucun autre argent liquide. Je me dis intérieurement : voilà une sacrée manière de se faire des amis.

Mais je me fis bel et bien des amis. En particulier Buveur-de-Bière, dont le vrai nom était Kimo. Il sembla lui aussi se prendre de sympathie pour moi. Les autres gars disparurent quand je fus à court d'argent, mais Kimo resta. Il proposa même de m'offrir un verre.

— Oh, merci, Kimo, mais j'ai mon compte. Au fait, ajoutai-je, répondant à une impulsion, sais-tu où je peux trouver un voilier ?

Je ne sais vraiment pas d'où me vint cette idée, mais je me laissai porter, comme on dit.

À ma grande surprise, Kimo, qui sirotait sa bière les yeux dans le vague, se réveilla soudain. Ses joues se colorèrent, et il se tourna vers moi, excité comme un petit garçon.

—Tu veux faire d'la voile ? J'ai un bateau ! J'suis le meilleur marin de c'te ville.

Nous fûmes dehors dans la seconde. Et une demi-heure plus tard, nous voguions sur la mer par vent assez fort, rebondissant sur de petites vagues.

—C't'endroit est bon pour pêcher. T'aimes pêcher ?

Cette question était bien sûr de pure rhétorique, comme s'il avait dit : « Tu aimes respirer ? » sans guère laisser de place pour une réponse négative.

—Je n'ai pas pêché depuis des années, dis-je avec diplomatie.

Il y avait une canne à pêche dont Kimo se servit, perdu dans son propre monde, et moi, content d'avoir de la compagnie, je m'étendis sur le côté et regardai sous la surface de l'eau.

Le remous s'était calmé, faisant place à une étendue lisse. L'eau était claire comme le cristal. Je vis des bancs de poissons passer là, en dessous, et me demandai comment cela serait…

Sans aucun effort conscient de ma part – peut-être était-ce là la clé – je sentis ma conscience volant avec les poissons. C'était cela : voler. Pour les poissons, la mer est l'air. J'éprouvai un sentiment inhabituel de maîtrise de l'eau. Il me suffit d'y penser pour devenir une fusée, une étoile filante et, l'instant d'après, je me retrouvai totalement détendu et immobile.

Détendu, mais toujours alerte. La mort, ici, venait de n'importe quel côté, et soudainement. Je vis un gros poisson refermer sa gueule d'un coup sec, et un plus petit disparaître dans le même temps. La mer était comme une machine vivante de mouvement et de reproduction, où l'on mange et meurt, empreinte malgré tout d'une grande beauté et de paix.

Je revins à la réalité au moment où Kimo déclara :

— Tu sais, Dan, c'bateau et c't océan – c'est ma vie.

Sentant qu'il exprimait quelque chose de personnel, j'écoutai avec intensité.

— Des fois c'est tranquille, comme maintenant. D'aut'fois y a un'tempête – on peut pas contrôler un'tempête – mais on peut orienter la voil', attacher les choses, traverser c'te tempête, et on s'sent beaucoup plus fort – tu sais ?

— Oui, je sais ce que tu veux dire, Kimo. Ma vie est un peu comme ça aussi.

— Ah oui ?

— Oui, je crois que nous traversons tous des tempêtes, dis-je.

Il me regarda avec un large sourire.

— T'es chouette, tu sais ? Je l'pensais pas au début, mais maintenant, oui.

Je lui souris à mon tour.

— Je te trouve chouette aussi.

J'étais sincère. Maintenant que je regardais en dessous de la surface, Kimo semblait différent.

Il allait dire autre chose. Il hésita, rassemblant peut-être son courage, et me confia :

— Un jour, j'sortirai du lycée, et j'trouverai un bon travail. J'apprendrai à mieux parler, com'toi.

Il attendit. Mon avis était important pour lui.

— Eh bien, dis-je, quiconque comprend la mer comme toi peut réussir n'importe quel but qu'il se fixe.

Je vis son visage s'illuminer.

— Tu crois vraiment ?

— Oui.

Il demeura pensif et silencieux un moment. Je restai donc assis à regarder l'eau claire. Puis, soudain, il releva sa canne à pêche et mit la voile.

— Y a un endroit que j'veux t'montrer.

Virant de bord, nous nous dirigeâmes vers le sud jusqu'à un récif, à peine visible sous la surface de la mer.

Kimo orienta la voile, quitta ses sandales et plongea dans l'eau comme un phoque. Sa tête réapparut vite. De toute évidence dans son élément, il attrapa sur le bateau un masque de plongée, me tendit une paire de lunettes protectrices et dit :

— Viens donc dans l'eau !

— Avec plaisir ! dis-je, enthousiaste.

Je transpirais et me sentais sale, un bon bain allait me faire du bien. Je retirai ma chemise, me débarrassai de mes chaussettes et de mes tennis, mis les lunettes protectrices et le suivis tandis qu'il se glissait doucement dans l'eau, tout droit vers le beau récif de corail aux bords tranchants, environ trois mètres sous la surface.

Il nagea encore une vingtaine de mètres et s'arrêta, nageant debout pour m'attendre. N'étant pas un excellent nageur, je ressentais l'effort. En l'atteignant et en commençant à nager debout lourdement, j'étais déjà fatigué. Aussi, j'eus des doutes quand il dit :

— Suis-moi en bas !

— Une minute ! lançai-je, pantelant et regrettant de n'avoir pas passé plus de temps à la piscine de l'université. Qu'est-ce qu'il y a en bas ?

Tellement dans son élément dans l'eau, Kimo n'imaginait même pas que je ne puisse pas être parfaitement à l'aise. Mais il vit mon expression dubitative et, flottant sur le dos comme une loutre, il m'expliqua :

— Y a une caverne. Personne la connaît, que moi. J'vais t'la montrer.

— Mais c'est sous l'eau. Comment allons-nous respirer ?

— D'abord il faut retenir son souffle. Mais une fois dans le tunnel, on remonte dans c'te caverne et il y a d'l'air, dit-il, partageant sa découverte avec une agitation croissante.

Nettement moins enthousiaste, je demandai :

— Combien de temps devons-nous retenir notre souffle...

Il s'était brusquement retourné et plongeait tout droit sous la surface chatoyante.

—Kimo! criai-je. Quelle est la longueur du tunnel?

J'avais quelques secondes pour me décider. Allais-je le suivre ou regagner le bateau à la nage? C'était plus sûr, et probablement plus sage. Mais la petite voix que j'avais entendue tant de fois me dit : « Vas-y! »

—Oh, tais-toi! répliquai-je tout haut.

Je pris rapidement plusieurs inspirations profondes et plongeai à la suite de Kimo.

Les lunettes étaient à ma taille et je me sentis en fait plus détendu sous l'eau qu'en essayant de me tenir en dehors. Et les quelques exercices de respiration que j'avais faits par le passé, ajoutés à ceux moins nombreux que je pratiquais quotidiennement, m'étaient utiles. J'étais capable de respirer profondément et de retenir mon souffle plus longtemps que la plupart des gens, mais pas forcément en nageant jusqu'à quinze mètres de profondeur, puis dans un tunnel allant je ne savais où.

Mes oreilles commencèrent à me faire mal en raison de la pression. Je me pinçai le nez et soufflai, puis nageai éperdument pour rattraper Kimo, me concentrant sans arrêt sur cette caverne où il y avait de l'air. Je vis Kimo pénétrer dans un grand orifice sur le côté du récif et le suivis dans la lumière diffuse.

À ma consternation, le tunnel rétrécissait à mesure que nous nagions. J'évitais soigneusement le corail acéré. L'image mentale d'un congre m'incita à regarder de droite et de gauche dans les nombreux espaces sombres susceptibles d'abriter une créature marine. Mes poumons me disaient qu'il était temps de respirer – maintenant – mais le tunnel continuait à perte de vue. Puis il commença à se rétrécir plus encore. Dans un moment de panique, je compris que je ne pouvais plus revenir en arrière. Mes poumons pompaient éperdument, mais je serrais les lèvres et continuais de lutter.

Je vis les pieds de Kimo disparaître et, juste au moment où ma bouche allait s'ouvrir pour laisser pénétrer l'eau qui m'aurait fait suffoquer, je virai vers le haut et haletai comme un nouveau-né lorsque ma tête déboucha dans l'air d'une caverne sous-marine.

Avec un moral nettement meilleur, je m'étendis, haletant, à demi submergé, sur une saillie de rocher.

—Sacré endroit, hein ? demanda Kimo.

—Hmm-mm, parvins-je à dire.

Récupérant, je regardai en l'air et autour de moi le corail violet, vert et bleu, merveilleusement coloré, comme s'il avait été conçu par un décorateur de cinéma. Puis je remarquai quelque chose d'étrange : un unique rayon de soleil perçait à travers le toit de la caverne. Mais le récif tout entier était sous l'eau. Comment pouvait-il y avoir une ouverture ?

—T'as remarqué la lumière, hein ? dit Kimo. Là-haut, au plafond – tu vois le morceau de verre ? Il bouche une ouverture pour que l'eau entre pas.

—Comment… ?

—*Ama* – des plongeurs japonais d'y a longtemps, je crois. Peut-être qu'ils ont exploré cette caverne – mis ce verre-là, dit-il en le désignant.

J'acquiesçai, encore médusé.

—Mais comment l'air est-il entré ici ?

—Il ent'que'ques fois par an, quand la marée est basse. J'ai trouvé c't endroit pour la première fois quand j'ai vu de p'tites bulles remonter à la surface.

Soulagé, je m'assis et ressentis l'enthousiasme de me trouver dans cet espace caché, protégé du monde. Nous nous sourîmes, comme deux garçons dans leur cabane secrète.

—Crois-tu que quelqu'un d'autre soit déjà venu ici ? demandai-je.

Kimo haussa les épaules.

—Juste ces plongeurs *ama* et moi.

Nous restâmes silencieux, contemplant le lieu avec admiration, sentant l'énergie de cette caverne sous-marine où le soleil pénétrait.

Kimo s'étendit et regarda au plafond. J'explorais, rampant avec précaution sur le corail tranchant. Dans cette retenue d'eau sous-marine, les algues poussaient denses, s'accrochant au corail et donnant à la caverne une teinte verdâtre mystérieuse.

Je me tournais pour revenir quand mon bras glissa. Il plongea jusqu'à l'épaule dans une fissure du corail. Je commençais à ressortir le bras et ma main se referma sur quelque chose, peut-être un bloc de roche. Je le sortis, ouvris la main et fus étonné de découvrir une statuette, tellement incrustée de petits coquillages et d'algues qu'il était difficile d'être sûr de ce qu'elle représentait.

— Regarde-moi ça ! lançai-je à Kimo.

Il vint vers moi et la regarda, partageant ma stupeur.

— Ça r'semble à une statue ou que'que chose du genre, dit-il.

— Tiens, fis-je en la lui tendant.

Je n'avais pas envie de la donner, mais cela me paraissait normal.

Il l'examina et aurait de toute évidence aimé la garder ; mais lui aussi avait son code de conduite.

— Non, tu l'as trouvée. Tu la gardes. Pour t'souvenir.

— Merci de m'avoir montré cette caverne, Kimo.

— Tu gardes le secret, d'accord ?

— Je ne dirai jamais rien à personne, promis-je en glissant la statuette dans mon pantalon.

Le retour à la nage constituait un défi, mais pas aussi difficile que l'aller, car je connaissais la distance et avais le temps de me reposer et de prendre plusieurs respirations profondes pour me préparer.

Quand nous regagnâmes la rive, la nuit tombait. Kimo insista pour que je reste chez lui. Je fis ainsi la connaissance de ses trois sœurs et de ses quatre frères, dont deux que j'avais déjà vus avec lui dans la rue. Ils m'adressèrent tous un signe de la tête, curieux ou indifférents, en traversant rapidement la pièce où nous discutions. Il m'offrit une bière que j'acceptai et bus lentement, et une herbe à fumer à l'odeur âcre qu'il appela « Torture-de-l'esprit maui », et que je refusai.

Nous discutâmes tard dans la nuit et j'en vins à comprendre l'âme d'un être humain très différent de moi et pourtant semblable.

Avant de se glisser dans son lit défait et que je n'étende une couverture sur le sol, Kimo partagea encore autre chose avec moi. Il m'expliqua combien toute sa vie il s'était senti différent des autres.

— Comme si j'venais d'ailleurs ou que'que chose comme ça, ajouta-t-il. Et j'ai l'impression qu'y a que'qu'chose que j'dois faire de ma vie, seulement j'sais pas quoi… conclut-il.

— Peut-être terminer le lycée d'abord, dis-je. Ou parcourir les mers.

— Ouais, dit-il en fermant les yeux. Ouais, parcourir les mers.

Je repensai en m'endormant à cette incroyable journée commencée sur la cime d'une montagne et terminée avec Kimo dans la caverne sous-marine. Sans compter la découverte de cette statuette incrustée de coquillages, maintenant à l'abri dans mon sac. Il fallait que je l'examine de plus près à la première occasion.

Au matin, je pris congé de Kimo et me mis en route seul à travers la contrée sauvage de Molokai, en direction de la vallée de Pelekunu. J'avais l'impression que le « trésor » mentionné par Mama Chia pourrait bien arriver par petits morceaux, pas tout d'un coup, mais les morceaux formant un tout. Et si je restais vigilant et ouvert, allant où mon cœur me conduisait, je trouverais le reste du trésor, où qu'il soit.

En marchant le long de petites routes, me faisant prendre en voiture sur de courtes distances par des fermiers ou des citadins, puis en pénétrant dans la forêt, je pensais à Kimo et aux autres personnes de toutes les conditions sociales que j'avais rencontrées. Je me remémorais ma vision dans le feu et me posais des questions sur leur but et la façon dont tous nous nous inscrivons dans le contexte plus large. Un jour, j'allais trouver les outils qui les aideraient à comprendre et à trouver ce but. Je le savais, j'en étais convaincu.

Marchant après la tombée de la nuit dans une étrange partie de la forêt tropicale, je me sentis soudain las et perdu. Ne voulant pas tourner en rond, je décidai de dormir où je me trouvais jusqu'aux premières lueurs de l'aube. Je m'étendis et m'assoupis rapidement, avec un vague sentiment de malaise, comme si peut-être je ne devais pas rester là, mais ce n'était qu'un sentiment très faible ; probablement n'était-ce que la fatigue.

Dans la nuit, je fis un rêve sexuel sombre et étrange, mais irrésistible. Une succube – une séductrice – dangereuse et terriblement érotique, vint m'aimer... jusqu'à la mort. Elle portait une longue robe bleue transparente qui révélait une peau de pêche.

Je m'éveillai à demi et me rendis compte où j'étais. Un sentiment glacé d'horreur m'envahit quand je sentis sa présence et vis une forme féminine bleue enveloppée de brume flottant et se déplaçant vers moi à travers les arbres. Je regardai rapidement à droite et à gauche et vis que je m'étais arrêté en un lieu de tombes anonymes et d'âmes qui n'avaient pas trouvé le repos.

Les cheveux se dressèrent sur ma tête et mon Moi Basique me dit de partir de là. *Immédiatement*.

La forme belle et froide de l'esprit flotta plus près, et je sentis que la peur et la séduction étaient ses seuls pouvoirs, mais j'avais été préparé pour cela. J'étais revenu de l'enfer, et ni la peur ni la séduction n'avaient plus sur moi le même pouvoir.

— *Vous ne m'aurez pas*, dis-je avec autorité. Je ne suis pas venu pour vous.

Je me forçai à m'éveiller tout à fait et quittai lentement l'endroit sans me retourner, sachant à tout instant qu'elle me suivait de près.

À un moment, je la sentis abandonner et disparaître, mais je continuai néanmoins à marcher le restant de la nuit. Quelque chose d'autre me troublait. La vague impression de passer, de nouveau, à côté de quelque chose d'important. Mais cette fois, l'impression s'éclaircit, comme si j'avais eu le mot sur le bout de la langue.

Une phrase de l'énigme de Mama Chia me revint en mémoire : « Ce qui est en haut est comme ce qui est en bas. » Qu'est-ce que cela pouvait bien signifier ?

J'avais été « en haut », dans les montagnes, « en bas », en ville. J'avais été « sous la mer ». Tout était pareil. En haut comme en bas. Différent, et pourtant identique. Car où que j'aille, je me trouvais là ! Le trésor n'était pas dans l'un de ces endroits, il était partout. Mama Chia m'avait déjà donné la réponse : *il était en moi* – pas plus loin que mon cœur.

Ce fut plus qu'une compréhension intellectuelle. Cela me frappa avec une force écrasante, ce fut une intégration extatique. Pendant un instant, je perdis toute conscience de mon corps. Je m'effondrai dans les feuilles humides. J'avais trouvé le trésor, le plus important des secrets. L'énergie jaillit en moi. Je voulais crier, danser !

Mais l'instant suivant, l'extase fit place à un autre sentiment : un soudain sentiment de perte. Alors je sus, sans pouvoir expliquer comment, que Mama Chia était en train de mourir.

—Non ! criai-je aux arbres. Non. Pas encore. S'il vous plaît, attendez-moi !

Je me levai et commençai à courir.

22

Vivre jusqu'à notre mort

*Les vrais maîtres s'utilisent comme ponts
sur lesquels ils invitent leurs disciples à
traverser. Puis, ayant facilité leur traversée,
ils s'effondrent avec joie, les encourageant
à créerleurs propres ponts.*

Nikos Kazantzakis

Je ne sais combien de temps je courus, grimpai,
escaladai et courus encore. Couvert de terre, épuisé,
coupé et blessé, puis lavé par une pluie battante, je trébuchai finalement et m'effondrai au pied du perron de
Mama Chia environ deux heures après le lever du
soleil.

Fuji, Mitsu, Joseph et Sarah sortirent de la maison,
et Joseph m'aida à entrer. Mama Chia gisait paisiblement sur le lit, entourée de fleurs.

Mes amis me soutinrent, puis reculèrent tandis que
je m'avançais et m'agenouillais près du lit, la tête cour-
bée et des larmes coulant sur mes joues. Je posai le
front sur son bras, si frais, si frais.

Je fus d'abord incapable de parler. Caressant son
visage, je lui dis adieu et offris une prière silencieuse.
Mitsu était assise tout près, cajolant et réconfortant
Sachi. Socrate, avec la bienheureuse innocence de l'enfance, dormait à côté de sa sœur.

Joseph ressemblait à un Don Quichotte triste, les yeux sombres, une main posée sur l'épaule de Sarah qui se balançait d'avant en arrière, affligée.

Un calme s'installa dans la vallée, une tristesse même respectée par les cris de Redbird, l'apapane. Ici était passée une femme exceptionnelle. Même les oiseaux étaient en deuil.

À ce moment précis, l'apapane se posa sur le rebord de la fenêtre, pencha la tête sur le côté et regarda Mama Chia. Les oiseaux ont un cri de tristesse, et nous l'entendîmes ce matin-là – un son inhabituel – quand Redbird voleta jusqu'à elle, poussa de nouveau son cri et s'envola, comme l'âme de son amie.

Je marchai vers l'est dans l'air chaud et humide, tandis que le soleil prenait sa place dans le ciel, profilant les collines. Joseph m'accompagnait.

—Elle a dû mourir paisiblement, dans la nuit, me dit-il. Fuji l'a trouvée il y a une heure. Dan, on nous a dit que tu étais au loin. Comment as-tu su ?

Je le regardai et mes yeux lui donnèrent la réponse.

Avec un signe de la tête indiquant qu'il comprenait, il ajouta :

—Il y a quelque temps, elle m'a laissé des instructions sur l'endroit où conduire le bébé de Tia et sur d'autres affaires. Elle a demandé à être incinérée dans le cimetière des kahunas. Je ferai le nécessaire.

—Je veux t'aider dans toute la mesure du possible, lui dis-je.

—Bien sûr, si tu veux. Oh, et puis il y avait ceci, révéla-t-il, montrant un morceau de papier. Je pense qu'elle a écrit cela cette nuit.

Nous lûmes la note, quelques mots de l'écriture griffonnée de Mama Chia : « Entre amis, il n'est pas d'au revoir. »

Nous nous regardâmes avec un sourire, les yeux humides de larmes.

Je retournai à l'intérieur, m'assis près d'elle et la regardai. Dans ma jeunesse, la mort m'avait été étrangère –

un appel téléphonique, une lettre, une information, une annonce solennelle à propos de quelqu'un que je voyais rarement. La mort visitait d'autres maisons, d'autres endroits et les gens s'estompaient tout simplement dans ma mémoire.

Mais cela, cette fois, était bien réel, et me faisait souffrir comme une blessure à vif. Alors que j'étais assis là auprès du corps de Mama Chia, la Mort murmurait à mes oreilles de son souffle froid, apportant des prémonitions sur ma propre mortalité.

Je caressai la joue de Mama Chia, ressentant au cœur une douleur à laquelle aucune philosophie métaphysique ne pouvait remédier. Elle me manquait déjà. Je sentais le vide qu'elle laissait, comme si on m'avait enlevé une partie de ma vie. Et je me fis la réflexion que finalement, nous n'avons aucun contrôle dans cette vie, aucune capacité à arrêter les vagues qui viennent s'abattre. Nous ne pouvons qu'apprendre à les surmonter, saisir tout ce qui se présente et l'utiliser pour évoluer. En nous acceptant nous-mêmes, avec nos forces, nos faiblesses, notre stupidité et notre amour. En acceptant tout. En faisant de notre mieux et en suivant le mouvement.

Certains trouveront peut-être étrange que je me sois tellement attaché à une femme que je venais de rencontrer. Mais mon admiration pour Mama Chia – pour sa bonté, son courage et sa sagesse – rendit son décès d'autant plus douloureux, malgré la brièveté de notre contact. Peut-être l'avais-je connue depuis des incarnations. C'était l'un de mes maîtres les plus aimés, qui m'attendait sans doute depuis longtemps.

Joseph contacta la sœur de Mama Chia, qui informa les autres membres de la famille. Nous laissâmes le corps reposer deux jours, comme Mama Chia l'avait demandé. Au matin du troisième jour, nous nous préparâmes pour la montée depuis la vallée de Pelekunu jusqu'au bocage sacré de kukui et au cimetière voisin. La vieille camionnette, décorée de colliers et de guirlandes de fleurs, lui tint lieu de corbillard. Nous avançâmes avec précaution sur les routes de fortune aussi loin qu'elles pouvaient nous conduire – Fuji et moi, suivis de Joseph, Sarah, Mitsu et son petit garçon, la famille de Joseph ainsi que Victor, ses nièces, ses autres parents, et une longue procession de personnes de la région que Mama Chia avait connues et aidées au fil des années.

Arrivés au bout de la route, nous la transportâmes sur la palette construite par ses amis de la colonie de lépreux le long des chemins glissants bordés de cascades, à travers la forêt de kukui qu'elle avait tant aimée, jusqu'au cimetière des kahunas. Les lépreux, limités à leur village, ne purent venir, mais envoyèrent des fleurs à profusion.

Nous atteignîmes le cimetière en fin d'après-midi. Comme je m'y attendais, je sentis l'ancien esprit kahuna, Lanikaula, accueillir Mama Chia, nous accueillir tous. Ils veilleraient désormais tous deux éternellement sur l'île qu'ils aimaient.

Le crépuscule venu, nous avions édifié son bûcher funéraire comme elle l'avait indiqué, l'allongeant sur un lit de feuilles et de pétales de fleurs au-dessus de nombreuses bûches entrecroisées recueillies dans une partie sèche de l'île.

Pendant la préparation du bûcher funéraire, certains de ses plus proches parents prononcèrent quelques mots en souvenir ou récitèrent des citations leur rappelant Mama Chia.

Fuji était trop abattu pour pouvoir parler. Mitsu, sa femme, dit :

—Voici ce que Mama Chia m'a enseigné : nous ne pouvons pas toujours faire de grandes choses dans la vie, mais nous pouvons faire de petites choses avec un grand amour.

Joseph cita Bouddha :

—Grands sont les dons. Les méditations et les exercices religieux pacifient l'esprit. La compréhension de la grande vérité conduit au nirvana. Mais ce qu'il y a de plus grand... et là il se mit à pleurer... mais ce qu'il y a de plus grand, c'est la bonté.

Sachi dit simplement, sans lever ses yeux tristes du bûcher :

—Je vous aime, Mama Chia.

Une autre femme, que je ne connaissais pas, déclara :

—Mama Chia m'a enseigné que les paroles de bonté peuvent être courtes et simples, mais résonnent à l'infini.

Puis elle s'agenouilla et inclina la tête pour prier.

Quand vint mon tour, mon esprit fut comme vide. Ce que j'avais préparé s'était envolé. Je regardai fixement le bûcher en silence un long moment et des images défilèrent dans mon esprit – la rencontre avec Ruth Johnson dans la rue, puis à la réception, puis ses soins pour me guérir – et une phrase longtemps oubliée de l'Évangile selon saint Matthieu me revint en mémoire : « J'avais faim et tu m'as donné à manger, j'avais soif et tu m'as donné de l'eau, j'étais un étranger et tu m'as accueilli, j'étais nu et tu m'as habillé, j'étais malade et tu m'as réconforté. »

Je prononçai ces paroles pas seulement pour moi mais pour toutes les personnes présentes.

Fuji vint vers moi et, à ma grande surprise, me tendit la torche.

—Dan, elle a demandé, dans ses instructions, que ce soit vous qui allumiez le bûcher si vous étiez encore à Molokai. Elle a dit que vous sauriez lui faire une belle fête d'adieu, déclara-t-il avec un sourire triste.

Je soulevai la torche et compris que tout ce qu'elle m'avait montré revenait à ceci : vivre jusqu'à notre mort.

—Au revoir, Mama Chia, dis-je à haute voix.

Je mis la torche en contact avec l'herbe et les brindilles sèches, et les flammes commencèrent à crépiter et à danser. Alors le corps de Mama Chia, couvert d'un millier de pétales rouges, blancs, roses et violets, fut enveloppé par les flammes au cœur desquelles il disparut.

La fumée s'éleva vers le ciel et je m'écartai de la chaleur du feu. Puis, dans la lumière du jour mourant, tandis que notre petit groupe regardait les flammes, je me rappelai combien Mama Chia aimait citer ses sources de sagesse. Des paroles de George Bernard Shaw qu'elle aurait pu prononcer elle-même me revinrent je ne sais comment et je lançai à haute voix à l'intention de tous, au-dessus du brasier crépitant : « Quand je mourrai, je veux être complètement épuisé, car plus je travaille dur, plus je vis. Je me réjouis de la vie pour elle-même. La vie n'est pas pour moi une "flamme éphémère", mais un splendide flambeau que je détiens pour le moment et que je veux faire brûler avec le plus d'éclat possible... »

Ma voix s'étrangla dans ma gorge et il me fut impossible de continuer.

D'autres parlèrent, animés par l'Esprit, mais je n'entendis rien. Je pleurai et ris, comme Mama Chia l'aurait fait, puis je tombai à genoux et inclinai la tête. Mon cœur était ouvert, mon esprit silencieux.

Je levai brusquement les yeux, en entendant la voix de Mama Chia aussi forte et claire que si elle s'était trouvée devant moi. Tous les autres avaient encore la tête penchée ou fixaient le feu, et je me rendis compte que les paroles ne résonnaient que dans les salles silencieuses de mon esprit. Mama Chia me parla de sa voix douce parfois chantante :

À pleurer devant ma tombe, ne reste pas.
Je ne suis pas là, je ne dors pas.
Je suis un millier de vents qui soufflent.
Je suis les reflets de diamant sur la neige.
Je suis la lumière du soleil sur le grain qui mûrit.
Je suis la douce pluie d'automne.

À pleurer devant ma tombe, ne reste pas.
Je suis ailleurs. Je ne suis pas morte.

En entendant ces paroles, mon cœur s'ouvrit tout grand. Ma conscience bondit dans un endroit où je n'étais encore jamais allé. Je sentis la nature de la mortalité et de la mort dans le grand cercle de la vie. Je fus submergé d'une immense compassion pour toutes les choses vivantes. Je tombai soudain dans les profondeurs du désespoir et remontai jusqu'aux sommets de la félicité – ces deux sentiments alternant en moi à la vitesse de la lumière.

Alors, je n'étais plus à Molokai mais dans la petite pièce que j'avais vue dans ma vision sous la cascade. Des odeurs âcres et piquantes de déchets et de pourriture emplissaient l'air, en partie masquées par de l'encens. Je vis une religieuse soignant un lépreux cloué au lit. En un clin d'œil je devins elle, portant une lourde robe par la chaleur suffocante. Je tendis la main pour étaler un onguent sur le visage de ce pauvre homme, le cœur grand ouvert à l'amour, à la peine, à tout. Et dans le visage défiguré du lépreux, je vis le visage de tous ceux que j'avais aimés.

L'instant suivant, je me retrouvai rue Pigalle. Un agent aidait un ivrogne malade à monter dans un car de police. Je devins cet officier de police et sentis l'haleine fétide du clochard. Un éclair traversa mon esprit et je le vis enfant, recroquevillé dans un coin, trembler alors que son père, pris d'une rage alcoolique, le fouettait. Je ressentis sa peine, sa peur et tous ses sentiments. Voyant à travers les yeux du policier, j'accompagnai gentiment le pauvre homme jusqu'au fourgon qui attendait.

L'instant suivant, je regardai, comme à travers un miroir, un adolescent dans sa chambre d'une banlieue aisée de Los Angeles. Il sniffait de la poudre. Je connus son sentiment de culpabilité, ses regrets et sa haine de lui-même. Puis je n'éprouvai que de la compassion.

Ensuite, je fus en Afrique, regardant un vieil homme se déplaçant avec peine pour donner de l'eau à un bébé mourant. Je criai et ma voix résonna dans cet endroit hors du temps. Je pleurai pour ce bébé, pour le vieil Africain, pour l'adolescent, pour l'ivrogne, pour la religieuse, pour le lépreux. Ce bébé était mon enfant et ces gens étaient les miens.

Je voulais tant aider, rendre les choses meilleures pour toutes les âmes qui souffrent! Mais je savais que d'où j'étais, je ne pouvais qu'aimer, comprendre, avoir confiance en la sagesse de l'univers, faire de mon mieux et laisser faire.

Je vis tout cela et sentis une poussée d'énergie explosive, puis fus propulsé, par l'intermédiaire de mon cœur, dans un état de parfaite empathie avec l'existence.

Mon cœur était devenu transparent, irradiant les couleurs changeantes du spectre. En dessous, je sentis le rouge passant dans l'orange, le jaune, le vert se changeant en or. Puis, entourés d'un bleu rayonnant, mes yeux intérieurs furent attirés vers le centre de mon front, s'élevant vers l'indigo puis le violet.

Au-delà des confins de l'identité personnelle, n'ayant plus à m'occuper d'un corps physique, je flottais dans ce lieu où l'esprit rencontre la chair, depuis un point de vue haut au-dessus de la planète que nous appelons Terre. Puis la Terre s'éloigna dans l'immensité et le système solaire devint un point qui disparut, de même que la galaxie, jusqu'à ce que je sois au-delà des illusions de l'espace, de la matière et du temps et que je voie Tout : le paradoxe, l'humour et le changement.

Ce qui suivit est au-delà des mots. Je peux dire que « J'étais Un avec la Lumière », mais ces termes sont désespérément limités, car il n'y avait pas de « Je » pour faire « Un » avec quoi que ce soit, et personne pour faire cette expérience. Essayer de la décrire a été pendant des siècles un défi et une frustration pour les poètes mystiques. Comment voulez-vous dessiner l'équivalent d'un tableau de Van Gogh dans la boue avec un bâton ?

L'univers m'avait réduit en cendres et consumé. Il ne restait aucune trace. Que la Félicité, la Réalité, le Mystère…

Je comprenais désormais le dicton taoïste : «Celui qui dit ne sait pas ; celui qui sait ne dit pas» – non parce que le sage ne parle pas, mais parce que Cela ne peut se dire. Les mots sont aussi loin de Cela qu'une pierre jetée aux étoiles. Si ces paroles vous semblent ne pas avoir de sens, qu'il en soit ainsi. Mais un jour viendra, qui n'est peut-être pas si éloigné, où vous aussi, vous saurez.

Je réintégrai le temps et l'espace – tourbillonnant, désorienté – comme si j'étais tombé d'un avion dans la nuit, toujours agenouillé devant le bûcher funéraire de Mama Chia qui se détachait sur les nuages qui traversaient le ciel, cachant et dévoilant alternativement la lune. Le sol brillait d'une pluie récente. J'étais trempé. La pluie avait arrosé les dernières braises du bûcher. Une heure s'était écoulée en quelques instants.

Les autres étaient partis. Seul restait Joseph. Il s'agenouilla près de moi et me demanda :

— Comment vas-tu, Dan ?

Incapable de parler, je fis un signe de tête. Il me serra doucement l'épaule. Je sentis l'amour et la compréhension à travers ses doigts. Il savait que j'allais encore rester un moment, aussi s'éloigna-t-il après avoir jeté un dernier regard au bûcher carbonisé.

Je pris une profonde inspiration, humant la forêt humide dont l'odeur persistante se mêlait à celle de la fumée. Rien de tout cela ne semblait plus réel, comme si je jouais simplement mon rôle dans un drame éternel et comme si cette dimension n'était qu'une petite salle de répétition dans le théâtre infini de Dieu.

Lentement tout d'abord des questions se firent jour dans mon esprit, puis affluèrent tandis que je redescendais de la grâce dans l'esprit, dans le corps, dans le monde. Que signifiait tout cela ?

Peut-être était-ce là le lieu au-delà de l'espace et du temps dont Mama Chia m'avait parlé. Ses propos m'avaient alors paru abstraits, car ne faisant pas partie de mon expérience. Ils constituaient désormais une réalité vivante. Elle m'avait dit : « En ce lieu, vous pouvez rencontrer qui vous désirez. » Je voulais tellement y retourner, rien que pour la revoir une fois encore.

Je me levai, tremblant et raide, regardant fixement dans l'espace jusqu'à ce que l'obscurité recouvre la forêt.

Puis je gagnai le chemin pris par les autres à travers les arbres tropicaux. Je devinais à peine, loin au-dessus, l'écoulement d'une procession éclairée par un flambeau.

Mais j'eus l'impression très claire que quelque chose me retenait. Aussi je m'assis et attendis. Je passai là toute la nuit, somnolant de temps à autre. Mes yeux étaient parfois fermés, comme lors d'une méditation, parfois ouverts, regardant fixement.

Quand les premiers rayons du soleil percèrent la forêt et brillèrent sur les restes du bûcher, Mama Chia se présenta devant moi, tangible mais translucide. Je ne sais si l'un des autres l'aurait vue ou si son image n'apparut que dans mon esprit.

Mais elle était là. Elle leva le bras et indiqua la colline à ma droite, montrant un épais bouquet d'arbres.

— Voulez-vous que j'aille là-haut ? demandai-je à haute voix.

Elle répondit avec un sourire serein. Je fermai une seconde les yeux à cause de la lumière du soleil. Quand je les rouvris, elle avait disparu.

Avec ma perception modifiée, ou peut-être affinée, de la réalité, tout cela me sembla parfaitement normal. Je me levai lentement et me rendis à l'endroit qu'elle m'avait indiqué.

Encore désorienté par les récents événements et révélations, je me frayai un chemin parmi les épais buissons – je fus accroché une ou deux fois par des plantes grimpantes collantes – jusqu'à ce que le feuillage s'éclaircisse et qu'un étroit chemin apparaisse devant moi.

23

Leçons de solitude

*Nous devons traverser la solitude,
l'isolement et le silence pour trouver
ce lieu enchanté où danser notre danse
maladroite et chanter notre chanson
mélancolique. Mais dans cette danse et
dans cette chanson, les plus anciens rites
de notre conscience s'accomplissent dans
la réalisation de notre humanité.*

Pablo NERUDA

Le sentier menait à une petite hutte d'environ deux mètres cinquante de côté. J'entrai et examinai l'intérieur obscurci. Seuls quelques rayons de soleil pénétraient par le toit de chaume et les murs en rondins. Mes yeux s'habituant à la faible lumière, je distinguai, descendant du plafond, un long morceau de bambou creux amenant l'eau de pluie accumulée sur le toit dans un grand baquet en bois placé dans un coin. Dans l'angle opposé de cette pièce spartiate, je devinai un trou faisant office de toilettes, avec à côté un seau en guise de chasse d'eau. Sur le sol en terre se trouvait un lit de feuilles épaisses pour dormir.

La conception de la hutte me fit penser qu'elle avait servi de lieu d'isolement et de retraite. Je décidai d'y rester jusqu'à ce que je reçoive un signe clair de l'étape suivante.

Je fermai la porte de chaume derrière moi. Fatigué, je m'allongeai et fermai les yeux.

Presque immédiatement, je sentis une présence et me redressai. Mama Chia était assise devant moi, les jambes croisées, comme en méditation – mais les yeux ouverts et brillants. Je sentis qu'elle voulait communiquer quelque chose et attendis en silence, ne voulant pas perturber cette apparition ténue.

Elle eut un large geste du bras et je l'entendis dire, tandis que son image commençait à vaciller et s'effacer :

— Tout est un rêve dans un rêve.

— Je ne comprends pas, Mama Chia. Qu'est-ce que cela signifie ?

— Nous déterminons nos propres significations, dit-elle, son image continuant de s'estomper.

— Attendez ! Ne partez pas ! criai-je.

Je voulais toucher son visage, l'étreindre. Mais je savais que ce n'était ni opportun ni possible.

Dans l'obscurité, j'entendis ses dernières paroles, résonnant dans le lointain.

— Tout va bien, Dan. Tout ira bien…

Puis ce fut le silence.

Elle était partie. Je le sentais jusque dans mes os. Que pouvais-je faire désormais ? Dès que j'eus posé la question, la réponse apparut : il n'y avait rien à faire que rester et attendre que les choses s'éclaircissent.

Observant les étroites limites de mon habitation, je fis le point : je n'avais rien à manger, mais j'avais déjà connu cette situation. Mon Moi Basique n'avait plus peur de ne pas manger et le baquet contenait de l'eau à profusion.

Après quelques étirements d'assouplissement, je m'assis et fermai les yeux. Bientôt, des bribes de souvenirs, des images et des sons, me revinrent à l'esprit, et je revécus toute mon aventure en un montage désordonné de visions et d'émotions fugitives.

Je me souvins de ce que Mama Chia m'avait dit : « Au mieux, le voyage extérieur reflète le voyage intérieur ; au pire, il le remplace. Le monde que l'on perçoit ne fournit les symboles que pour ce que l'on cherche. Le voyage sacré se fait à l'intérieur. Avant de pouvoir trouver ce que vous cherchez dans le monde, il faut le trouver à l'intérieur. Sinon, un maître peut vous appeler, mais vous passerez à côté de lui sans l'entendre. Quand vous saurez voyager intérieurement à travers les espaces psychiques du monde, votre conscience ne sera plus limitée par l'espace, le temps ou le corps physique. »

J'avais déjà entendu cela, mais ne le comprenais que maintenant. Avant de poursuivre mon voyage dans le monde, je devais voyager à l'intérieur de ma psyché. En serais-je capable ? Ma conscience pourrait-elle aller assez profondément pour atteindre la passerelle menant au-delà des sens physiques ?

J'y réfléchis intensément cette nuit-là et le jour qui suivit. J'avais trouvé Mama Chia dans la forêt. Je savais que, comme chacun, je possédais des facultés cachées. Mais où résidaient-elles ? À quoi ressemblaient-elles ? Comment étaient-elles ressenties ?

Socrate m'avait laissé entendre que « l'imagination va au-delà de ce que les yeux peuvent voir ». Il avait dit que c'était le « pont vers la clairvoyance – une première étape. En se développant, elle se transforme en autre chose. Les arbustes deviennent arbres, mais l'imagination est comme la chenille – une fois libérée du cocon, elle s'envole ».

Je pouvais commencer là. Je fermai les yeux et laissai défiler les images : les kukui et la caverne sous-marine de Kimo, le palmier devant la maison de Mama Chia et l'épais tronc tordu du banian. Puis ma fille, Holly, apparut assise par terre dans sa chambre, jouant paisiblement. J'éprouvai une tristesse douce-amère face aux karmas de cette incarnation et envoyai un message d'amour de mon cœur au sien, espérant que, d'une certaine manière, elle le capterait. J'adressai également mes bénédictions à Linda, et laissai aller.

Je passai la nuit entière à faire des rêves précis, ce qui n'était guère étonnant étant donné les récents événements. Je visitai d'autres endroits, d'autres mondes et dimensions de couleurs, clarté et sentiments qui m'émerveillèrent. Mais bien sûr, du moins le pensais-je, ce n'était qu'un rêve...

Les jours succédant aux jours, je ne fis plus beaucoup de différence entre le jour et la nuit. La lumière diffuse du jour laissait simplement la place à l'obscurité de la nuit.

Le matin du cinquième jour, pour autant que je peux évaluer le temps, m'apporta une profonde impression de légèreté et de paix. Les affres de la faim avaient disparu. Je fis quelques postures de yoga et mon regard fut attiré par les murs de la hutte. Des taches formées par des rayons de soleil pénétraient l'obscurité comme des étoiles dans la nuit. J'utilisais les points de lumière comme supports de méditation. Je respirais lentement et profondément, et les étoiles commencèrent à s'estomper, jusqu'à ce que je ne voie plus que mon esprit, projeté sur l'obscurité comme une lanterne magique, un manège d'images et de sons tournant encore et encore. Je passai la journée entière à fixer le mur. L'ennui cessa d'exister quand ma conscience se mit en harmonie avec des énergies plus affinées et subtiles. Quand on ne dispose pas de la télévision, pensai-je, on trouve d'autres choses à faire.

Les jours se succédèrent, identiques et pourtant différents. Je m'étirais, respirais et regardais le spectacle. Les rayons de soleil, puis le clair de lune balayaient lentement le sol de terre comme un pendule de lumière. Le temps passait doucement, avec une infinie lenteur, je m'adaptais aux rythmes subtils et flottais sur un océan de silence, seulement dérangé de temps à autre par les épaves dérivantes de mon esprit.

Puis quelque chose bascula. C'était comme si, face à ma conscience persistante, une barrière était levée et une porte ouverte. Je compris comment le Moi Basique et le Moi Conscient, unis, apportaient les clés de la motivation, de la discipline, de la guérison, de la visualisation, de l'intuition, de l'apprentissage, du courage et du pouvoir. J'eus l'impression d'avoir assimilé en quelques instants une encyclopédie de métaphysique.

Toutefois, comme l'apprenti-sorcier, je ne savais comment arrêter. Les images inondèrent mon esprit jusqu'à ce qu'il déborde. Mes poumons se gonflèrent comme des soufflets, plus vite et plus profondément – l'énergie s'accumulant, croyais-je, jusqu'au moment où j'éclaterais.

Mon visage commença à se tendre. Je sentis mes lèvres se resserrer et, à mon grand étonnement, je grognai comme un loup. Mes mains se mirent spontanément en mudras, postures telles que j'en avais vu en Inde.

L'instant d'après mon esprit se figea et je me retrouvai dans la forêt, face à face avec les trois Moi : le Moi Basique enfantin, le Moi Conscient semblable à un robot et le Moi Supérieur, un être aux couleurs rayonnantes – des teintes tourbillonnantes de rose, indigo et violet profond. Cet être de lumière ouvrit largement les bras aux deux autres.

Alors les trois Moi fusionnèrent.

Je vis devant moi mon corps – seulement vêtu d'un short, éclairé par le pâle clair de lune, debout avec les bras grands ouverts. Un rayonnement rougeoyant émanait de la région du ventre, la tête était une boule de lumière et au-dessus d'elle tournoyaient des couleurs irisées – me rappelant la vision sur la plage tant de semaines auparavant.

Cette fois, je réintégrai totalement le corps physique qui se trouvait devant moi, sentant l'unité de sa forme.

Je sentis le pouvoir de mon nombril, la pureté de conscience illuminant l'esprit et l'appel inspirant pour m'élever dans l'Esprit.

Ma longue préparation avait porté ses fruits. Les trois Moi étaient devenus un. Il n'y avait pas de bataille intérieure, pas de résistance à l'intérieur ni à l'extérieur, si bien que l'attention résidait naturellement et spontanément dans le cœur. Les pensées ou images qui surgissaient s'y dissolvaient. Je devins un point de conscience dans le domaine du cœur, m'élevant vers la couronne de ma tête, en un point au-dessus et derrière les sourcils.

Je sentis la lumière curatrice et aimante du Moi Supérieur m'entourer, m'envelopper, pénétrant chaque cellule et chaque tissu jusqu'à la structure de l'atome. J'entendis son appel et sentis un pont de lumière s'étendre à partir du point de conscience que je constituais, avec le Moi Supérieur debout au-dessus de moi. Je sentis sa force, sa sagesse, sa tendresse, son courage, sa compassion, sa miséricorde. Je devins conscient de sa connexion avec le passé et l'avenir dans l'éternel présent.

Il appela de nouveau et, à ce point de lumière, je me sentis avancer sur le pont, pour rejoindre la conscience de mon Moi Supérieur. J'évoluai dans cette forme de lumière, veillant sur ma forme physique qui se trouvait en bas. Ma conscience et celle de mon Moi Supérieur commencèrent à s'interpénétrer. Je revêtis toutes ses qualités de sérénité, force, sagesse et compassion.

Je savais maintenant ce qu'il savait, ressentais ce qu'il ressentait, tandis que des vagues d'amour débordant me submergeaient. Je vis comment les énergies angéliques avaient façonné le corps et je compris toutes les possibilités offertes par l'incarnation dans un corps physique.

À ce moment précis, je pris conscience d'autres êtres de lumière autour de ma forme physique. Des vagues de bonheur me submergèrent quand je me rendis compte que j'avais connu ces êtres depuis l'enfance, sans toutefois être conscient de leur présence. Certains étaient des amis d'école, d'autres des images familières de rêves oubliés – énergies angéliques, guérisseurs, guides et maîtres – ma famille spirituelle. Je sentis leur amour et sus que je ne connaîtrais plus jamais la solitude.

Un ange du destin s'avança alors et leva les mains pour offrir des symboles pour me guider. Je ne pus voir ses cadeaux que lorsque les mains de lumière s'avancèrent dans mon champ de vision et s'ouvrirent. D'abord je vis un éclair, puis un cœur. Puis un aigle doré apparut, tenant dans ses serres une couronne de laurier. Je reconnus là les symboles du courage et de l'amour, le signe du guerrier pacifique.

Puis, comme dernier cadeau, l'ange laissa apparaître l'image brillante d'un guerrier samouraï, l'épée au côté – non assis mais agenouillé dans une position de méditation. Si je ne pus voir ses yeux, je sentis qu'ils étaient ouverts et brillaient. Puis l'image s'évanouit. Je remerciai l'ange du destin pour ces présents et lui aussi recula et disparut.

De cet endroit, dans la conscience du Moi Supérieur, je sus que les anges de sagesse, de guérison et de clarté sont toujours disponibles. Je pouvais regarder l'avenir ou le passé, et envoyer de l'amour à quiconque dans l'univers. De là, je pouvais étendre sans effort ma vision au-delà du corps physique et prendre mon essor comme un aigle.

Avec cette révélation, je sentis un rappel à ma forme physique. Ma conscience redescendit le pont de lumière jusqu'au centre de mon front et j'eus à nouveau conscience des sons de mon système nerveux et des battements de mon cœur.

Reposé et en paix, j'ouvris mes yeux physiques, sentant une vague d'énergie et de félicité. Dans cet état de profonde rêverie, je grattai un message sur le sol :

Il n'y a pas de chemin vers la paix;
La Paix est le Chemin.
Il n'y a pas de chemin vers le bonheur;

Le Bonheur est le Chemin.
Il n'y a pas de chemin vers l'amour ;
L'Amour est le Chemin.

Ce n'était pas un poème futile mais une prise de conscience.

Les jours qui suivirent, même dans un état de conscience relativement normal, je commençai à voir clairement des images d'endroits en dehors de la hutte, et dans le monde. Mon « imagination » pouvait me conduire plus loin que je ne l'avais jamais rêvé – dans n'importe quel monde ou réalité. Le domaine physique n'était que le quartier général, le point d'atterrissage.

L'univers – avec son nombre infini de dimensions, temps et espaces – était devenu mon terrain de jeu. Je pouvais être un chevalier de l'Europe du Moyen Âge ou un aventurier de l'espace dans la cinquante-huitième dimension. Je pouvais visiter d'autres mondes ou passer du temps dans les molécules d'un penny en cuivre, car la conscience d'être ne peut jamais être limitée par le temps ou l'espace.

Après cela, je voyageai chaque jour – volant à travers la forêt ou autour du monde. Je rendis une visite quotidienne à ma petite fille et la vis jouer avec de nouveaux jouets, lire ou dormir. N'étant plus limité au corps physique, je ne le percevais désormais que comme l'un de mes domaines. Je ne pourrais plus jamais me sentir prisonnier de murs, ni de chair et d'os.

Je me souvins de ce que Mama Chia m'avait dit : « Vous pouvez parler de "mon corps" parce que vous n'êtes pas le corps. Vous pouvez aussi dire "mon esprit", "mes Moi", "mon âme", parce que vous n'êtes pas ces choses. Vous vous manifestez comme pure Conscience qui brille à travers le corps humain, mais elle-même demeure intacte et éternelle. La conscience diffracte à travers le prisme de l'âme pour devenir trois formes de lumière – les trois Moi – avec chacun une forme différente de conscience parfaitement adaptée à ses buts, fonction et responsabilités. Le Moi Basique s'occupe du corps physique et le protège en coopération avec les autres Moi qui apportent soutien et équilibre. Fondement et véhicule pour le voyage de l'âme dans le monde, il connecte les Moi Conscient et Supérieur à la terre comme les racines d'un arbre. Le Moi Conscient guide, informe le Moi Basique, interprète pour lui et le rassure parfois, comme un parent le ferait pour un enfant, l'éduquant pour mieux servir cette incarnation. Mais ce parent doit cultiver une écoute aimante pour entendre cet enfant et respecter son esprit individuel et le développement de sa conscience. Être parent est un terrain de formation sacré. Le Moi Supérieur irradie l'amour, rappelant, inspirant et rallumant l'étincelle de lumière dans le Moi Conscient, l'élevant dans l'Esprit. Il accepte le processus du Moi Conscient et attend, éternellement patient et compréhensif. Chacun des trois Moi est là pour assister les autres, s'intégrant, formant un tout plus grand que la somme des parties. »

Puis une vision mystique se déroula comme un film dans mon esprit, éclairant ses paroles : je vis un moine avançant sur les contreforts d'une montagne par une fin d'automne. Les feuilles multicolores – rouges, orange, jaunes, vertes – pleuvaient des branches, flottant dans le vent glacial. Frissonnant, le moine trouva une caverne où il entra, cherchant à s'abriter des éléments.

À l'intérieur, il se trouva face à face avec un grand ours. Ils se regardèrent. Pendant quelques instants de tension, le moine ne sut pas s'il quitterait la caverne en vie. L'ours s'approchant lentement de lui, il lui parla. « Aidons-nous, Frère Ours. Si tu me laisses vivre dans cette caverne avec toi et si tu peux apporter du bois pour le feu, je cuirai du pain pour toi chaque jour. » L'ours accepta et ils devinrent amis – l'homme ayant toujours chaud, l'ours ayant toujours de quoi manger.

L'ours représentait le Moi Basique et le moine le Moi Conscient. Le feu, le pain et la caverne elle-même étaient des bénédictions du Moi Supérieur. Chaque aspect servait les autres.

Après de nombreux jours de voyage intérieur, de retour d'un long périple, je revins sur terre dans ma forme humaine. J'étais satisfait.

Je me souvins alors du dernier cadeau que m'avait donné l'ange du destin. Avant de m'endormir, je demandai à mon Moi Basique de me révéler ce que ce cadeau signifiait et de me le montrer d'une manière que je puisse comprendre.

Au matin, j'avais la réponse : il me fut dit d'examiner l'objet que j'avais trouvé dans la caverne sous-marine. Tous les morceaux se rassemblaient et je sus qu'il était temps de quitter la hutte.

Je sortis et fronçai les sourcils quand un flot de lumière m'éblouit, se déversant en moi. Je sentis la forêt après une pluie récente. J'étais resté dans la solitude vingt et un jours.

Affaibli par le manque de nourriture, je progressais lentement dans les collines, avec l'impression de ne pas être tout à fait constitué de chair et d'os – comme un nouveau-né sortant tout juste de ma matrice en chaume. Prenant une profonde respiration, je regardai les images et les sons d'un monde nouveau.

Je savais que l'intensité de la paix et la béatitude que je connaissais en cet instant ne dureraient pas. Quand je serais replongé dans la vie quotidienne, les pensées reviendraient, mais ce n'était pas un problème. J'acceptais ma condition humaine. Comme Mama Chia, je vivrais jusqu'à ma mort. Mais pour l'instant, je baignais avec bonheur dans l'extase de la renaissance consciente.

Je passai près d'un papayer quand un fruit tomba. Je le saisis, souris et remerciai l'Esprit pour toutes ses bénédictions, petites et grandes. Mâchant lentement, j'inhalai le doux arôme.

Puis je remarquai une petite pousse toute proche, se dressant à travers la terre rouge, s'élevant vers le soleil.

Dans la graine de cette petite pousse se trouvait l'arbre adulte, toutes les lois de la nature. Nous évoluerons tous, de la même manière que cette graine : les Moi Basiques évoluant en Moi Conscients, s'étendant et affinant leur conscience ; les Moi Conscients s'élevant par le cœur pour devenir des Moi Supérieurs en se soumettant aux lois de l'Esprit, et les Moi Supérieurs évoluant pour revenir à la Lumière même de l'Esprit.

Et chacun élève et guide ce qui se trouve en dessous et soutient ce qui se trouve au-dessus.

Si une petite pousse était capable de me révéler cela, le ciel révélerait-il un jour ses propres secrets ? Et que pourraient me dire les pierres ou me murmurer les arbres ? Apprendrais-je la manière d'être du ruisseau qui coule, l'ancienne sagesse des montagnes ? Cela restait à découvrir.

Quel était le résultat de cette expérience ? Je me souvins d'une histoire sur Aldous Huxley. Vers la fin de sa vie, un ami lui demanda : « Professeur Huxley, après toutes vos études et votre pratique spirituelles, qu'avez-vous appris ? »

Aldous répondit, avec un clin d'œil : « Peut-être... à être un peu plus bienveillant. »

Les petites choses font une grande différence, pensai-je. Et je poussai un soupir de compassion pour tous ceux qui étaient pris dans les détails de la vie quotidienne, qui avaient, comme moi, perdu de vue le contexte plus vaste, la vérité libératrice qui est au cœur de notre vie.

Puis je me souvins des dernières paroles de Mama Chia : « Tout va bien, Dan. Tout ira bien. »

Mon cœur s'ouvrit et je laissai couler des larmes de bonheur, mais de tristesse aussi pour tous ceux qui se sentent encore seuls, séparés, dans leurs huttes de solitude. Puis dans un élan ascendant, j'éclatai de joie avec l'absolue certitude qu'eux aussi seraient capables de sentir l'amour et le soutien de l'Esprit – s'ils ouvraient seulement les yeux de leur cœur.

Épilogue

Il n'y a pas d'au revoir

*Pas de cartes ; Plus de professions de
foi ni de philosophies. À partir de là, les
directives viennent tout droit de l'Univers.*

Akshara NOOR

Sitôt de retour dans ma cabane, je sortis de mon sac
l'objet incrusté de la caverne de Kimo. Je passai plusieurs heures à le nettoyer, grattant soigneusement avec
mon couteau suisse. Après plusieurs lavages et net-
toyages à la brosse, je reconnus avec stupeur et compréhension la forme d'un guerrier samouraï, agenouillé
en méditation – me révélant la prochaine étape de mon
voyage, le Japon, où je trouverais le maître de l'école
cachée.

Cette nuit-là, je rêvai d'un homme asiatique âgé, au
visage triste et sage. Quelque chose pesait lourdement
sur son cœur. Derrière lui, des acrobates zébraient l'air
de leurs sauts périlleux. Et je sus que je le trouverais
non seulement pour recevoir, mais pour servir.

Je fis mes adieux sans cérémonie à chacun des amis
qui m'étaient devenus si chers – à Joseph et à Sarah, à
Sachi et au petit Socrate, à Fuji et à Mitsu avec leur
bébé, et à Manoa, à Tia, et aux autres dont j'avais fait la
connaissance, et que j'aimais profondément.

Joseph m'indiqua l'emplacement d'un petit bateau que Mama Chia avait laissé à mon intention, ancré dans une crique peu profonde dissimulée par les arbres à Kalaupapa, la colonie de lépreux. Cette fois, j'emportai suffisamment de provisions. Par une chaude matinée de novembre, au moment où le soleil se levait à l'horizon, je plaçai mon sac sous le siège, glissai le bateau jusqu'à l'eau, dans le ressac peu profond, et grimpai à bord. La brise gonfla la voile.

Passé le ressac, dans le doux balancement de la mer, je me retournai et vis la pluie strier les falaises de myriades de cascades, certaines explosant en brume fouettée par le vent et en arcs-en-ciel avant d'atteindre la mer.

Un arc-en-ciel plus ample, aux couleurs éclatantes, se forma, étendant sa courbe sur toute la longueur de l'île. Regardant une dernière fois vers le rivage, je perçus l'espace d'un instant la silhouette claudicante d'une femme ronde et forte émergeant du rideau d'arbres à travers la brume. Elle leva la main dans un signe d'adieu, puis disparut.

Je fis face au vent, louvoyant dans le chenal jusqu'à Oahu.

Sur cette petite île de Molokai, guidé par un maître inattendu, j'avais vu le monde invisible, capté une vision plus large de la vie, avec des yeux ne percevant aucune dualité – pas de « moi » et « les autres », pas de moi séparé, pas de lumière et d'ombre, rien dedans ou dehors qui ne soit fait d'Esprit. Et cette vision illuminerait chacun des jours de ma vie.

Je savais que les visions et les expériences s'estomperaient, et que le sentiment d'insatisfaction persisterait, car je n'étais pas au bout de mon voyage, pas encore. Je rentrerais chez moi voir ma petite fille, régler quelques problèmes et mettre mes affaires en ordre, au cas où. Puis je trouverais l'école au Japon et découvrirais une autre partie du passé de Socrate et de Mama Chia – et mon avenir personnel. Semant ma vie à tous les vents, j'irais, une fois de plus, où l'Esprit me guiderait.

L'île commença à s'effacer puis disparut sous un manteau de nuages. Un coup de vent gonfla la voile et un doux parfum emplit l'air. Je levai les yeux et vis avec stupéfaction tomber une pluie de pétales de fleurs multicolores. De saisissement, je fermai les yeux. Quand je les rouvris, les pétales s'étaient volatilisés. Cette averse avait-elle vraiment eu lieu ? Quelle importance ?

Je regardai en souriant vers le large. À une centaine de mètres, une grande baleine à bosse, que l'on rencontre rarement en cette période de l'année, sortit de l'eau et claqua la surface de sa magnifique queue, envoyant pour me saluer une vague qui me propulsa en avant, me faisant chevaucher les vagues comme les anciens rois hawaïens. Alors je sus que, comme ce petit bateau, l'Esprit me conduirait, comme il le fait pour tous, inexorablement vers la Lumière.

À propos de l'auteur

Pendant qu'il faisait ses études à l'université de Californie à Berkeley, Dan Millman fut champion du monde de gymnastique au trampoline et concurrent international toutes disciplines. Durant les quinze dernières années, il a enseigné la gymnastique, la danse, les arts martiaux, le yoga ainsi que d'autres formes d'entraînement psychophysique à Stanford University, U.C. Berkeley, et à Oberlin College. Dan vit maintenant à Marin County, en Californie. Il continue à écrire, à enseigner et à donner des conférences dans tout le pays. On peut joindre Dan en passant par l'éditeur américain, H.J. Kramer, Inc.

Pour toute information à propos de l'auteur, visitez son site web :
www.danmillman.com

PARANORMAL/DIVINATION/PROPHÉTIES

Édouard Brasey • Enquête sur l'existence des fées et des esprits de la nature
Jean-Charles de Fontbrune • Nostradamus, biographie et prophéties jusqu'en 2025
Dorothée Koechlin de Bizemont • Les prophéties d'Edgar Cayce
Maud Kristen • Fille des étoiles
Rupert Sheldrake • Les pouvoirs inexpliqués des animaux
Sylvie Simon • Le guide des tarots

POUVOIRS DE L'ESPRIT/VISUALISATION

Marilyn Ferguson • La révolution du cerveau
Shakti Gawain • Techniques de visualisation créatrice
Shakti Gawain • Vivez dans la lumière
Jon Kabat-Zinn • Où tu vas, tu es
Bernard Martino • Les chants de l'invisible
Éric Pier Sperandio • Le guide de la magie blanche
Akain Kardec • Le livre des esprits
Dolores Krieger • Le guide du magnétisme

LOBSANG T. RAMPA

Le troisième œil
Les secrets de l'aura
La caverne des Anciens
L'ermite

JAMES REDFIELD

La prophétie des Andes
Les leçons de vie de la prophétie des Andes
La dixième prophétie
L'expérience de la dixième prophétie
La vision des Andes
Le secret de Shambhala
(Avec Michael Murphy et Sylvia Timbers) Et les hommes deviendront des dieux

ROMANS ET RÉCITS INITIATIQUES

Deepak Chopra • **Dieux de lumière**
Laurence Ink • **Il suffit d'y croire…**
Gopi Krishna • **Kundalinî – autobiographie d'un éveil**
Shirley MacLaine • **Danser dans la lumière**
Shirley MacLaine • **Le voyage intérieur**
Shirley MacLaine • **Mon chemin de Compostelle**
Dan Millman • **Le guerrier pacifique**
Marlo Morgan • **Message des hommes vrais**
Marlo Morgan • **Message en provenance de l'éternité**
Michael Murphy • **Golf dans le royaume**
Scott Peck • **Les gens du mensonge**
Scott Peck • **Au ciel comme sur terre**
Baird T. Spalding • **La vie des Maîtres**

SANTÉ/ÉNERGIES/MÉDECINES PARALLÈLES

Janine Fontaine • **Médecin des trois corps**
Janine Fontaine • **Médecin des trois corps. Vingt ans après**
Caryle Hishberg & Marc Ian Barasch • **Guérisons remarquables**
Caroline Myss • **Anatomie de l'esprit**
Pierre Lunel • **Les guérisons miraculeuses**
Dr Bernie S. Siegel • **L'amour, la médecine et les miracles**

SPIRITUALITÉS

Jacques Brosse • **Le Bouddha**
Deepak Chopra • **Comment connaître Dieu**
Deepak Chopra • **La voie du magicien**
Sa Sainteté le Dalaï-Lama • **L'harmonie intérieure**
Sam Keen • **Retrouvez le sens du sacré**
Thomas Moore • **Le soin de l'âme**
Scott Peck • **Le chemin le moins fréquenté**
Scott Peck • **La quête des pierres**
Scott Peck • **Au-delà du chemin le moins fréquenté**
Ringou Tulkou Rimpotché • **Et si vous m'expliquiez le bouddhisme ?**
Baird T. Spalding • **Treize leçons sur la vie des Maîtres**
Neale D. Walsch • **Conversations avec Dieu**
Neale D. Walsch • **Présence de Dieu**

VIE APRÈS LA MORT/RÉINCARNATION/INVISIBLE

7598

Composition Chesteroc Ltd
Achevé d'imprimer en France (La Flèche)
par Brodard et Taupin
le 15 mars 2005. 28542
Dépôt légal mars 2005. ISBN 2-290-34487-7

Éditions J'ai lu
84, rue de Grenelle, 75007 Paris
Diffusion France et étranger : Flammarion